新能源汽车
芯片级维修教程

曹晶　编著

XINNENGYUAN QICHE
XINPIANJI WEIXIU JIAOCHENG

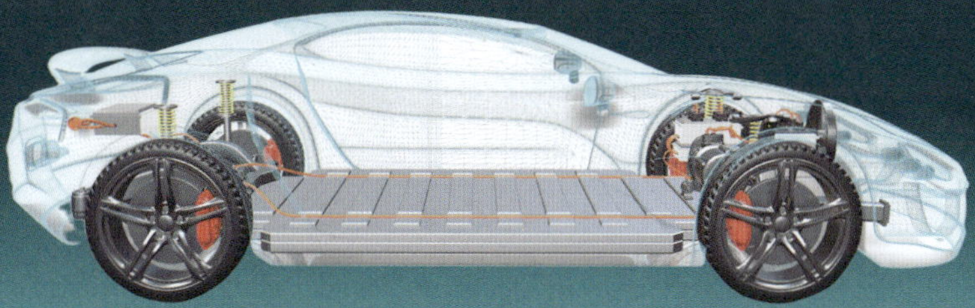

化学工业出版社
·北京·

内容简介

本书共分五个部分，第一部分介绍新能源汽车上形形色色的分立元器件，涵盖电阻、电容、电感、变压器、二极管、三极管、场效应管、晶闸管、IGBT、运算放大器、电压比较器、光耦、定时器、单片机、编程器等；第二部分对芯片级单元电路进行分析，包括 CAN、LIN、EMC、BUCK、BOOST、PFC、MOS 管驱动、DC/DC 变换等各类电路；第三部分以特斯拉和比亚迪新能源汽车为例，介绍电动压缩机的芯片级维修实战；第四部分以北汽新能源汽车为例，介绍车载充电机的芯片级维修实战；第五部分以广汽新能源汽车为例，介绍电控系统的芯片级维修实战。

全书彩色印刷，图片精美，语言文字简洁易懂，内容由浅入深、循序渐进，案例丰富真实，适合新能源汽车维修技术人员阅读，也可作为汽车维修培训机构和职业技术院校汽车维修相关专业的参考教材。

图书在版编目（CIP）数据

新能源汽车芯片级维修教程 / 曹晶编著. -- 北京 : 化学工业出版社, 2025. 9. -- ISBN 978-7-122-48477-2

Ⅰ. U469. 707

中国国家版本馆 CIP 数据核字第 2025WW7010 号

责任编辑：黄　滢　　　　装帧设计：王晓宇

责任校对：宋　玮

出版发行：化学工业出版社（北京市东城区青年湖南街13号　邮政编码100011）

印　　装：天津裕同印刷有限公司

710mm×1000mm　1/16　印张15½　字数335千字　2026年1月北京第1版第1次印刷

购书咨询：010-64518888　　　　售后服务：010-64518899

网　　址：http：//www.cip.com.cn

凡购买本书，如有缺损质量问题，本社销售中心负责调换。

定　　价：99.00元

前言

在科技浪潮奔涌向前的当下，新能源汽车产业正以锐不可当之势重塑出行格局，成为汽车行业转型升级的核心引擎。而车规级芯片作为新能源汽车的“神经中枢”，直接关乎车辆的性能与安全，成为行业技术突破与人才培养的关键赛道。随着新能源汽车市场渗透率的持续攀升，芯片级维修的专业需求愈发迫切，却因技术壁垒高、资料零散，让众多维修从业者面临“知难行难”的困境。

本书聚焦新能源汽车芯片这一核心部件，以“拆解技术密码，赋能精准维修”为初衷，旨在为新能源汽车维修技术人员打造一本覆盖理论解析、故障实战、技术前瞻的专业指南。书中深度拆解新能源汽车上各类芯片的工作逻辑，从硬件组成、信号交互原理到故障溯源，力求帮助读者穿透“黑箱”，构建从原理认知到实战修复的完整知识体系，让维修不再停留于“粗放换件”，而是进阶到“精细修复”，真正提升行业维修技术的精度与深度。

书中围绕新能源汽车芯片级维修的核心逻辑展开。首先，解析其硬件架构——功率模块、控制芯片、传感单元，再深挖其工作原理——电能转换的信号流、故障保护的逻辑触发；其次，针对维修实战，沉淀大量一线真实案例，从通信故障、功率异常到硬件损坏，拆解芯片级诊断流程，传授故障排除技巧，让复杂故障变得“可诊可修”；再次，本书还将延伸至技术前沿，解析车规级芯片迭代对维修的新要求，助力读者在技术迭代中站稳脚跟。

新能源汽车芯片级维修，是理论深度、实践精度与学习热度的三重考验：既需要对电力电子、嵌入式系统等理论知识“知根知底”，又要在显微镜般的微操作中积累手感，更要紧跟技术迭代持续充电。

期望本书能成为汽车维修同行的“技术智库”，让理论不再晦涩、让故障不再棘手、让学习不再盲目，帮助读者在新能源汽车芯片级维修的细分赛道上，成为既懂原理又善实战的“技术尖兵”。

让我们携手奋进，在学习中成长，共同见证新能源汽车行业的美好未来！

编著者

目录

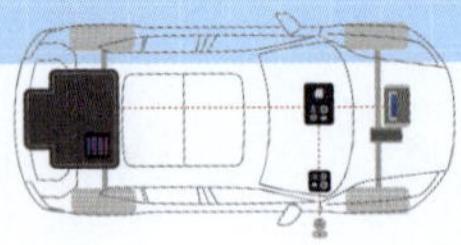

第一部分　分立元件认识与测量

第四部分　车载充电机芯片级维修实战

第五部分　电控系统芯片级维修实战

第一部分　分立元件认识与测量

第一课时
电学基础知识

一、电的由来

电在人们的生活中无处不在，然而它到底是怎么来的？从微观世界来了解电的由来，世间万物都是由分子、原子等微观粒子构成的。

下面看一下单个铜原子的结构。单个铜原子由内部的一个原子核和外部四层电子构成，原子核由质子和中子构成，其中质子带正电，中子不带电。铜原子核外部有四层轨道，最靠近原子核的是第一层轨道，在这层轨道上面有 2 个电子，第二层轨道上面有 8 个电子，第三层轨道上面有 18 个电子，最外层轨道上面有 1 个电子（图 1-1）。

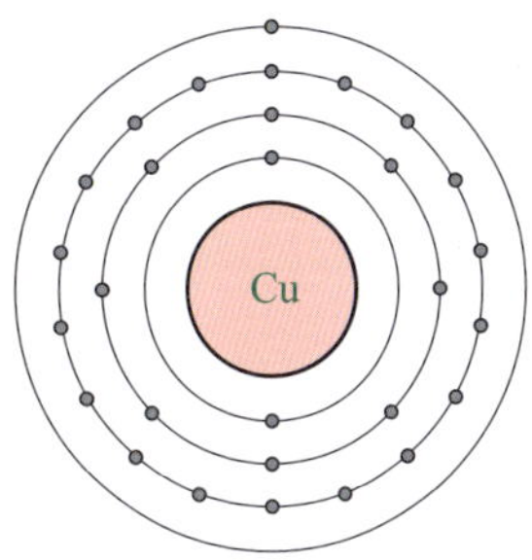

图 1-1　铜原子结构

正常情况下，原子外层的电子数量与质子数量一致，因此整个原子不呈电性。如果因为外力导致铜原子失去一个电子，那么该原子就呈带正电状态。

在学习电学的时候，经常说的电流其实就是电子的定向移动。真正意义上的电流是由电子的定向移动形成的，电子带负电，因此电流从微观角度说就是从负极流向正极。在早期的科学实验中一直定义电流为正极流向负极，因此仍然保留电流的方向是正极流向负极。

二、电流与电压

1. 电流

在前面的学习中知道了电流的含义，电流其实就是电子的定向移动。电流的强弱用电流强度来描述，电流强度是指单位时间内通过导体的某一横截面的电量，简称电流，用字母 I 表示。常用的电流单位是安培，用字母 A 表示，除此之外还有毫安（mA）、微安（μA）。它们之间的换算关系为

$$1\text{A}=1000\text{mA}$$

$$1\text{mA}=1000\mu\text{A}$$

使用安培表或者钳形电流表（简称钳流表）测量电流的强度。使用安培表时需要将其串联至用电器的回路中，使用钳流表时则不需要。一般常用的安培表就是万用表的电流挡，如图 1-2（a）所示。在使用万用表的电流挡测量电流时，应注意以下几点。

❶ 万用表的表笔要正确插入相应的测量孔；

❷ 万用表要与被测用电器串联；

❸ 被测电流不应超过当前的量程；

❹ 因为在电流挡时，万用表的内阻非常小（相当于一条导线），所以绝对不允许不经过用电器直接把万用表接到电源的正负极上。

(a) 万用表　　(b) 钳形电流表(钳流表)

图 1-2　电流的测量方法

钳流表是集电流互感器与电流表于一身的表，即其由电流互感器和电流表组合而成。其工作原理与电流互感器测电流是一样的［图 1-2（b）］。电流互感器的铁芯在捏紧扳手时可以张开，被测电流所通过的导线不必切断就可以穿过铁芯张开的缺口，当放开扳手后铁芯闭合。穿过铁芯的被测电路导线就成为电流互感器的一次线圈，其中通过电流便在二次线圈中感应出电流，从而使与二次线圈相连接的电流表有指示——测出被测线路的电流。

钳形电流表分高、低压两种，用于在不拆断线路的情况下直接测量线路中的电流。

2. 电压

电子聚集在一起后会有一个势力向电子少的地方流动。在这里如何定义这个势力有多大？通过一节干电池进行讲解：干电池的负极聚集了很多电子，干电池的正极缺失电子，所以电子都有一个向正极流动的势力（也称电池的正极为高电位，负极为低

电位），那么这个势力则称为电压，用字母 U 表示。电压的单位是伏特，用字母 V 表示，除此之外还有千伏（kV）、毫伏（mV）。它们之间的换算关系为

$$1\text{kV}=1000\text{V}$$

$$1\text{V}=1000\text{mV}$$

测量电压时使用伏特表，也就是人们常说的万用表的电压挡。在测量时，需要把万用表拨到相应的挡位，表笔插在电压测量孔，然后将万用表并联在被测电路中，就可以测量到电路中的电压。

三、直流电与交流电

直流电（DC）是指大小和方向都不变的电源。例如，一个锂电池，它的电流方向永远都是从电池的正极出发流向电池的负极，那么这种电源就叫作直流电源。在实际应用中，脉动电源也称为直流电，如一个方波电源和占空比电源都叫作直流电源。直流电波形如图 1-3 所示。

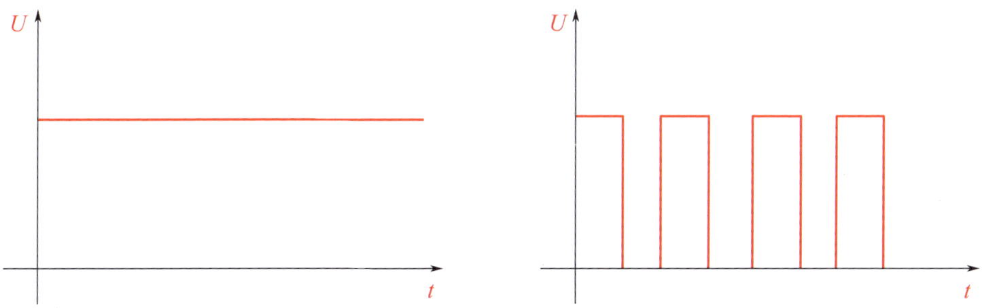

图 1-3　直流电波形

交流电（AC）是指电流方向随着时间做周期性变化的电流。不同于直流电，它的方向会随着时间发生变化，而直流电没有周期性变化，在直流电的基础上理解为交流电的正负极是会来回颠倒的，而正负极颠倒一次为一个周期，那么 1s 内有多少个周期则称为该交流电的频率是多少。频率用字母 f 表示，单位是赫兹，用字母 Hz 表示。通常交流电波形都是正弦波，除了正弦波以外，交流电还有三角波、方波（图 1-4）。

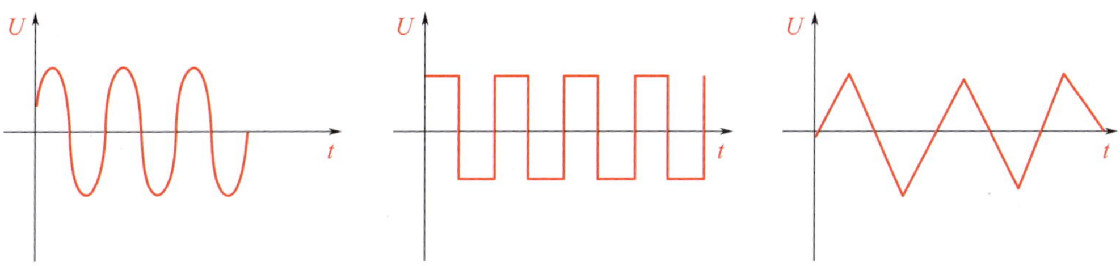

图 1-4　交流电波形

四、三相正弦交流电

三相正弦交流电一般由三相交流发电机产生。交流发电机是基于电磁感应原理制造的，当闭合导体做切割磁感线运动时就会产生感应电动势。交流发电机由定子与转子构成，转子由线圈绕制在硅钢片上，并引出两个集电环，集电环通过碳刷连接至电源给转子供电，从而让转子形成一个磁场。定子由三个绕组绕在硅钢片上，并以 120° 角错开，这样转子在旋转时就形成一个旋转的磁场，相对于转子来说定子就在做切割磁感线运动，这样在定子上就能产生感应电动势（图 1-5）。

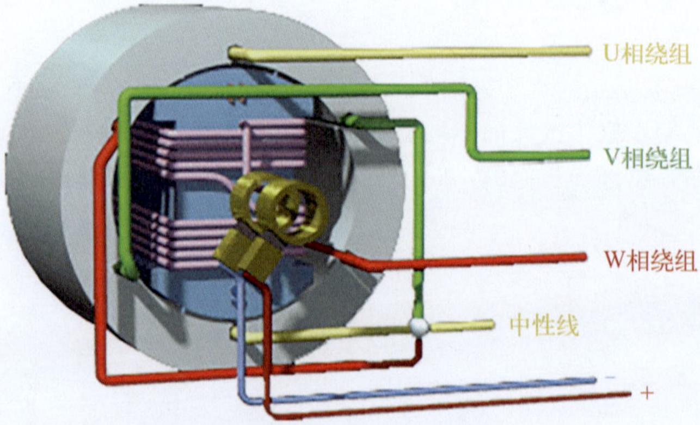

图 1-5　发电机原理

三个绕组的接线方法为星型接法，即三个绕组的某一端全部连接在一起，另外一端全部引出来。那么引出来的三个独立的端子分别称为 A 相（U 相）、B 相（V 相）、C 相（W 相）。相线也称为火线。全部接在一起引出来的另一端称为中性线（N），也叫作零线。这种接法就是人们常说的三相四线接法，也是我们国家供电采取的一种方法。

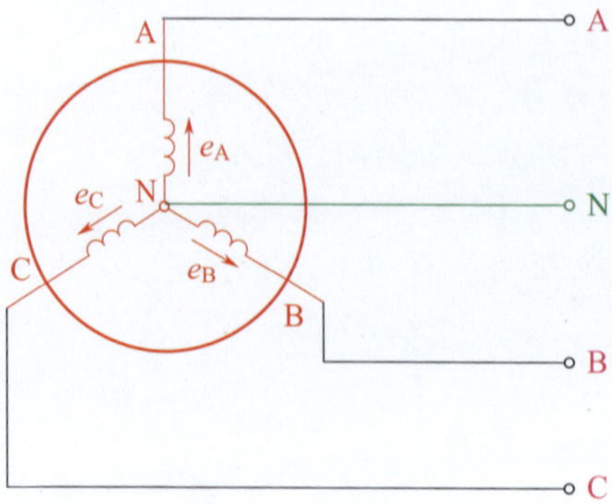

图 1-6　三相四线制

如图 1-6 所示，在三相四线制线路中，取任意一根火线与零线之间的电压就是 220V，取任意两根火线之间的电压就是 380V，在家里布线时一般是接入一根火线和一根零线，这样电压就是 220V，但需要注意的是三根相线接的负载要一致，否则会导致三相不平衡。如果需要使用 380V 电，一般是将三根相线全部接入。

在接线时还需要一个接地保护线，这根线叫作 PE，如图 1-7 所示。这根线是直接接入大地的，作用是防止触电，其基本原理是用电器在使用时可能会产生漏电，若此时触摸金属外壳就会触电，因此在金属外壳接一根线与大地连在一起，电流就会走这根接地线，从而避免发生触电事故。因此在布线时最常用的是三相五线制，即三根相线、一根零线、一根接地保护线。

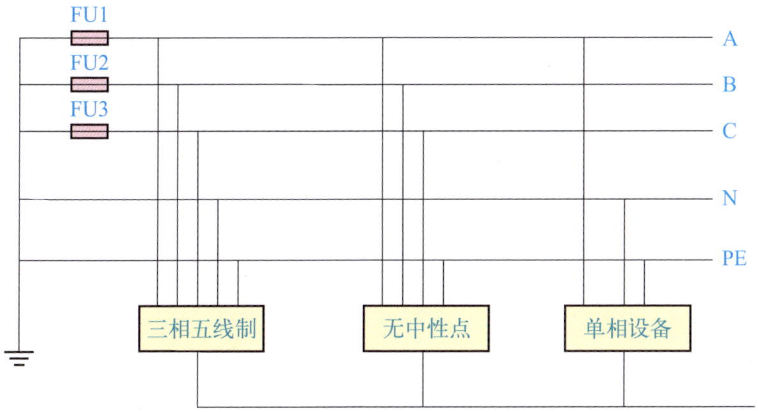

图 1-7　三相五线制

如图 1-8 所示是单向交流电波形，在正半周中电压最高时是 +311V，在负半周中电压最低时是 -311V，那为什么说单向交流电是 220V 呢？这是因为 220V 是交流电有效值，所谓交流电的有效值是指该交流电加载在电阻元器件上会产生与相同电压直流电一样的功率。那么 311V 峰值与 220V 有效值之间是什么关系呢？一般交流电的有效值计算公式为

$$\text{有效值} = \frac{310}{\sqrt{2}}$$

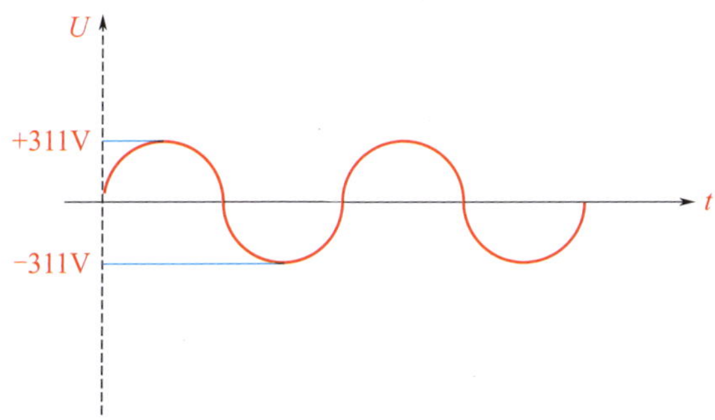

图 1-8　单相交流电波形

第二课时
电阻及其应用电路

一、电阻的定义与分类

人们常在维修中谈到电阻，实际谈到电阻的时候有两种含义：一种是指电阻器，即一个元器件的名称叫电阻；还有一种指的是电路中的电阻值大小。例如，在电路板中看到的一个元器件称为电阻，这是指电阻器；人们说测量线路这个端子到另外一个端子的电阻是指这段线路的电阻值（图 2-1）。

电阻器是电子电路维修中遇到最多的元器件，它在电路中的主要作用是限制电流的流动。电阻用字母 R 表示，电阻限制电流的能力称为电阻值，电阻值的单位是欧姆，用符号 Ω 表示。

规定在 1V 电压下能流过 1A 的电流，那么该电路中的电阻就为 1Ω。

电阻的单位除了欧姆以外还有毫欧（mΩ）、千欧（kΩ）、兆欧（MΩ），它们的换算关系为

$$1000\text{m}\Omega=1\Omega$$

$$1000\Omega=1\text{k}\Omega$$

$$1000\text{k}\Omega=1\text{M}\Omega$$

电阻在电路中的图形符号有两种，如图 2-2（a）所示为北美标注方法，如图 2-2（b）所示为欧洲标注方法。在我国两者都通用，在电路图中见到这两种符号全都表示电阻。

根据电阻的特性不同可将其分为三大类：固定电阻、可变电阻、敏感电阻。

1. 固定电阻

固定电阻是指电阻器的电阻值是不可变的，根据制作材料可分为以下常见几种。

（1）碳膜电阻（图 2-3）　碳膜电阻是采用高温真空镀膜技术将碳紧密附在瓷棒表

图 2-1　电路板中的电阻

图 2-2　电阻图形符号

面形成碳膜，然后加以适当切割，并在其表面涂上环氧树脂密封保护而成的。碳膜的厚度决定电阻值的大小，通常通过控制膜的厚度和刻槽等方式来控制电阻器的电阻值。碳膜电阻亦称“热分解碳膜电阻”，即烃类化合物在真空中高温热分解的碳沉积在基体上的一种薄膜电阻，其价格低廉，性能稳定，电阻值与功率范围宽。

（2）线绕电阻（图 2-4）　线绕电阻是由电阻丝绕在绝缘骨架上构成的。电阻丝一般采用具有一定电阻率的镍铬、锰铜等合金制成。绝缘骨架是由陶瓷、塑料、涂覆绝缘层的金属等材料制成管形、扁形等各种形状。电阻丝在绝缘骨架上根据需要可以绕制一层，也可绕制多层，或采用无感绕法等。绕线电阻一般为精密电阻，主要在精密仪表、电信仪器、电子设备等交直流电路中起到分压、降压、分流及负载电阻的作用。

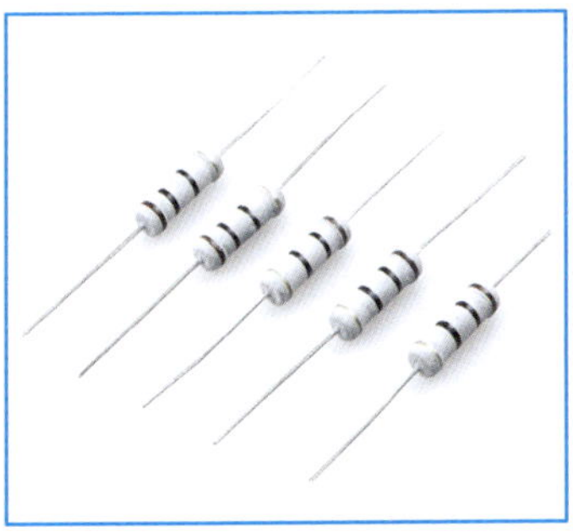

图 2-3　碳膜电阻

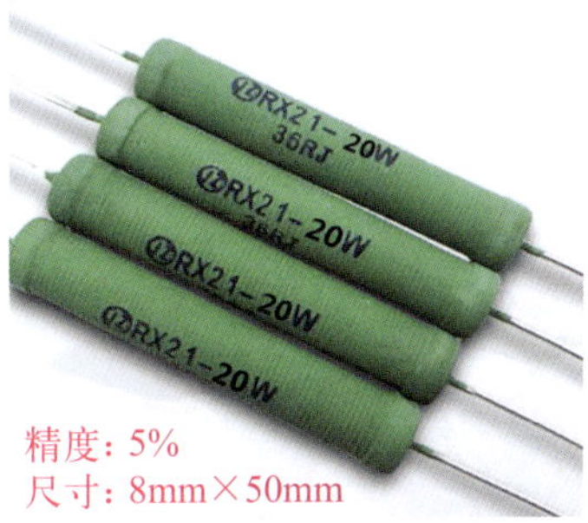

图 2-4　线绕电阻

（3）贴片电阻（图 2-5）　贴片电阻是金属玻璃釉电阻器中的一种，是将金属粉和玻璃釉粉混合，采用丝网印刷法印在基板上制成的电阻器。贴片电阻耐潮湿和高温，温度系数小，可大大节约电路空间成本，使设计更精细化。

（4）金属氧化膜电阻（图 2-6）　金属氧化膜电阻是以特种金属或合金作为电阻材料，用真空蒸发或溅射的方法，在陶瓷或玻璃基板上形成氧化的电阻膜层的电阻器。

图 2-5　贴片电阻

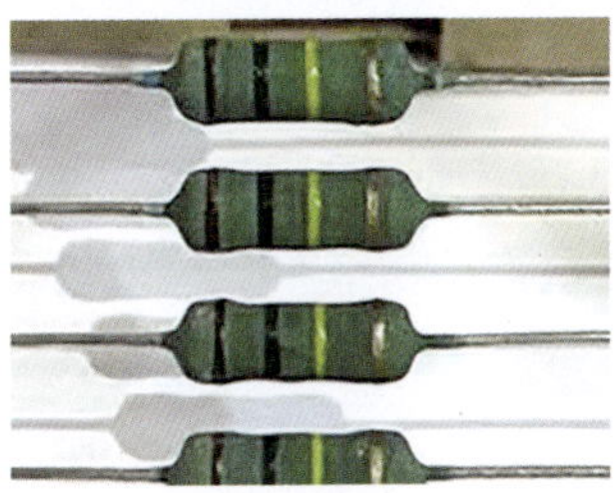

图 2-6　金属氧化膜电阻

（5）金属膜电阻（图 2-7） 金属膜电阻采用高温真空镀膜技术，将镍铬或类似的合金紧密附在瓷棒表面形成皮膜，经过电阻值调试，以达到最终要求的精密电阻值，然后加以适当切割，并在其表面涂上环氧树脂密封保护而成。

（6）水泥电阻（图 2-8） 水泥电阻是将电阻线绕在无碱性耐热瓷件上，外面加上耐热、耐湿及耐腐蚀的材料保护固定，并把绕线电阻体放入方形瓷器框内，用特殊不燃性耐热水泥充填密封而成。水泥电阻的外侧主要是陶瓷材质（一般可分为高铝瓷和长石瓷）。

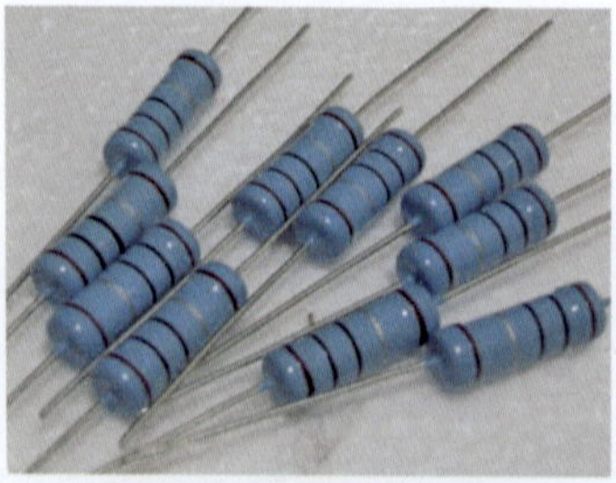

图 2-7 金属膜电阻

图 2-8 水泥电阻

（7）合金电阻（图 2-9） 合金电阻主要是对电流起检测作用，因此也被工程师称为电流检测电阻、采样电阻或者取样电阻等。合金电阻的材料主要是铜合金，每个厂家在生产与研发时都有不同的材料配比，市场上比较常见的合金电阻材料有锰铜合金、铁铬铝合金、康铜合金、镍铬合金、卡玛合金、镍铜合金等。合金电阻具有低电阻值、高稳定性、高功率等特性。

（8）排阻（图 2-10） 排阻即集成电阻，它是一种将多个电阻做在一起的电阻。这样在电路制造过程中对同一种电阻值的电阻多次重复使用时就可以使用排阻。

图 2-9 合金电阻

图 2-10 排阻

2. 可变电阻

可变电阻是指电阻的电阻值是可以调整的，一般又称电位计。在电位计上有开关或者旋钮，在调整开关或者旋钮时电阻器的电阻值就会发生变化。常见的电位计有以下几种。

（1）带开关的电位计（图 2-11） 带开关的电位计是指电位计上面带一个开关，

在初始位置上电位计是断开的，继续拧，电位计就会闭合；接着拧，电位计的电阻值就会随之增大或者减小。

（2）贴片式电位计（图 2-12） 贴片式电位计是指其安装方式为表面贴装技术，一般体积比较小，广泛用于各种电路板中。

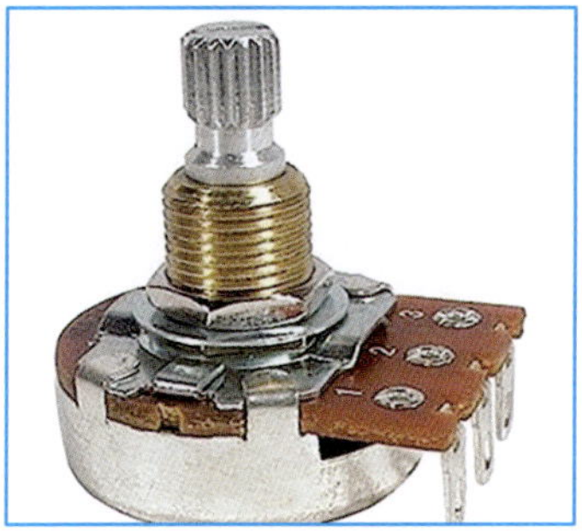

图 2-11 带开关的电位计

图 2-12 贴片式电位计

（3）线绕电位计（图 2-13） 线绕电位计是内部由电阻丝绕制在骨架上制成的。一般线绕电位计属于微调电位计，旋转一圈，电阻值的变化很小。

3. 敏感电阻

敏感电阻是指电阻的电阻值可随环境变化而变化。例如，光敏电阻就会随着光照强度或者某种特殊光线的变化从而电阻值发生变化；热敏电阻会随着电阻本身的温度变化而发生电阻值变化。可以利用这些电阻的特性制作出各种传感器，下面对一些常见的敏感电阻进行介绍。

（1）光敏电阻（图 2-14） 光敏电阻是用硫化镉或硒化镉等半导体材料制成的特殊电阻器，其工作原理是基于内光电效应。光敏电阻对光线十分敏感，光照越强，电阻值就越低，随着光照强度的升高，电阻值迅速降低，亮电阻可降至 1kΩ 以下；其在无光照时，呈高电阻状态，暗电阻一般可达 1.5MΩ。

图 2-13 线绕电位计

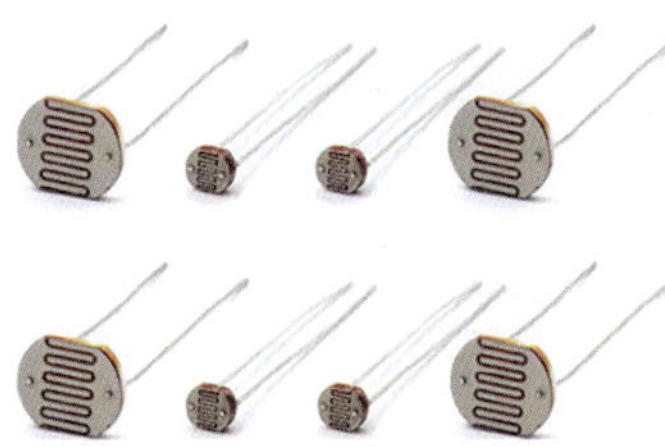

图 2-14 光敏电阻

（2）力敏电阻（图 2-15） 力敏电阻是一种能将机械力转换为电信号的特殊元件，它是利用半导体材料的压力电阻效应制成的，即电阻值随外加力大小而改变。力敏电阻主要用于各种张力计、转矩计、加速度计、半导体传声器及压力传感器中。

（3）压敏电阻（图 2-16） 压敏电阻是一种限压型保护器件。利用压敏电阻的非线性特性，当过电压出现在压敏电阻的两极间时，压敏电阻可以将电压钳位到一个相对固定的值，从而实现对后级电路的保护。

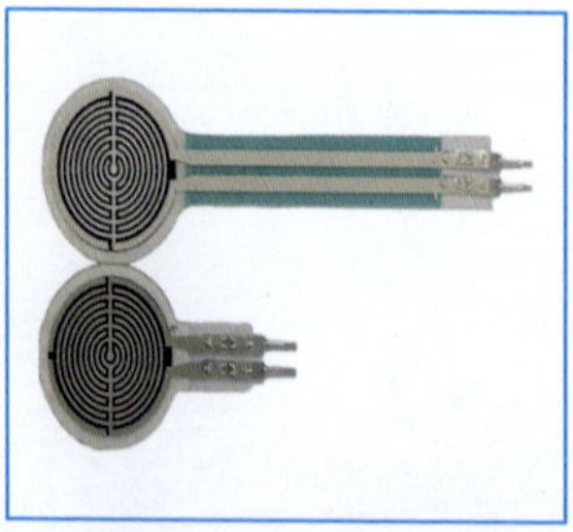

图 2-15 力敏电阻

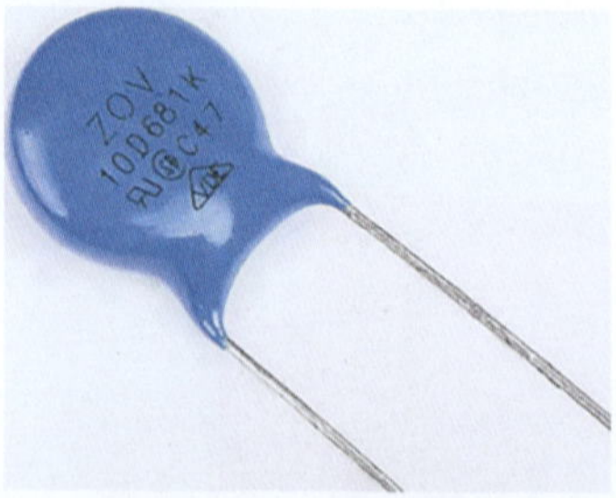

图 2-16 压敏电阻

（4）热敏电阻（图 2-17） 热敏电阻是一种传感器电阻，其电阻值随着温度的变化而改变。按照温度系数不同分为正温度系数热敏电阻（PTC）和负温度系数热敏电阻（NTC）。正温度系数热敏电阻器的电阻值随温度的升高而增大，负温度系数热敏电阻器的电阻值随温度的升高而减小，它们同属于半导体器件。

（5）磁敏电阻（图 2-18） 磁敏电阻是一种对磁敏感、具有磁阻效应的电阻元件。物质在磁场中电阻发生变化的现象称为磁阻效应。磁敏电阻通常用锑化铟（InSb）或砷化铟（InAs）等对磁具有敏感性的半导体材料制成。半导体材料的磁阻效应包括物理磁阻效应和几何磁阻效应，其中物理磁阻效应又称为磁电阻率效应。

当外加磁场的方向或强度发生变化时，磁敏电阻的电阻值相应改变，利用该变化，可精确地测试出磁场的相对位移。

图 2-17 热敏电阻

图 2-18 用磁敏电阻制作的传感器

二、电阻的标注与测量

电阻的主要参数有标称电阻值、标称功率和误差，其标注方法通常有直标法、数码法和色环法三种。

（1）直标法　直标法是指将电阻的类别及主要技术参数的数值直接标注在其表面。

一般用文字和单位符号在电阻表面直接标出电阻值，允许误差用字母或者直接标注在上面。如果使用字母，则 D 表示 ±0.5%、F 表示 ±1%、G 表示 ±2%、J 表示 ±5%、K 表示 ±10%、M 表示 ±20%。

如图 2-19 所示，电阻上面写的 200W 表示电阻功率为 200W，150Ω 表示电阻的电阻值，J 表示电阻的电阻值误差为 ±5%。

图 2-19　直标法标注电阻

（2）数码法　数码法一般用在贴片电阻上，在电阻的上面用三位或者四位数字或者字母的组合来表示电阻的电阻值。

三位数字表示法：前面两位数字代表电阻值的有效数值，第三位数字代表在数字后面添加 0 的个数。当电阻值小于 10Ω 时，在代码中用 R 表示电阻值的小数点，这种表示方法的电阻值误差通常为 ±5%。

四位数字表示法：前三位数字代表电阻的有效数值，第四位数字表示在有效数字后面添加 0 的个数，当电阻值小于 10Ω 时，仍用 R 代表电阻值中小数点的位置，这种表示方法通常用在电阻值误差在 ±1% 的精密电阻系列。

如图 2-20 所示，电阻上面标注的是 103。根据标注规则可知，10 为有效数值，3 为在 10 后面加三个 0。那么 103 电阻的电阻值为 10000Ω，换算后为 10kΩ，误差为 ±5%。

如图 2-21 所示，电阻上面标注的是 4702。根据标注规则可知，470 为有效数值，2 为在 470 后面加两个 0。那么 4702 电阻的电阻值为 47000Ω，换算后为 47kΩ，误差为 ±1%。

图 2-20　数码法标注电阻（一）

图 2-21　数码法标注电阻（二）

如图 2-22 所示，电阻上面标注的是 R620。根据标注规则可知，R 为小数点。那么 R620 电阻的电阻值为 0.62Ω，误差为 ±1%。

（3）色环法　色环法是指在电阻上标注不同颜色的色环来表示电阻值和误差的方法。图 2-23 中的两个电阻就采用色环法来标注电阻的电阻值与误差。其中一个电阻上有四个色环，称为四色环电阻；另外一个电阻上有五个色环，称为五色环电阻。五色环电阻的精度要比四色环电阻的精度更高。

要正确地识读电阻上的电阻值和误差，必须要了解各个色环的含义，色环的含义见表 2-1。

图 2-22　数码法标注电阻（三）

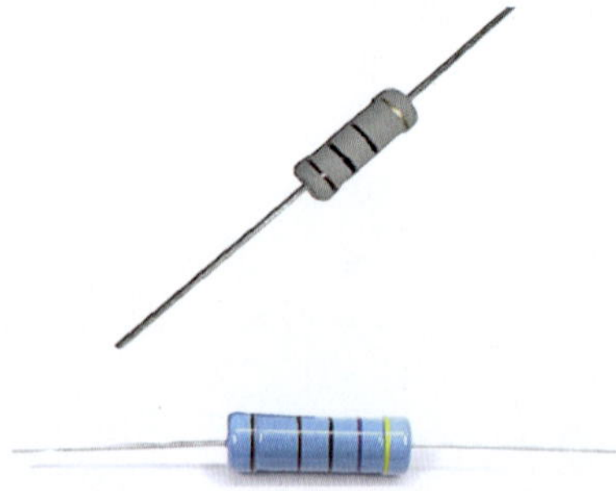

图 2-23　色环法标注电阻

表 2-1　色环的含义

色环颜色	第一环（有效值）	第二环（有效值）	第三环（倍乘率）	第四环（误差）
棕	1	1	$\times 10^{1}$	±1%
红	2	2	$\times 10^{2}$	±2%
橙	3	3	$\times 10^{3}$	
黄	4	4	$\times 10^{4}$	
绿	5	5	$\times 10^{5}$	±0.5%
蓝	6	6	$\times 10^{6}$	±0.2%
紫	7	7	$\times 10^{7}$	±0.1%
灰	8	8	$\times 10^{8}$	
白	9	9	$\times 10^{10}$	
黑	0	0	$\times 10^{0}$	
金				±5%
银				±10%
无				±20%

四色环电阻识读如图 2-24 所示。电阻的识读过程是先判断色环的排列顺序。四色环电阻的色环排列顺序判别规律有两种。

❶ 四色环电阻的第四环为误差环，一般为金色或者银色，因此电阻的某一个色环为金色或者银色，那么这个色环就一定是第四环，从该色环排列方向向前看依次是三色环、二色环、一色环。

❷ 对于标准的色环电阻来说，一般第四环与第三环离得较远。

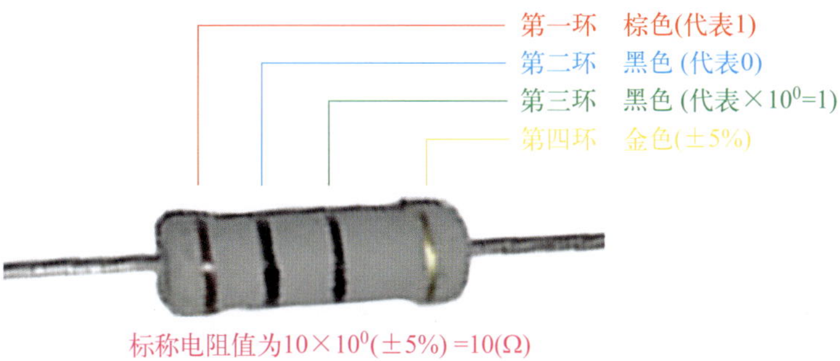

图 2-24 四色环电阻识读

电阻常见的故障有开路、短路、电阻值变动。检测电阻好坏，使用的是万用表的欧姆挡，在检测时先通过电阻上面的标识识别出电阻正确的电阻值，然后使用万用表的欧姆挡进行测量。测量后读出万用表上面显示的电阻值并与标称电阻值对比，如果不在合理范围内即说明该电阻损坏。现代电子维修一般使用的是数字式万用表，在使用数字式万用表测量电阻值时，为了防止万用表损坏导致测量电阻值不准，应该先短接万用表表笔观察万用表显示的数值是否接近 0，如果不是，则说明万用表电池电压不足或者万用表损坏（图 2-25）。

需要注意的是，如果在电路板上面不把电阻拆下来测量称为在路测量，一般在路测量的电阻值都不会大于标称电阻值，只会比标称电阻值小。这是因为在路测量时电阻还有其他旁路。

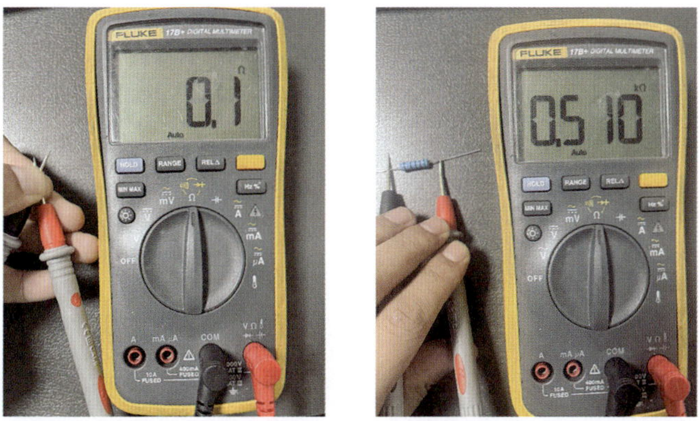

图 2-25 电阻的检测

三、欧姆定律

将一个电阻接上电源，并串入电流表，在电阻两端接上电压表，来测量电阻、电压、电流之间的关系，会得到以下结果：当改变电压时，电流随之改变，且电流随着电压的升高而升高，随着电压的降低而降低；如果固定电路中的电压不变，去改变电阻的大小，那么电阻减小时电流就会增大，电阻增大时电流就会减小。电路中这种电压、电流、电阻之间的关系是可以通过一个表达式来表达的，而它们之间的关系就叫作欧姆定律（图 2-26）。

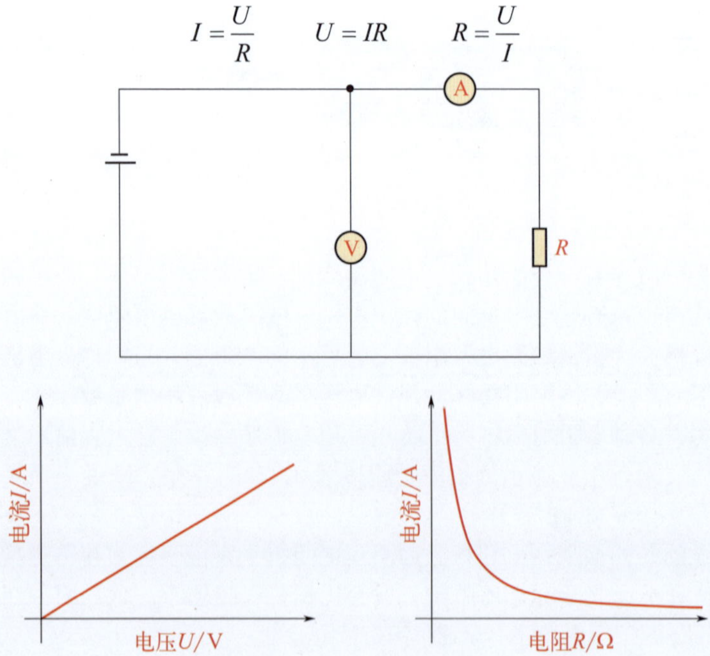

图 2-26　欧姆定律

四、电阻应用电路

1. 电阻串联电路

如图 2-27 所示，将电阻首尾依次连接就构成了电阻串联电路，在电阻串联电路中主要研究以下几点。

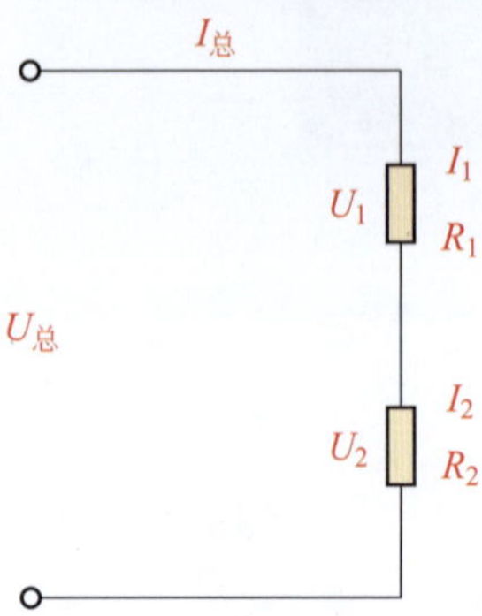

图 2-27　电阻串联电路

❶ 流过每一个电阻的电流是相等的，即 $I_总=I_1=I_2$。

❷ 串联电路中每一个串联电阻两端的端电压之和等于总电压，即 $U_总=U_1+U_2$。

❸ 电路中的总电阻等于各串联电阻之和，即 $R_总=R_1+R_2$。

❹ 电路中的每一个电阻的端电压与电阻成正比。

$$U_1=\frac{R_1}{R}U \qquad U_2=\frac{R_2}{R}U$$

2. 电压取样电路

在新能源汽车的控制电路板上，高压直流电进来后就需要测量高压直流电的电压，那么测量这个电压的方法在电路中就叫作电压取样。将多个电阻串联增加电阻值来限制电流，再将电压送入 AD 转换器或者运算放大器等芯片来识别输入电压的高低。

如图 2-28 所示是电压取样电路，R_1 ~ R_6 电阻串联后在 R_5 和 R_6 之间取电压送入取样芯片。在这个电路中连续串入 5 个 100kΩ 电阻的目的是增大电阻值，且保证电阻功率。串联后再经过 R_6 电阻接地是为了在 R_5 和 R_6 之间取到一个分压给取样芯片。

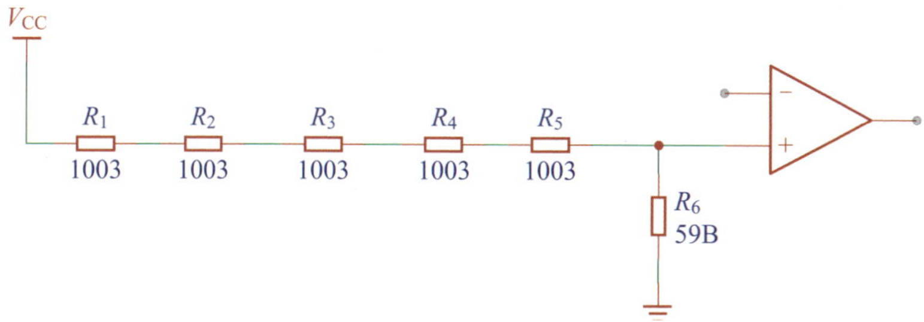

图 2-28 电压取样电路

某高压输入取样电路控制电路板如图 2-29 所示。

图 2-29 某高压输入取样电路控制电路板

3. 电流取样电路

在电路中很多时候需要测量负载中的电流，测量电流的方法很多，而使用取样电阻是比较常见的一种方法。一般电流取样电阻是将一个电阻值非常小的精密电阻串联在电路中，如图 2-30 所示是某压缩机的控制电路板，在该电路板中 R003 就是一个电流取样电阻，在电路中有 4 个取样电阻，分别为输入端电流取样和三相输出电流取样，这样主控芯片就可以通过取样电阻获取总电流与三相单独的电流。

图 2-30　某压缩机的控制电路板

压缩机电流取样电路如图 2-31 所示。

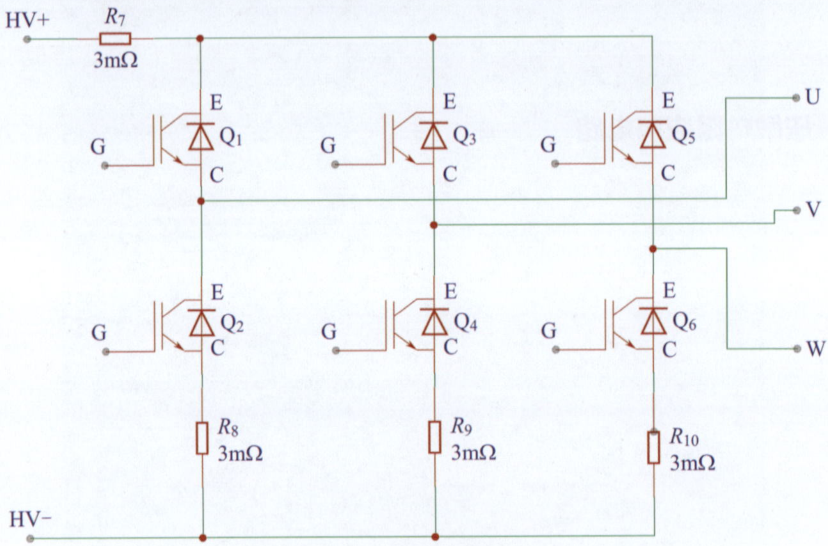

图 2-31　压缩机电流取样电路

如图 2-32 所示为电流取样电路的原理，电流经灯泡及取样电阻入地。此时可以把负载和取样电阻看作一个电阻串联电路，那么在取样电阻两端就会产生一个分压，这个分压的大小取决于负载的等效电阻，如果负载功率很大，那么等效电阻就很小；相反如果负载的功率很小，那么等效电阻就很大。根据电阻串联分压原理，取样电阻两端产生的分压大小就不一样，而这个电压和电流就成正比。又因为取样电阻的电阻值都非常小，所以产生的分压也很小，因此一般取样电阻产生的分压都会经过放大。

4. 温度取样电路

无论是新能源汽车还是传统汽车都会安装温度传感器，温度传感器本质是一个负温度系数热敏电阻，它会随着温度的升高电阻值降低，随温度的降低电阻值升高。在电脑板内部会通过一个固定电阻值的电阻与外部传感器进行串联，那么外部温度变化就会导致传感器电阻值变化。这时只需在电脑板内部检测分压即可计算出外部温度（图 2-33）。

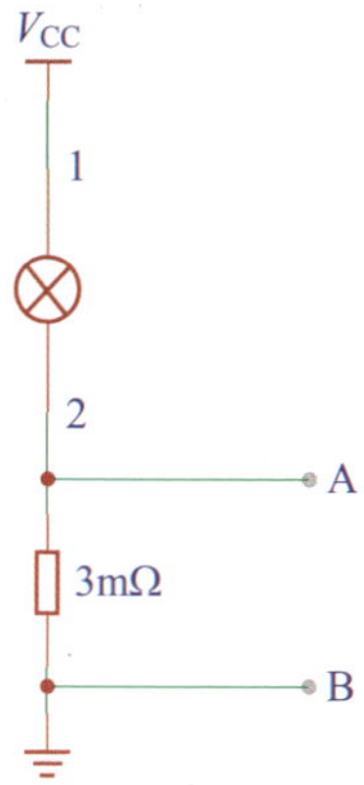

图 2-32 电流取样电路的原理

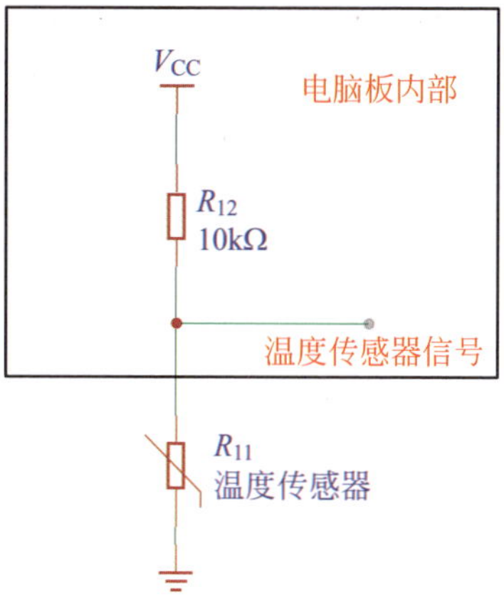

图 2-33 温度取样电路

5. 压敏电阻应用电路

压敏电阻的特性是在其标称电阻值以内时，其电阻值是无穷大的状态。当电压超过标称值时，压敏电阻会击穿导通起到保护后级电路的作用；当电压降低时，压敏电阻又恢复到电阻值为无穷大的状态。

压敏电阻一般并联在电路的输入端，当电源中有高电压时压敏电阻就会工作，从而钳位输入电压在一个正常范围内。如果施加在压敏电阻两端的电压超过最大限制电压，压敏电阻就无法恢复（图 2-34）。

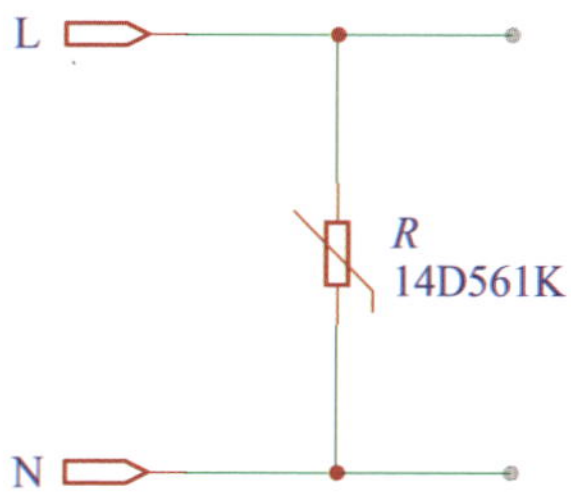

图 2-34 压敏电阻应用电路

第三课时
电容

一、电容器原理

电容器是一种可以储存电荷的元器件，它的两个极板相距很近且在极板之间放置绝缘介质（空气、纸或者其他绝缘材料）。电容器在汽车维修中也简称为电容，常见电容外观如图 3-1 所示。

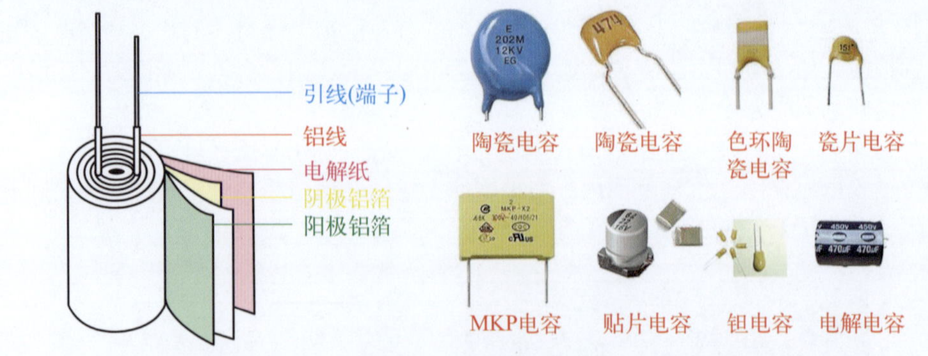

图 3-1 常见电容外观

电容的符号按照有极性电容和无极性电容分成两种，如图 3-2 所示。

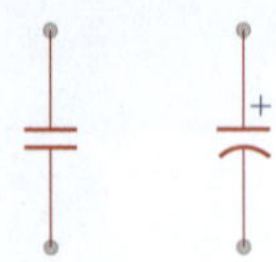

图 3-2 电容的符号

二、电容参数

（1）容量 电容具有储存电荷的能力，其储存电荷的多少称为电容的容量。这一点与蓄电池很像，不过蓄电池储存电荷的能力要比电容大得多。电容的容量与以下几点有关。

❶ 两块极板面积越大其容量越大。

❷ 两块极板之间的距离越近其容量越大。

❸ 在极板的面积和距离相同的情况下，两块极板之间的绝缘物质的不同也会影响到电容的容量。

电容的容量单位有法拉（F）、毫法（mF）、微法（μF）、纳法（nF）、皮法（pF），它们之间的换算关系为

$$1F = 1000mF$$
$$1mF = 1000\mu F$$
$$1\mu F = 1000nF$$
$$1nF = 1000pF$$

（2）额定电压　额定电压又称电容的耐压值，该参数是指电容两端可以承受的最大电压，一旦电容两端电压大于耐压值，电容的绝缘介质就会被击穿，从而导致电容爆炸。

三、电容的特性与分类

1. 电容的特性

电容有一个最重要的特性就是“隔直流”“通交流”，这个特性的含义是指电容不能通过直流电，但是可以通过交流电。

（1）隔直流　如图 3-3 所示，在电路中将电容与灯泡串联在一起，这时候闭合开关 SW_1，那么电流从电源的正极出发到电容的正极给电容充电，此时整个电路中是有电流的，因此灯泡会点亮。一旦电容的电充满了，那么电路中就没有电流，此时灯泡会熄灭。因此说电容有隔直流特性。

（2）通交流　如图 3-4 所示，电容、灯泡串联在电路中并接上一个交流电源，由于交流电源的极性是变化的，一会儿上正下负，一会儿下正上负，所以在分析电路的时候要分开来进行分析。当上正下负时电源给电容充电，电容充电极性为上正下负且电路有电流流过，此时灯泡点亮。当下一个循环时电源是下正上负，电容反充电，电容为下正上负，此时电路中同样有电流存在，灯泡依旧点亮。这次充的电荷与原先充的电荷极性相反，相互抵消，电容上的电荷消失。当交流电源极性重新变为上正下负时，又可以对电容充电，并不断重复上述过程。

从上面的分析得知，电容接在交流电路中，由于交流电源的极性不断变化，使得电容充电放电交替进行。从而在宏观上看就始终有电流流过电容，这就是电容的通交流特性。

（3）容抗　电容虽然可以通过交流电，但是对交流电也有一定的阻碍作用。这个阻碍作用就称为容抗（X_C），单位为欧姆（Ω）。

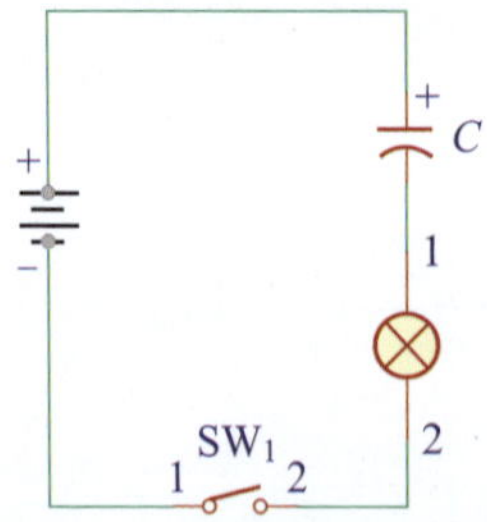

图 3-3　电容隔直流特性

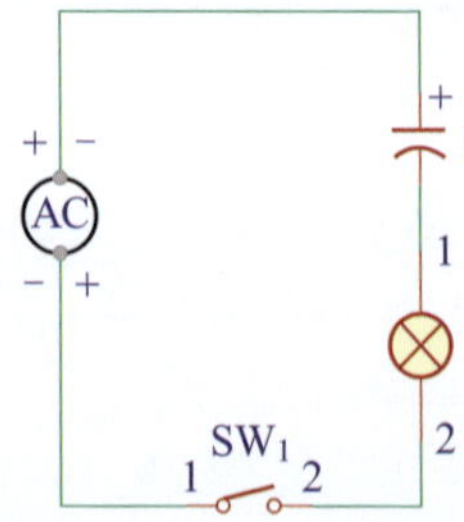

图 3-4　电容通交流特性

容抗的大小与交流电的频率和电容的容量有关。在容量不变的情况下，交流电的频率越高容抗越小；在频率不变的情况下，电容的容量越大容抗越小。这种关系可以用以下公式表达。

$$X_C = \frac{1}{2\pi f C}$$

式中，X_C 表示容抗；f 表示频率；π 表示常数；C 表示容量。

如果一个 100μf 的电容接在 50Hz 的交流电中，那么它的容抗为

$$X_C = \frac{1}{2\pi f C} = \frac{1}{2 \times 3.1415 \times 50 \times 0.0001} \approx 31.8(\Omega)$$

（4）电容两端的电压不能突变　电容两端的电压是由电容充的电荷建立起来的，电容充的电荷越多，电容两端的电压就越高，电容在没有电荷时就没有电压。因为电容充电和放电都需要时间，不能瞬时完成，电容两端的电压不能突然增大很多，也不能突然减小到零，所以说电容两端的电压不能突变。

2. 电容的分类

（1）铝电解电容（图 3-5）　铝电解电容属于有极性电容，在使用时需要注意极性。铝电解电容一般体积较大，在外观上会标注其具体的容量大小和极性，在负极侧会有标注。

铝电解电容容量大、损耗大、漏电较大，一般用于电源的滤波电路、低频耦合电路、去耦旁路。

图 3-5　电解电容

（2）钽电解电容（图 3-6）　钽电解电容也属于有极性电容，其结构是以钽金属为正极，其表面的氧化膜为介质、二氧化锰电解质为负极制成的电容。钽电解电容的顶面有一条深色或者浅色线作为正极标记。

图 3-6　钽电解电容

钽电解电容体积小、容量大、性能稳定、寿命长、温度特性好，损耗和漏电都小于铝电解电容，常用于要求高的电路中替代铝电解电容。

（3）安规电容（图 3-7）　安规电容是指符合国家安全规范，失效后不会导致电击，不危及人身安全的安全电容。

安规电容通常用在电源滤波器里，起到电源滤波作用，分别对共模、差模干扰起滤波作用。出于 EMC（电池兼容测试）安全考虑，一般在电源入口都会有安规电容。

图 3-7　安规电容

（4）贴片陶瓷电容（图 3-8）　贴片陶瓷是一种电容材质。贴片陶瓷电容全称为多层（积层，叠层）片式陶瓷电容器（MLCC），也称为贴片电容。

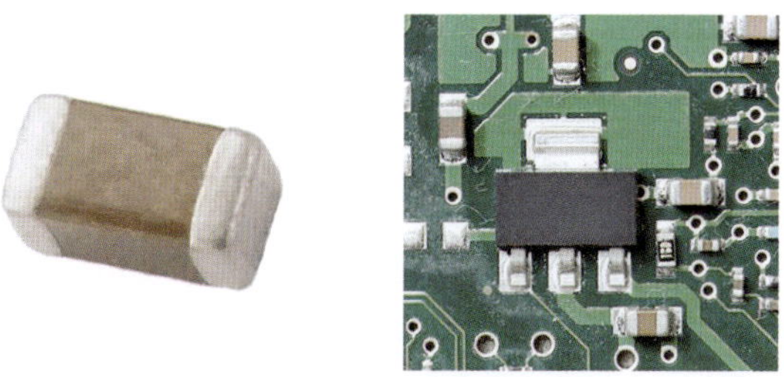
图 3-8　贴片陶瓷电容

贴片陶瓷电容的外观一般尺寸小，在电路板中应用非常广泛。常见的应用电路有旁路、去耦、滤波。

（5）薄膜电容（图 3-9）　薄膜电容是一种有机介质电容。薄膜电容是以金属箔或者金属化薄膜当作电极，以聚乙酯、聚丙烯、聚苯乙烯或聚碳酸酯等塑料薄膜为介质制成的，分别称为聚乙酯电容（又称 Mylar 电容）、聚丙烯电容（又称 PP 电容）、聚苯乙烯电容（又称 PS 电容）和聚碳酸酯电容。由于薄膜电容具有很多优良的特性，因此是一种性能优秀的电容。主要特性如下：无极性，绝缘阻抗很高，频率特性优异（频率响应宽广），而且介质损失很小。

（6）瓷片电容（图 3-10）　瓷片电容属于无极性、无机介质（以陶瓷材料为介质制作的）电容。瓷片电容体积小、耐热性好、绝缘电阻高、稳定性较好，适用于高低频电路。

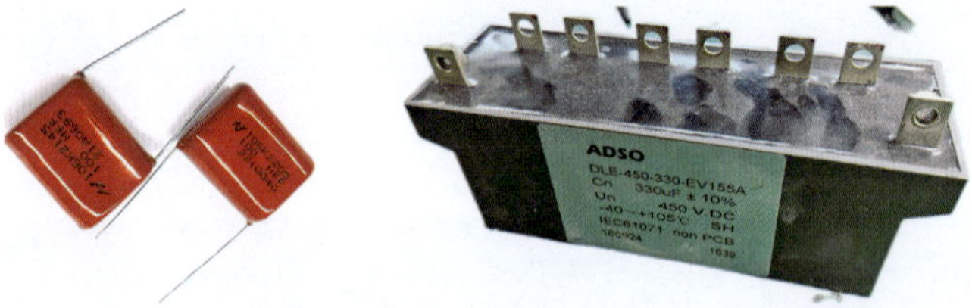

图 3-9　薄膜电容

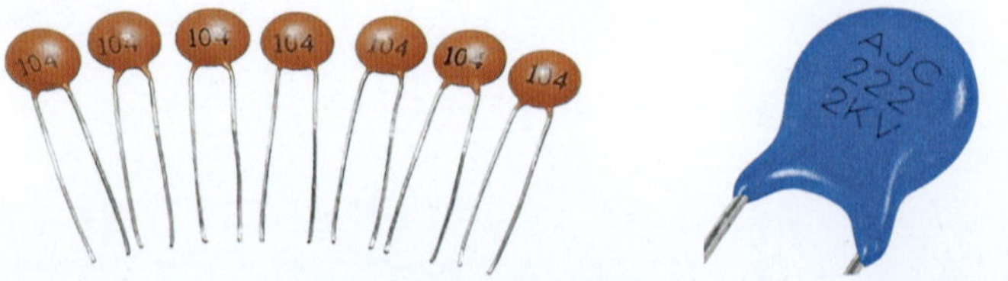

图 3-10　瓷片电容

（7）云母电容（图 3-11）　云母电容属于无极性、无机介质（以云母为介质）电容，具有损耗小、绝缘电阻大、温度系数小、电容量精度高、频率特性好等优点，但成本较高、电容量小，适用于高频线路。

图 3-11　云母电容

四、电容量标识

1. 直标法

直标法是将电容的容量、耐压值直接标注在电容上。一般体积大的电容会采用该标注方法。

例如图 3-12 中的电解电容的标注就是使用直标法。在电容上直接标注电容的容量为 470μF，耐压值为 50V。

2. 数字标识法

数字标识法是指在电容上用一组数字标识电容的容量。一般情况下，数字标识法标注的电容单位，电解电容为微法（μF），无极性电容为皮法（pF）。

例如图 3-13 中的电解电容的标注使用的就是数字标识法，100 代表的就是 100μF。

3. 数码标注法

数码标注法与电阻的标注很类似，使用三位数字表示电容的容量，其单位一般为 pF，其中前面两位数字为有效数字，最后一位为倍率。

例如图 3-14 中，WQC 为电容的品牌，WD 为电容外观代号，102 代表 1000pF，M 代表电容的容量误差为 ±20%，X1440 代表作为 X1 类电容使用的耐压值为 440V，Y1400 代表作为 Y1 类电容使用的耐压值为 400V。

图 3-12　直标法

图 3-13　数字标识法

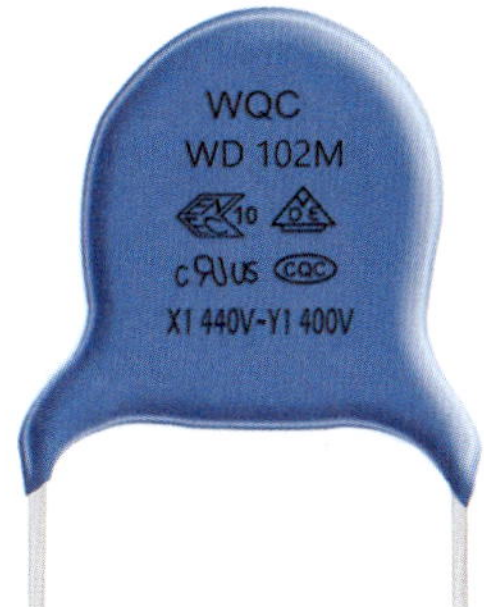

图 3-14　数码标注法

当然这种标注方法也可以参考产品手册。

（1）数码标注法图解　如表 3-1 所示。

表 3-1　数码标注法图解

图示	说明
	334J 334 表示 330000pF =330nF J 代表误差 ±5%
	473J 473 表示 47000pF =47nF J 代表误差 ±5%
	2E104K 2E 代表耐压值 250V 104 表示 100000pF =100nF K 代表误差 ±10%

（2）数码标注法中的容量误差标准　在数码标注中一般都会在最后一位用字母标注电容的容量误差，其常见的误差见表 3-2。

表 3-2　数码标注法常见的误差

代码	D	F	G	H	J	K	M	P	Z
误差 /%	±0.5	±1	±2	±3	±5	±10	±20	+100/0	+80/−20

（3）数码标注法中的电压标注　在数码标注法中对于电容的耐压值可能采用数字加字母的组合来表达，其常见的电压标注见表 3-3。

表 3-3　数码标注法常见的电压标注

代码	电压	代码	电压	代码	电压
0G	4V	0L	5.5V	0J	6.3V
1A	10V	1C	16V	1E	25V
1H	50V	1J	63V	1K	80V
2A	100V	2Q	110V	2B	125V
2C	160V	2Z	180V	2D	200V
2P	220V	2E	250V	2F	315V
2V	350V	2G	400V	2W	450V
2H	500V	3J	630V	3A	1000V

五、电容的串联与并联

（1）电容的串联　在电路中偶尔能看到电容串联起来使用，那么电容串联后它的参数有哪些变化呢？首先串联后电容的容量下降，串联后电容的总容量计算公式为

$$\frac{1}{C_{总}}=\frac{1}{C_1}+\frac{1}{C_2}$$

例如，在图 3-15 中两个 1000pF 的电容串联后，根据计算可得总容量为 500pF。

电容串联的特点：流过每一个电容的电流是相等的，电容的容量下降，电容的耐压值增加。

（2）电容的并联　在电路中经常能看到电容并联使用，电容并联后总容量会增加，耐压值没有变化（图 3-16）。

电容并联后总容量的计算公式为

$$C_{总}=C_1+C_2$$

图 3-15 电容的串联

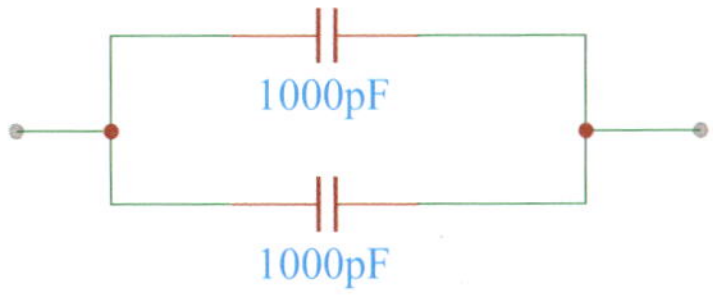

图 3-16 电容的并联

六、电容的测量与检测

电容的常见故障有短路、断路、鼓包、漏液、容量衰减等。一般贴片电容最容易出现短路现象，短路后会导致电容本身温度升高，且拉低供电电压，导致设备不能正常工作。断路故障一般指电容开路测量时无容量。容量衰减是指电容的实际容量与标称容量不符，一般在低频电路中电解电容出现的故障率较高。鼓包、漏液肉眼可见。

对于电容的测量，其目的就是检测电容是否有故障。常见的测量方法：在路使用万用表欧姆挡测量，这种测量方法一般是测量电路中的电容是否有短路故障；离线测量电容的容量，一般使用万用表的电容挡或者使用数字电桥测量。

1. 使用万用表在路测量电容

如图 3-17 所示，使用万用表的欧姆挡测量电容两端的电阻值，一般刚测量的时候万用表会显示一个电阻值，但是立刻就变成无穷大，这就说明电容基本正常。如果显示导通，则说明电容已经短路或者该电路已经短路，需要排除短路点。通常使用可调电源给电容供电，观察发热点，即为短路点。

图 3-17 使用万用表在路测量电容

2. 使用万用表离线测量电容

在测量电容容量时，首先需要对电容进行放电。对于小容量电容，可以使用万用表的表笔或者镊子短接放电。如果是大容量电容，则需要使用大功率电阻或者白炽灯来对电容放电。

接着使用万用表的电容挡对电容的容量进行测量，在测量时万用表要等一会儿才会显示电容的容量，这时读出数值并与标称容量进行比较即可判断电容是否有故障（图 3-18）。

3. 使用数字电桥精确测量电容

在精确测量电容的参数时，可以选择使用数字电桥来测量。将数字电桥调整到电容挡后，将开尔文夹子夹在电容的正负极之间，这样数字电桥就会显示电容的容量（图 3-19）。

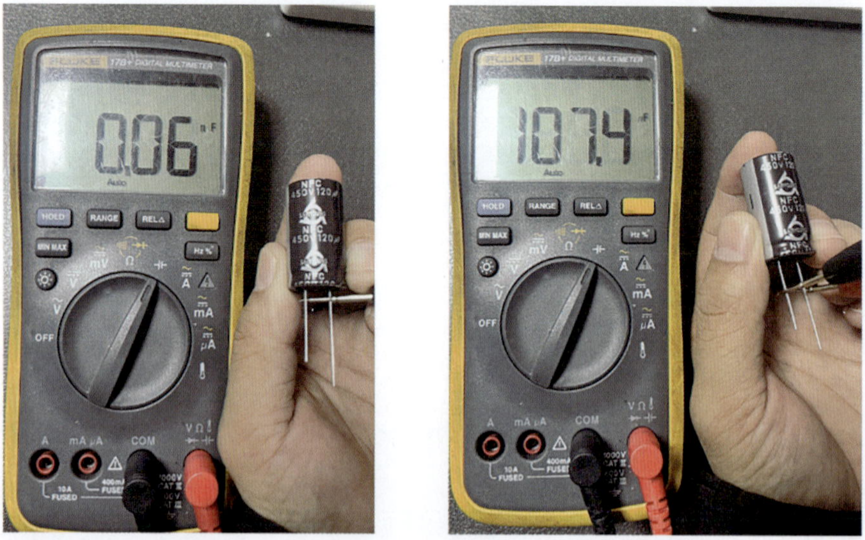

(a) 放电　　(b) 测量

图 3-18　使用万用表离线测量电容

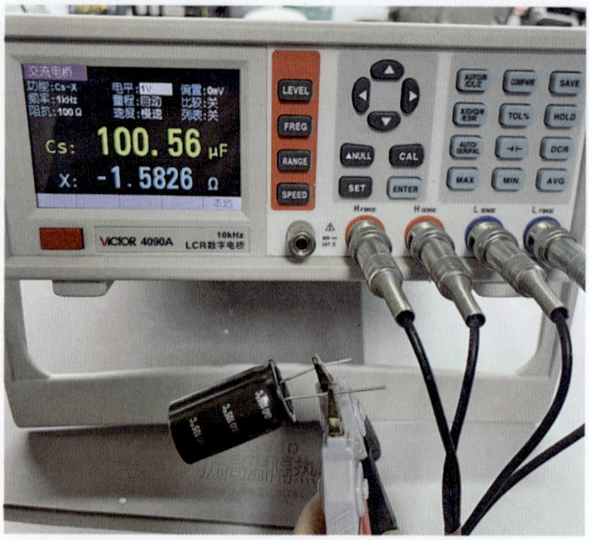

图 3-19　使用数字电桥精确测量电容

第四课时 电感与变压器

一、电感原理

将导线或者漆包线按一定的匝数绕成螺旋管就构成了电感。常见的电感实物如图 4-1 所示。

图 4-1　常见的电感实物

1. 电感的符号

根据电感绕制方法不同，可分为空芯电感、铁芯电感和磁芯电感，其电气原理也有一定的区别，如图 4-2 所示。

2. 电感的储能原理

电感在通电后，根据电磁定律，在电感的周围会形成一个磁场。在断电后磁场迅速消失，等同于电感在做切割磁感线运动，此时电感会产生一个电动势。通电时电感储存了电能，断电时电感所形成的电动势与电流消退的方向相反且电压要高于原电压，因此也称为反向电动势。电感的储能原理如图 4-3 所示。

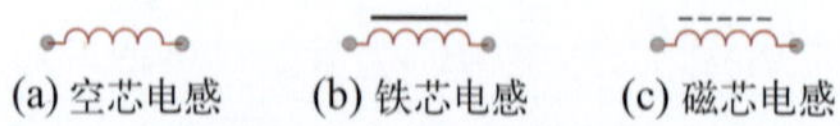

图 4-2　电感符号

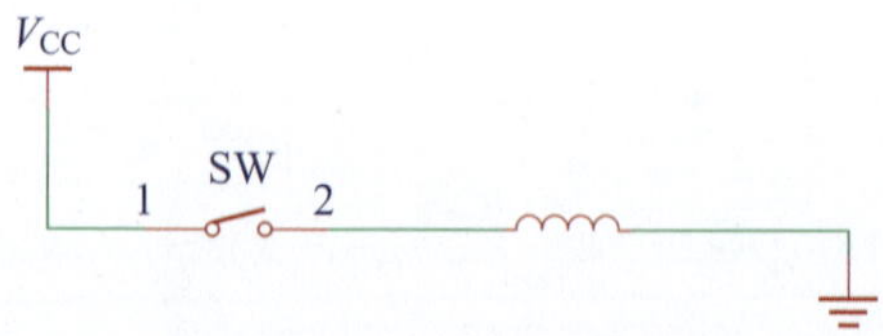

图 4-3　电感的储能原理

二、电感量与参数标注

1. 电感量

电感由线圈绕制而成，当电感通过电流 I 时就会产生磁场，电流越大，产生的磁场越强，穿过电感的磁场（又称磁通量 ϕ）就越大。实验证明，通过电感的磁通量 ϕ 和通入的电流成正比关系。磁通量 ϕ 与电流的比值称为自感系数，又称电感量 L，用公式表示为

$$L = \frac{\phi}{I}$$

电感量的基本单位为亨利（简称亨），用字母 H 表示。此外电感的单位还有毫亨（mH）和微亨（μH），它们之间的换算关系为

$$1\text{H} = 1000\text{mH}$$

$$1\text{mH} = 1000\mu\text{H}$$

电感量的大小主要与线圈的匝数（圈数）、绕制方式和磁芯的材料有关。线圈匝数越多、绕制的线圈越密集，电感量也就越大。有芯电感的电感量比无芯电感的电感量大，磁芯电感的磁导率越高，电感量越大。

电感都有一个标称电感量，但是实际制造时多少会有误差，对于精度高的电路要求误差为 ±0.2% ～ ±0.5%，一般电路可采用误差为 ±10% ～ ±15% 的电感。

2. 电感的参数标注

电感的标注有直标法、数标法和色环法三种。大部分电感体积较大，所以会直接

在电感的外观上标注电感的电感量、误差、额定电流。

直标法一般用在体积较大的电感上面，在电感上直接标注出具体参数。

在图 4-4 中可以看到电感标注为 6.2μH。

数标法的电感类似电阻、电容的数标法，在电感上面用数字和字母的组合来表达电感的电感量，一般用在小型电感上面。通常单位为微亨（μH）或者纳亨（nH），字母 R 代表小数点。

图 4-5 所示的电感中，470 代表 47μH，1R5 代表 1.5nH。

图 4-4　直标电感

图 4-5　数标电感

色环法是指在电感的外面使用颜色代表数字，与电阻的标注方法类似。一般色环法的电感单位为 μH。使用色环法的电感，常见的有三色环和四色环。如果是三色环电感，前两位为有效数值，第三位为倍率。如果是四色环电感，则第四位为误差等级。色环颜色继续沿用电阻的色环代码，参见表 2-1。

图 4-6 中的色环电感颜色为棕、绿、红、金，则代表 152，对应值为 1500μH，误差 ±5%。

图 4-6　色环电感

三、电感的特性

电感具有通直流、隔交流的特性，它是指电感对直流信号阻碍很小，对交流信号阻碍较大。

如图 4-7 所示，一个电感接在一个直流电源中，电流从电源正极出发到达电感上端，当电流流过第一组线圈时，第一组线圈会产生一个自感电流与原电流相反，此时阻碍作用还是很小的。当经过第二组线圈时反向电流就开始变大，也就是说电流流经线圈时线圈本身会产生一个反向电动势，这个反向电动势会阻碍原电流流动，所以在直流电路中电流也是会滞后于电压的。当电流恒定后电感上的感应电动势消失，因此对电流就不再具有阻碍作用了。

如图 4-8 所示，电感接在交流电路中，当电源上正下负时，电感上方是正极，电流慢慢流过电感（电感自感），当电流快通过电感时，电源的正负极颠倒。此时电感下正上负，那么电流从下往上走时又会遇到电感的反向电动势阻碍。因此在交流电路中，电感对交流电流是有阻碍作用的。交流电频率越高阻碍力越大，线圈电感量越大阻碍力越大，这也被称为感抗。

图 4-7　电感通直流

图 4-8　电感隔交流

感抗是评估一个电感对交流电的阻碍作用大小，用符号 X_L 表示，感抗的单位是欧姆（Ω），感抗的大小与电感本身的电感量和交流信号频率有关，可以使用以下公式计算。

$$X_L = 2\pi f L$$

式中，X_L 表示感抗，Ω；f 表示频率，Hz；L 表示电感量，H。

例如，一个电感量为 100mH 的电感接在一个频率为 50Hz 的交流信号中，它的感抗 X_L=2×3.14×50×0.1=31.4(Ω)。

四、电感的测量

对于一个电感好坏的判断，首先要知道它在电路中的作用，并根据其在电路中的作用来测量其是否正常，一般在路测量可以测量其通断。电感的电阻都较小，使用万用表测量为导通。如果需要精确测量，则需要使用数字电桥测量电感的电感量来判断是否正常。

如图 4-9 所示，使用数字电桥测量电感，在屏幕中显示电感的电感量为 17.067mH，在 1kHz 的频率时感抗为 107.24Ω。

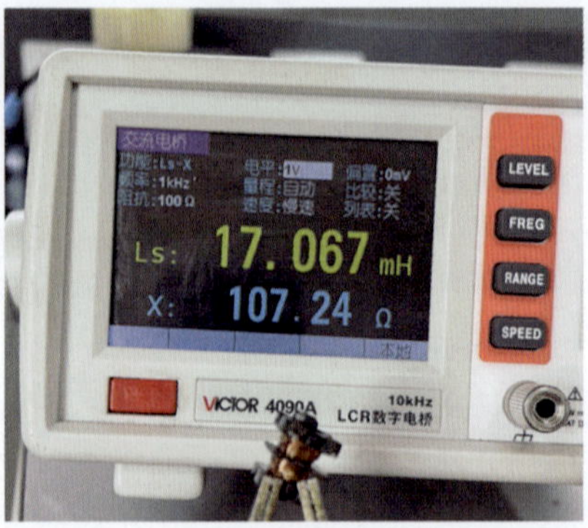

图 4-9　使用数字电桥精确测量电感

五、变压器

变压器是可以改变交流电压或者电流大小的器件，一般常见的变压器的外观如图 4-10 所示。

1. 结构与工作原理

变压器由两组相距很近又相互绝缘的线圈绕制在同一个骨架上，其结构如图 4-11 所示，主要由绕组和铁芯构成，绕组通常由漆包线（表面有绝缘油漆）和绝缘纸绕成，输入端称为初级绕组，输出端称为次级绕组。

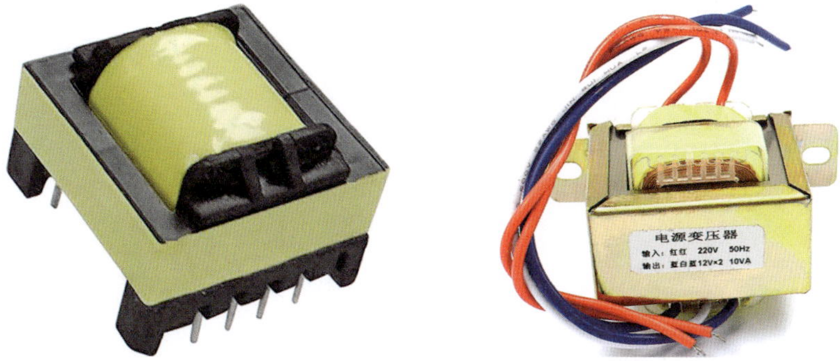

图 4-10 一般常见的变压器的外观

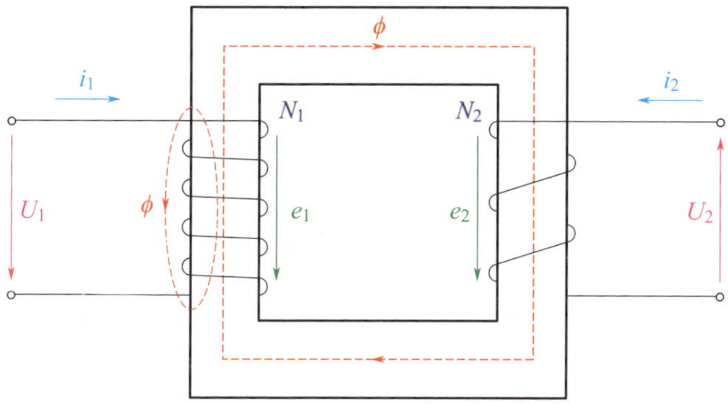

图 4-11 变压器的工作原理

变压器是利用电生磁、磁生电的原理工作的，以图 4-11 为例，当交流电 U_1 输入初级绕组时，在变压器的初级线圈中就会产生磁场 ϕ，当磁场 ϕ 穿过次级线圈时，在次级线圈内就会产生感应电动势。

变压器可以升高电压也可以降低电压，在忽略能耗情况下，变压器一次电压 U_1、二次电压 U_2 与一次绕组 N_1、二次绕组 N_2 之间的关系为

$$\frac{U_1}{U_2}=\frac{N_1}{N_2}=n$$

n 称为匝数比或者电压比，由上面的公式可知以下几点。

❶ 当二次绕组匝数 N_2 多于一次绕组的匝数 N_1 时，二次电压 U_2 就会高于一次电压 U_1。当 $n=N_1/N_2$ 小于 1 时，变压器可以提升交流电压，故电压比 n 小于 1 的变压器称为升压变压器。

❷ 当二次绕组匝数 N_2 少于一次绕组的匝数 N_1 时，变压器能降低交流电压，故 n 大于 1 的变压器称为降压变压器。

❸ 当二次绕组匝数 N_2 与一次绕组匝数 N_1 相等时，变压器不会改变交流电压的大小，即一次电压 U_1 与二次电压 U_2 相等。这种变压器虽然不能改变电压大小，但能对

一次、二次电路进行电气隔离，故 n 等于 1 的变压器常用作隔离变压器。

2. 变压器电路符号

变压器在电路原理图中通常使用字母 T 表示，其中标有黑点的为同名端（图 4-12）。在初级绕组的同名端为正极时，次级绕组的同名端输出也为正极。同理，当输入端同名端为负极时，那么输出端的同名端也为负极，这在分析开关电源电路中非常重要。

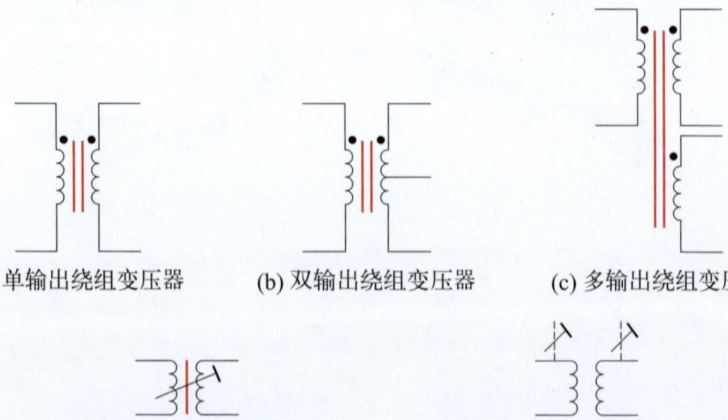

(a) 单输出绕组变压器　(b) 双输出绕组变压器　(c) 多输出绕组变压器

(d) 铁氧体磁芯微调变压器　(e) 铁氧体微调固定耦合变压器

图 4-12　变压器电路符号

第五课时 半导体基础知识

现代电子科技的进步要归功于半导体科技的发展，半导体是指在常温下导电性能介于导体与绝缘体之间的材料。常见的半导体材料有硅、锗、氮化镓，其中硅是应用最广泛的半导体材料。氮化镓又称为第三代半导体材料，目前氮化镓半导体研究呈现出日新月异的发展状态。

一、本征半导体

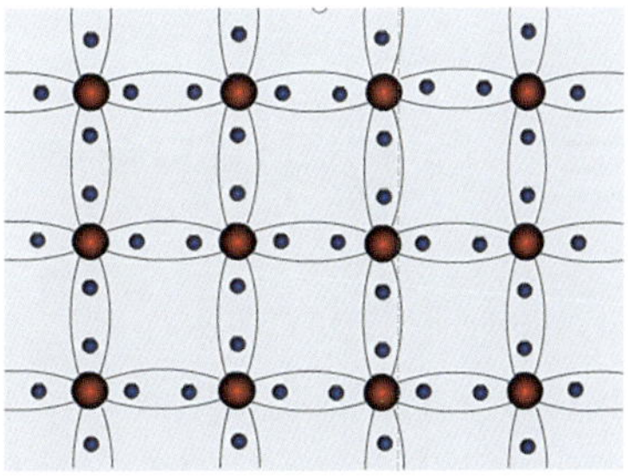

图 5-1　硅材料本征半导体

本征半导体是指完全不含杂质的纯净半导体材料。如图 5-1 所示为硅材料的本征半导体。硅的原子序列号为 14，最外层有 4 个电子，这 4 个电子又称为价电子。每个相邻的硅原子相互提供电子组成一个共价键，处于共价键中的电子不能自由移动。

但是在受到光、热等作用下，这种结构就会被破坏，使电子离开共价键，共价键在失去一个电子后就留下一个空穴。空穴带正电，电子带负电。并且在外电场的作用下它们可以自由移动，可以像自由电子那样导电，这称为本征激发。

在本征半导体中由本征激发产生的自由电子与空穴是参加电流运动的两种粒子，因此这些粒子也被称为载流子。

二、N 型半导体

N 型半导体是在本征半导体硅中掺入 5 价元素磷。磷原子的序列号为 15，价电子数目有 5 个。因此在本征半导体硅中掺入磷元素后构成的半导体，其共价键会多出一个自由电子。如果给N型半导体加一个外电场，由于外电场的作用，自由电子就会移动，它就可以导电。改变掺杂浓度就可以改变自由电子的数量，从而改变N型半导体的电阻率（图5-2）。

在N型半导体中主要由自由电子参与导电，因此自由电子在N型半导体中称为多数载流子，也叫多子。

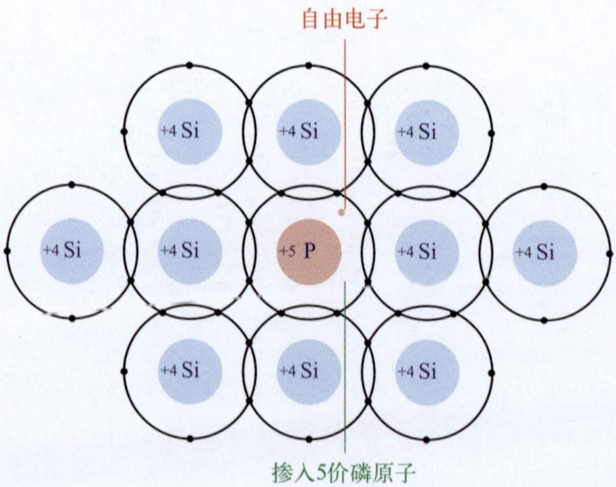

图 5-2　N 型半导体

三、P 型半导体

P型半导体是在本征半导体硅中掺入3价元素硼。硼原子的序列号为13，价电子数目有3个。因此在本征半导体硅中掺入硼元素后构成的半导体，其共价键就会少一个电子，少电子的位置称为空穴。如果给P型半导体加一个外电场，由于外电场的作用，一些硅原子周围的电子就会移动到空穴中，它就可以导电。改变掺杂浓度就可以改变空穴的数量，从而改变P型半导体的电阻率（图5-3）。

在P型半导体中主要由空穴参与导电，因此空穴在P型半导体中称为多数载流子，也叫多子。

四、PN 结

将一块纯净的硅，一半掺入硼元素，一半掺入磷元素，这样结合在一起时N型半导体中的多数载流子电子便会向P型半导体扩散。结果就会造成在P型半导体和N型半导体结合处电子与空穴复合，结合处因为电子与空穴的复合就导致了N型半导体中的多数载流子电子无法扩散到P型半导体，从而P型半导体和N型半导体结合处产生了一个结称为PN结，又称为耗尽层（图5-4）。

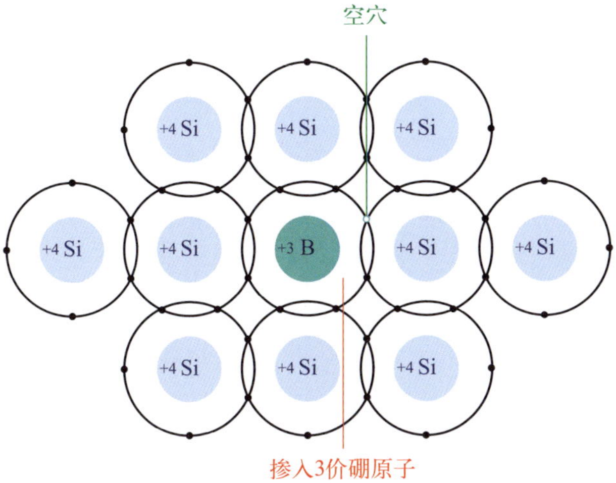

图 5-3　P 型半导体

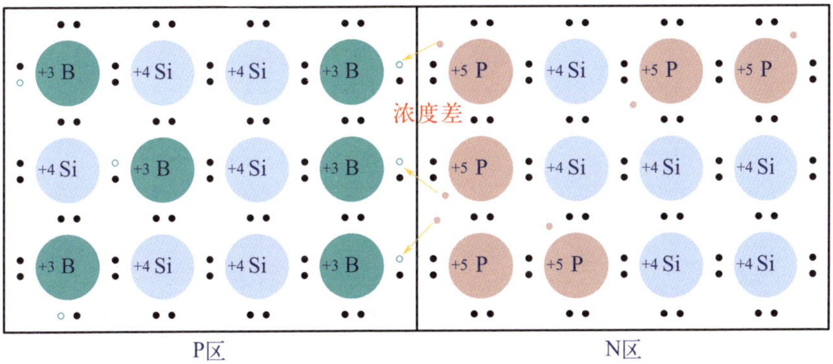

图 5-4　PN 结

因为 P 区多数载流子为空穴、N 区多数载流子为电子，因此 N 区的自由电子就会有向 P 区移动的趋势，这样就形成了一个带电的电场，学名叫作“内电场”，电场的方向是从 N 区指向 P 区（图 5-5）。

在一个 PN 结中，N 区的自由电子向 P 区移动，称为多子的扩散运动。P 区也会有少量的自由电子，称为少子；在 N 区也会有少量的空穴，也称为少子，即少数载流子。少数载流子的运动又称为漂移运动。因为在 PN 结中少子数量极少，所以由少子的漂移运动产生的电流可以忽略不计。

给一个 PN 结加上一个外电场，正极接 P 区、负极接 N 区，外部电压会削弱内部电压，内部电压越来越小，最后几乎没有。并且 N 区自由电子由外部电场源源不断地提供。这样内电场减小，电子源源不断从 N 区流向 P 区，这时 PN 结导通，就像一个导体一样。这种接法也称为 PN 结正向偏置（图 5-6）。

如果给 PN 结施加一个反向外部电场，即 N 区接正极、P 区接负极。这时外部电场与内部电场同一个方向，就会增加内部电场，这时 PN 结变厚。同时 N 区自由电子变少，内部电场会阻碍电子流向 P 区，此时 PN 结不导电，类似于绝缘体。这种接法也称为 PN 结反向偏置（图 5-7）。

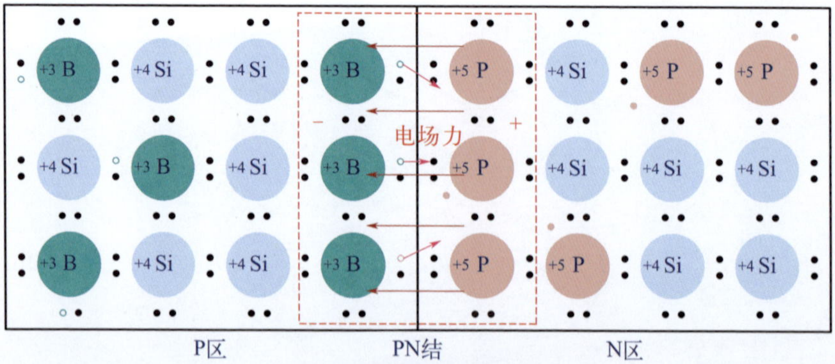

图 5-5　PN 结内电场

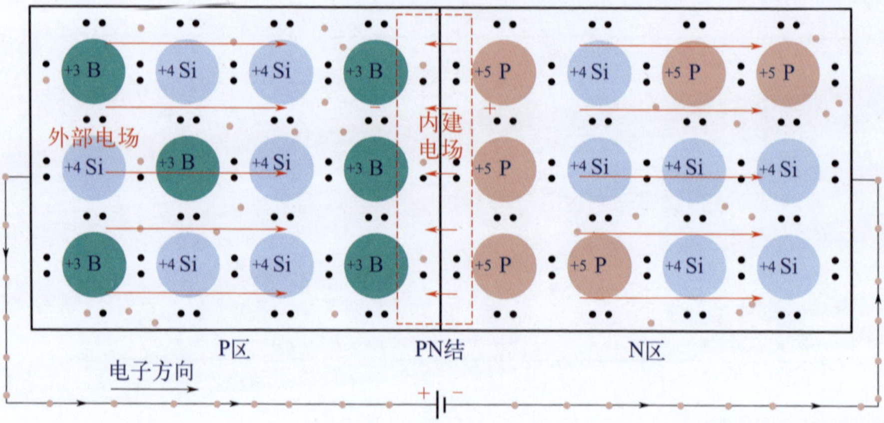

图 5-6　PN 结正向偏置

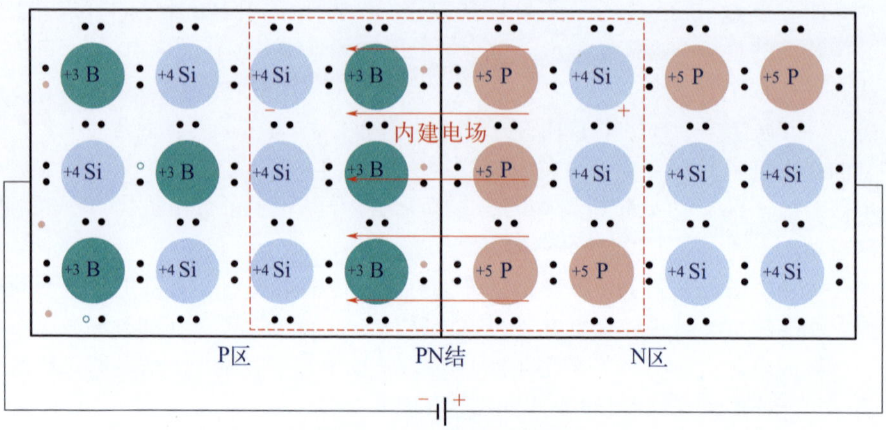

图 5-7　PN 结反向偏置

第六课时
二极管的识别与测量

在 PN 结的外面加上一个外壳，并在 P 区和 N 区分别引出一根导线，就构成了一个二极管，因为二极管本身就是一个 PN 结，所以具备 PN 结的所有特性。

如图 6-1 所示，根据二极管的内部结构可以将其分为点接触型、面接触型、平面型。

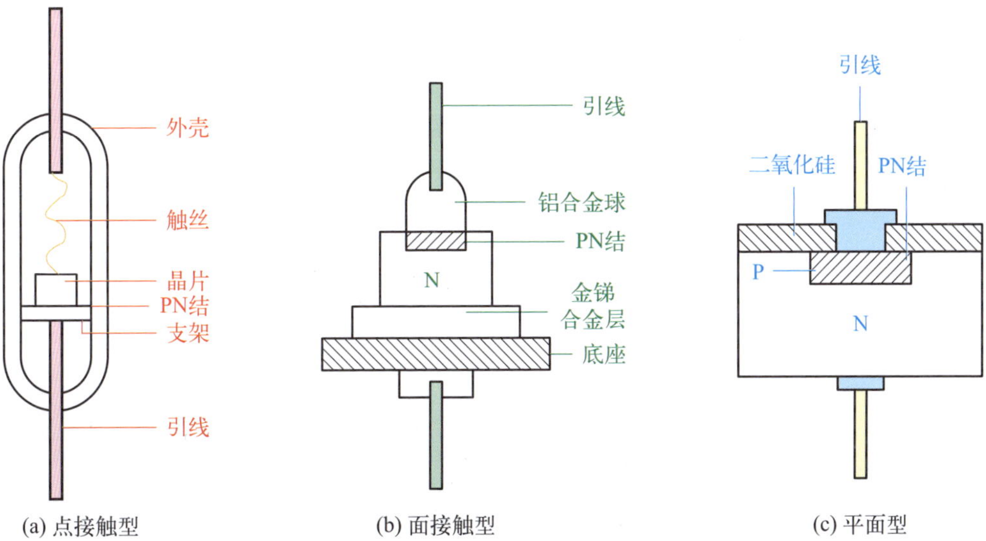

图 6-1　二极管分类方法

点接触型二极管是用一根很细的金属丝压在光洁的半导体表面上，通过强脉冲电流烧结在一起。因为点接触型二极管接触面很小，一般只允许通过较小的电流（几十毫安）。

面接触型和平面型二极管的 PN 结接触面比较大，它可以通过较大的电流，这类二极管一般用于电源的整流电路中。

二极管外观如图 6-2 所示。

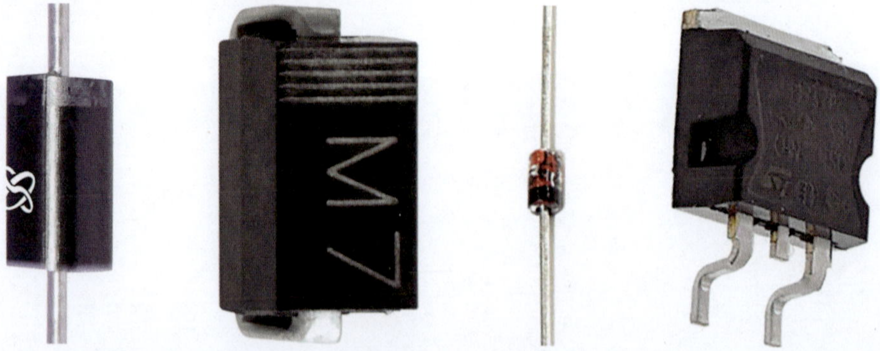

图 6-2　二极管外观

一、二极管的单向导电性

在图 6-3（a）电路中，当开关 S_1 闭合后，灯泡 X_2 就会发光，说明有电流流过二极管 D_1，二极管是导通的。而在图 6-3（b）中，当开关 S_2 闭合后灯泡 X_1 不亮，说明无电流流过二极管 D_2，二极管不导通。

通过观察电路可以发现，二极管 D_1 的正极接在电源的正极，二极管 D_1 的负极通过灯泡接到电源的负极；二极管 D_2 的负极接在电源的正极，二极管 D_2 的正极通过灯泡接在电源的负极。

由此可以得出结论：当二极管正极接电源正极，二极管负极接电源负极时，二极管能导通；当二极管的正极接电源的负极，二极管的负极接电源的正极时，二极管不导通。

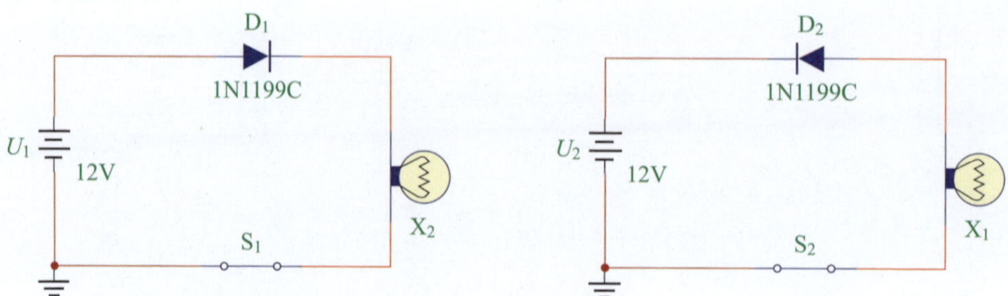

(a) 二极管导通　　(b) 二极管不导通

图 6-3　二极管单向导通

二、二极管的伏安特性

在电子工程技术中，常用到伏安特性曲线来说明元器件的性质，伏安特性曲线又

称为电压 - 电流特性曲线，它用于说明元器件两端电压与通过电流的变化规律。二极管的伏安特性曲线就是用于说明加在二极管两端的电压 U 与通过电流 I 之间的关系。

二极管的伏安特性曲线如图 6-4 所示，在坐标图中第一象限内的曲线就是二极管正向特性曲线，在坐标图中的第三象限内的曲线就是二极管的反向特性曲线。

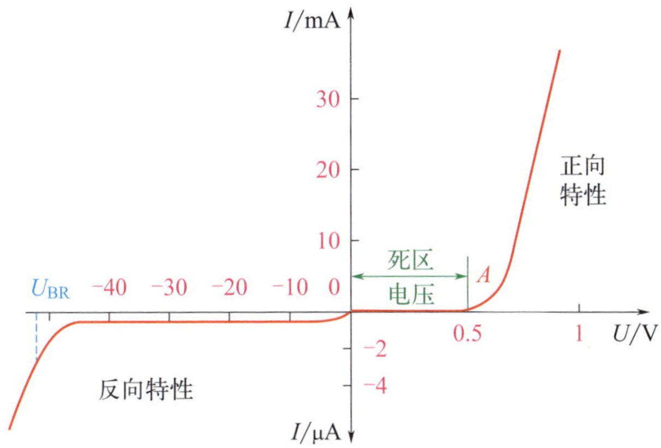

图 6-4　二极管的伏安特性曲线

从正向特性曲线中可以看出，加载在二极管两端的电压从 0 开始慢慢增加，在 0.5V（A 点）以前电流几乎为 0，认为二极管没有导通。当加载在二极管两端的电压超过 0.5V 以后，发现电流急剧增大，二极管导通。A 点的电压就称为二极管的门电压，也只有加载在二极管上的电压超过门电压时二极管才能导通。

从反向特性曲线可以看出，加载在二极管上的电压从 0 开始慢慢增加直到 U_{BR} 位置，电流迅速增大，二极管也就反向导通了。这里的 U_{BR} 也称为二极管的反向击穿电压，反向击穿电压一般很大，低的十几伏，高的上千伏。普通二极管反向击穿导通后就是损坏性的，因此普通二极管反向击穿后就不能使用了。

从上面的分析可以得出，二极管的反向特性是当加较低的反向电压时二极管不能导通，如果反向电压超过二极管的反向击穿电压，二极管就会导通，导通后二极管就损坏了。

有的特殊二极管在反向击穿后还可以恢复，这种二极管就是工作在反向击穿区。

三、二极管的主要参数

（1）最大整流电流 I_F　二极管长时间使用时允许流过的最大正向平均电流称为最大整流电流，或称作二极管的额定工作电流。当流过二极管的电流大于最大整流电流时，二极管容易被烧坏。二极管的最大整流电流与 PN 结面积、散热条件有关。PN 结面积大的面接触型二极管的 I_F 大，点接触型二极管的 I_F 小；金属封装二极管的 I_F 大，而塑封二极管的 I_F 小。

（2）最高反向工作电压 U_R　最高反向工作电压 U_R 是指二极管正常工作时两端能承受的最高反向电压。最高反向工作电压一般为反向击穿电压的一半。在高压电路中需要采用 U_R 大的二极管，否则二极管易被击穿损坏。

（3）最大反向工作电流 I_R　最大反向工作电流是指二极管两端加最高反向工作电压时流过的反向电流。该值越小，表明二极管的单向导电性越佳。

（4）结电容　二极管是由 PN 结制成的，在前面的学习中知道了 PN 结的结构。在 PN 结中有一个耗尽层，耗尽层是不导电的。在耗尽层的两边分别是 P 型半导体、N 型半导体，又是可以导电的，因此这个结构与前面所学习到的电容结构非常相似。不仅相似，这种结构也导致二极管内部存在一个寄生电容，称为结电容。

结电容的大小与二极管的面积有关。点接触型二极管的 PN 结小，所以结电容小；面接触型二极管 PN 结大，所以结电容大。结电容对于高频电路设计相当重要。

（5）最高工作频率 f_M　最高工作频率是指二极管在正常的工作条件下的最高频率。如果通过二极管的信号频率高于该频率，二极管就失去了单向导通的特性，这是由二极管的结电容导致的。因为电容的特性是通交流、隔直流，在给二极管一个高频信号时，二极管的结电容就可以通过该高频交流信号。

四、二极管的测量

二极管的测量使用万用表的二极管挡（—▶|—），测量时使用万用表的红表笔和黑表笔分别测量二极管的两极，正反各测一次。测量时如果只显示一次数字，另一次显示无穷大，则说明二极管是好的（图 6-5）。

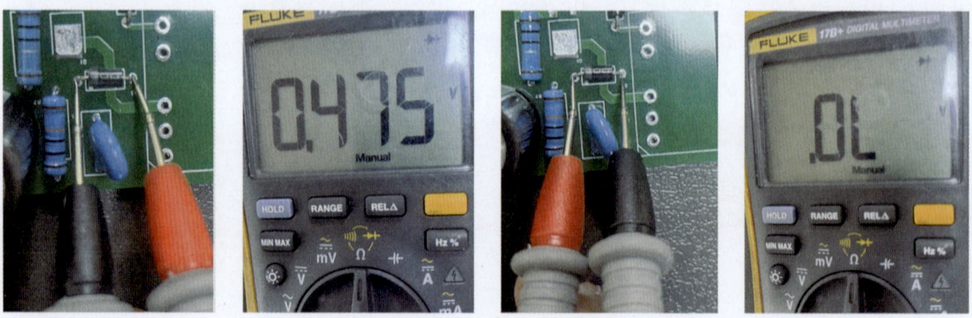

图 6-5　二极管的测量

第七课时
二极管经典应用电路

一、整流电路

1. 半波整流电路

如图 7-1 所示是二极管半波整流电路，这是一种最简单的整流电路。电路中交流电源接在变压器的初级，次级输出的也是交流电。

当电源为上正下负时（正半周），电流可以通过二极管；当电源为下正上负时（负半周），电流就无法流过二极管。也就是说，正弦交流电只有一半的电流流过了二极管，还有一半电能被浪费了，所以半波整流效果较差。

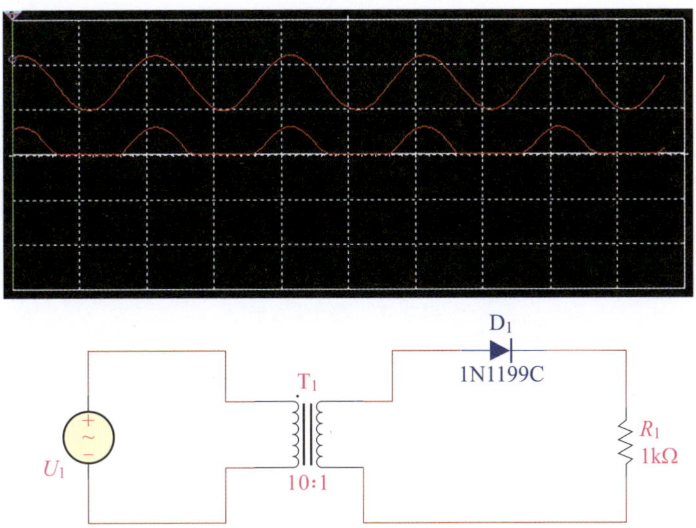

图 7-1 二极管半波整流电路

2. 桥式整流电路

由于单管整流电路只利用到交流的半个周期，还有半个周期被二极管隔离了，导致单管整流电路整流效果差，因此大部分情况下使用的是桥式整流电路。

桥式整流电路由四个二极管组成，当电流为上正下负时电流经 V_1 二极管→负载→ V_3 二极管→电源负极；当电流为下正上负时电流经 V_2 二极管→负载→ V_4 二极管→电源负极（图 7-2）。这样电源的上半周和下半周都被利用到。

值得注意的是，虽然通过桥式整流电路已经将交流电转换为直流电，但是这时候的直流电还是脉冲形式的，见图 7-3。

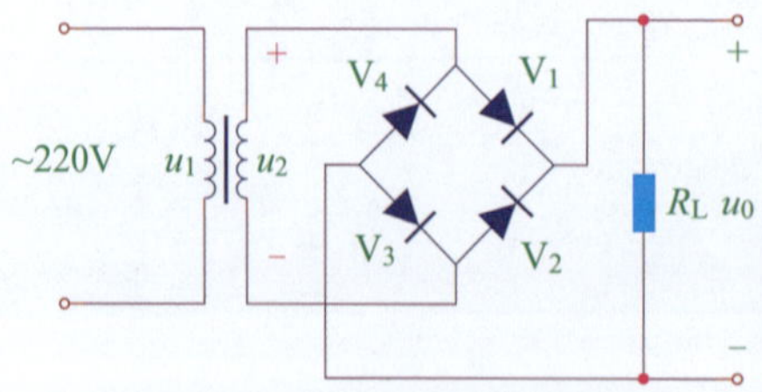

图 7-2　二极管全桥整流电路

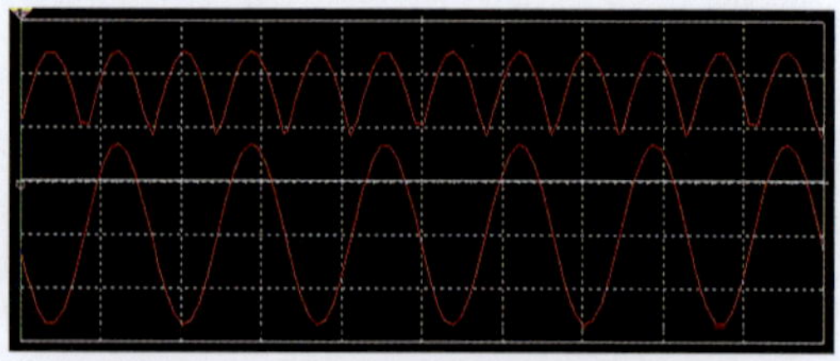

图 7-3　二极管全桥整流电路波形

因此一般在整流桥后面会安装大容量的电解电容做滤波储能使用，这样整流桥出来的直流电就是平滑的直流电。

在新能源汽车的交流充电机中，有部分充电机在 220V 交流电进来后就直接使用整流桥将交流电整流成直流给后级处理。因为交流电的有效值为 220V，峰值为 310V，所以整流后的直流电压为 310V 左右。

3. 整流桥堆的测量

整流桥是经常被使用的元器件，因此很多厂家将 4 个二极管做在一起构成了一个整流桥堆，如图 7-4 所示。全桥有 4 个引脚，标有“～”的两个引脚为交流电压输入端，标有“+、−”的引脚为直流输出端。

图 7-4　整流桥堆

在测量整流桥堆时使用数字式万用表的二极管挡去测量，显示“OL”符号表示测量时内部未导通，显示“0.9”表示测量时内部有两个二极管串联并导通，显示“0.5”则表示内部有一个二极管正向导通。

对 4 个引脚两两进行测量时，分别正反向测量交流输入端和直流输出端，以及交流端对输出正极正反测、交流端对输出负极正反测，得到的数值如图 7-5 所示。

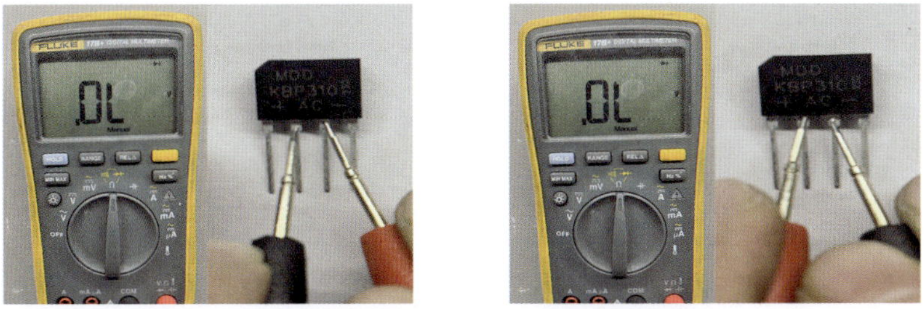

(a) 正反向测量交流输入端，正常应显示“OL”

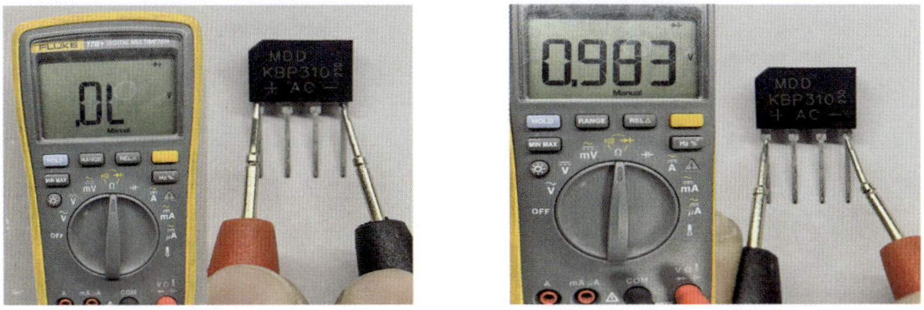

(b) 正反向测量直流输出端时，只有黑表笔接正极、红表笔接负极时显示0.983V的管压降，这表示两个二极管是串联的且管压降正常

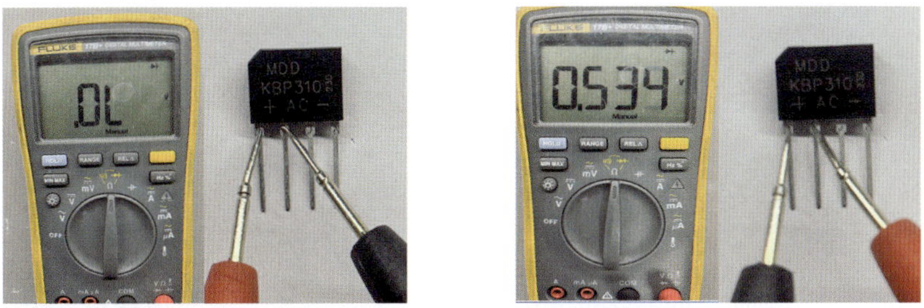

(c) 正反向测量交流输入端与输出正极之间的管压降，只有一个管压降时即为正常

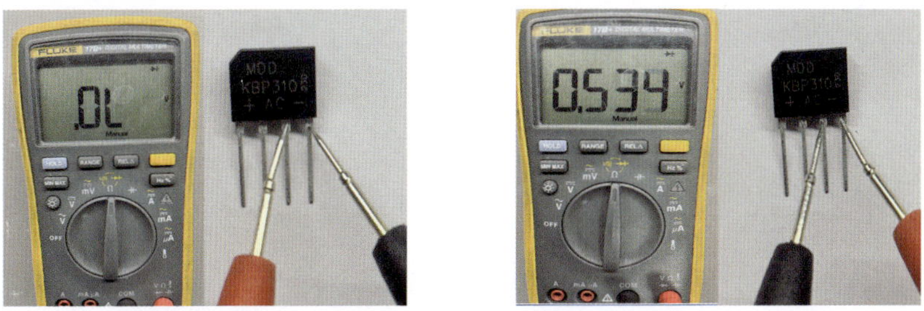

(d) 正反向测量交流输入端与输出负极之间的管压降，只有一个管压降时即为正常

图 7-5 整流桥堆的测量

二、稳压二极管及稳压电路

1. 外形与符号

稳压二极管又称齐纳二极管或者反向击穿二极管，它在电路中能起到稳压的作用，

稳压二极管的外观与符号如图 7-6 所示。

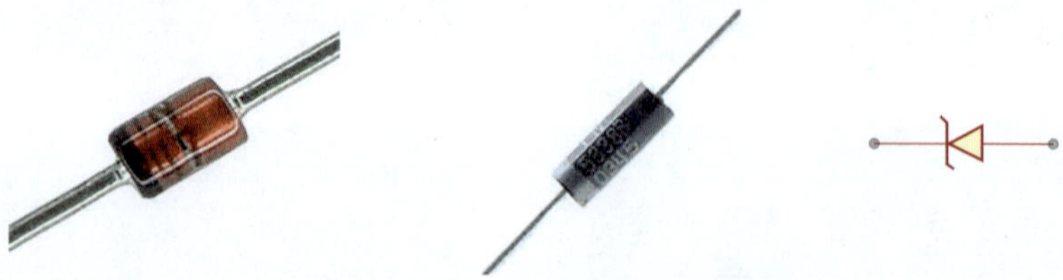

图 7-6　稳压二极管的外观与符号

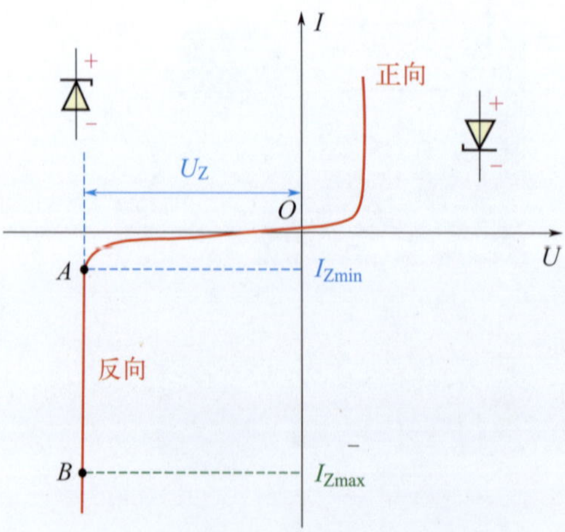

图 7-7　稳压二极管伏安特性曲线

2. 稳压二极管原理

稳压二极管的伏安特性曲线如图 7-7 所示。其在反向偏置时，电流可在很大范围内变化，而电压基本不变，从而起到稳压作用。稳压二极管广泛用在稳压电路和限幅电路中。

稳压二极管是非线性元件，它的伏安特性曲线是非线性的。当稳压二极管处于正向偏置时，即工作在图 7-7 中的第一象限时，其伏安特性曲线与普通二极管一致。当稳压二极管处于反向偏置且当所施加的反向偏置电压小于 U_Z 时，流过稳压二极管的反向电流几乎为 0，可等效为开路状态。随着所施加的反向偏置电压增大，当超过 U_Z 时，稳压二极管被击穿，此时 U-I 曲线很陡，电压变化量很小，引起急剧的电流变化。曲线越陡，动态电阻越小，稳压二极管的稳压性能越好。I_{Zmin} 和 I_{Zmax} 为稳压二极管工作在正常稳压状态的最小及最大工作电流。反向电流小于 I_{Zmin} 时，稳压二极管进入反向特性的转弯段，稳压特性消失；反向电流大于 I_{Zmax} 时，稳压二极管可能被烧毁。

3. 稳压二极管构成的稳压电路

在图 7-8 中，采用一个可调电源，电阻与稳压二极管串联，在电路中串入一个开关。假设是一个 5V 的稳压二极管，那么当电源电压小于 5V 时，稳压二极管相当于开路，因此 U_2 为 5V；如果电源电压等于 8V，那么 U_2 等于 5V，U_1 等于 3V，这样输出电压就能保持不变。

4. 稳压二极管的测量

当需要测量一个稳压二极管的稳压值时，可以如图 7-9 所示将一个稳压二极管和一个 10kΩ 的电阻串联接在可调电源中，慢慢增加可调电源的电压。当测量的 U_2 稳定在一个值时，这个值就是稳压二极管的稳压值。

在图 7-10 中测量到的稳压二极管的稳压值为 14.71V。

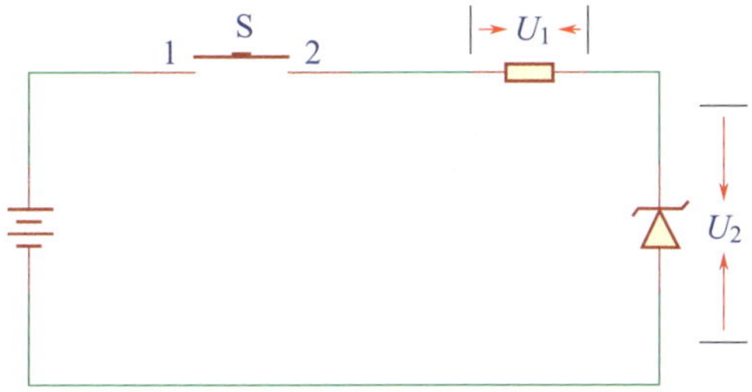

图 7-8　稳压二极管电路

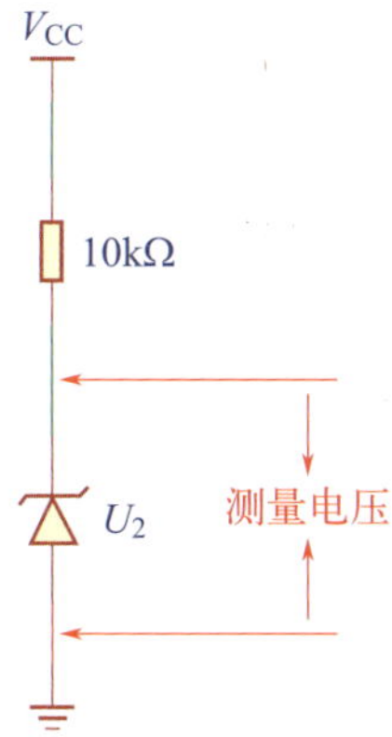

图 7-9　稳压二极管测量电路

三、瞬态抑制二极管及保护电路

1. 外形与符号

瞬态抑制二极管（图 7-11）又称 TVS 管，TVS 管的电气特性是由 PN 结面积、掺杂浓度及晶片电阻值决定的，其突破电流的能力与其 PN 结面积成正比。TVS 管通常用于电路的电源和信号保护，以及防静电。

TVS 管的特点是反应速度快（为 ps 级）、体积小、脉冲功率大、钳位电压低等。脉冲功率从 400W 到 30kW，脉冲尖峰电流从 0.25A 到 500A，击穿电压从 6.8A 到 550V 的系列都有。

图 7-10　稳压二极管测量值

2. 瞬态抑制二极管的工作原理

元器件并联于电路中，如图 7-12 所示。当电路正常工作时，它处于截止状态（高阻态），不影响线路正常工作。当电路出现异常过压并达到其击穿电压时，它迅速由高阻态变为低阻态，给瞬间电流提供低阻抗导通路径，同时把异常高压钳制在一个安全水平之内，从而保护 IC 或线路；当异常高压消失后，其恢复至高阻态，电路正常工作。

瞬态抑制二极管又分为单向和双向，单向瞬态抑制二极管的伏安特性曲线在图 7-13（a）第一象限为二极管正偏，与普通二极管的伏安特性曲线基本一样，第三象限是二极管反偏，反偏时在 U_{BR} 位置为反向击穿电压，此时二极管反向击穿电流大，可以保护后级电路。如图 7-13（b）所示为双向瞬态抑制二极管的伏安特性曲线，因为是双向二极管，所以在第一象限内也是反向偏置，因此在 U_{BR} 位置也是该二极管的反向击穿电压。

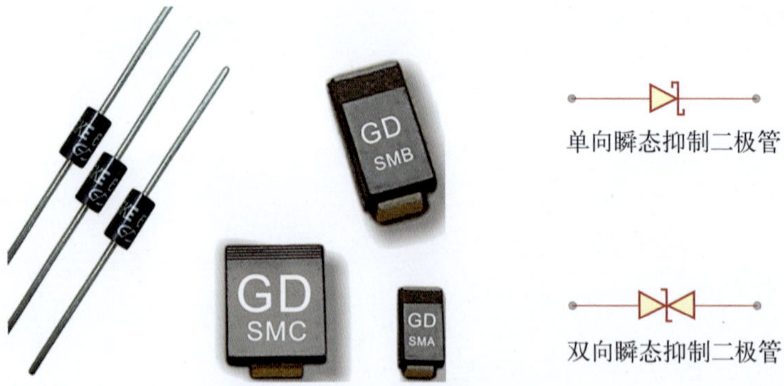

图 7-11　瞬态抑制二极管

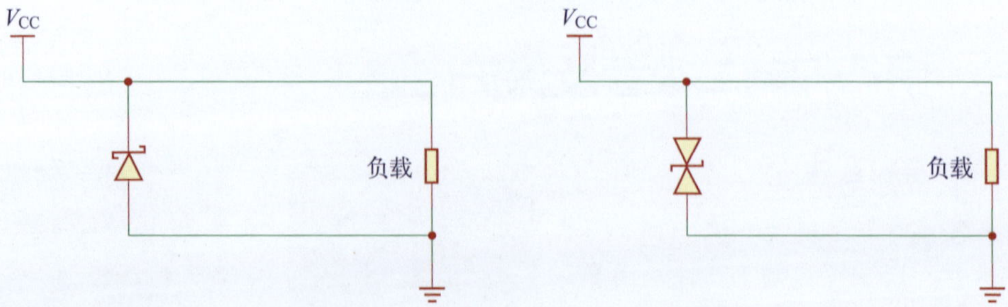

图 7-12　瞬态抑制二极管的工作原理

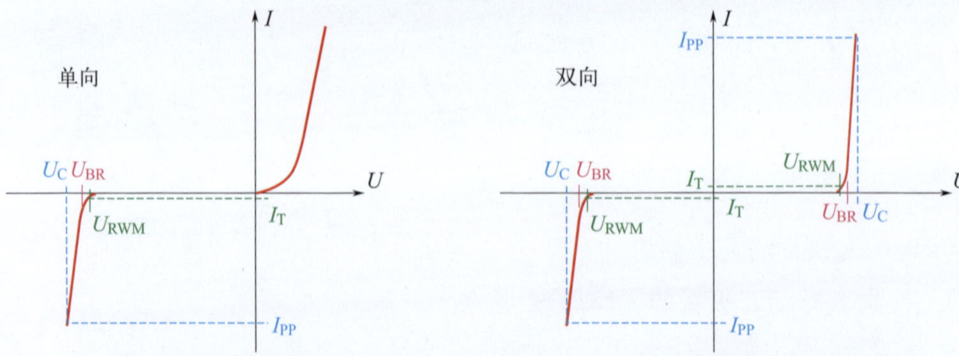

(a) 单向瞬态抑制二极管　　(b) 双向瞬态抑制二极管

图 7-13　瞬态抑制二极管的伏安特性曲线

四、其他特殊二极管

1. 快恢复二极管与肖特基二极管

二极管在正向偏置时，电流可以流过，称为二极管单向导通。在二极管反向偏置时，认为二极管是立刻截止的，电路中应该只有很小的反向漏电流。

实际情况是二极管在反向偏置时并不会立刻截止，而是先有一个很大的反向电流，这个电流会维持一段时间后才逐渐下降，等下降到反向电流几乎为 0 时，二极管才进入反向截止状态。这段时间称为二极管的恢复时间。

如图 7-14 所示，当二极管从正偏变为反偏时，电流也从 I_F 变为 $-I_R$。刚进入反偏时，在时间 t_1 阶段有一个很大的反向电流，然后电流才慢慢地变小，最后截止。t_s ~ t_t 时间段就是二极管的恢复时间。

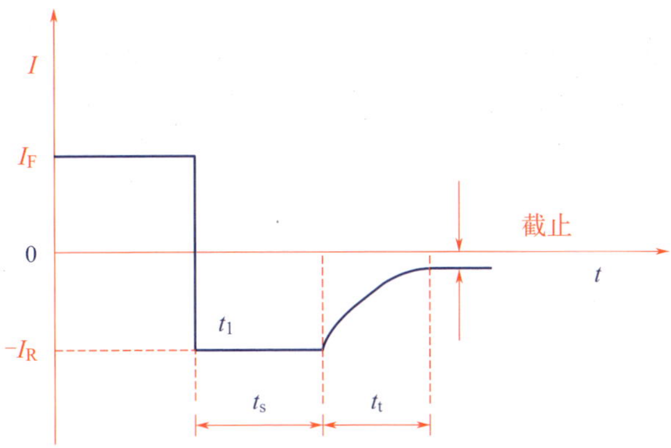

图 7-14　二极管恢复时间

普通二极管的反向恢复时间一般＞ 500ns；快恢复二极管反向恢复时间一般为 150 ~ 500ns；超快恢复二极管反向恢复时间一般为 15 ~ 35ns；肖特基二极管（SBD）反向恢复时间一般＜ 10ns，也有个别在 20ns 这个量级。

因此一般在新能源汽车的车载充电机中会用到快恢复二极管，因为车载充电机中会有开关电源，而开关电源的振荡频率较高。如果使用普通二极管，在短时间内二极管反向偏置时还有大电流，无法发挥整流作用。

肖特基二极管虽然反向恢复时间最快，但是因其结构特点一般是反向耐压值比较低，多数不高于 60V，最高也不高于 100V，因此一般用在高频整流电路且电压低的场合。

2. 发光二极管

发光二极管（LED）是一种常用的发光元器件，它也是二极管的一种（图 7-15）。LED 不仅具备二极管的特性，在正向偏置时还能通过电子与空穴的复合释放能量发光。

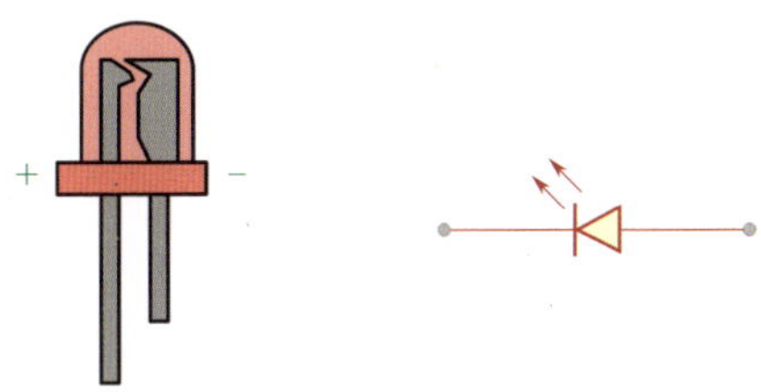

图 7-15　发光二极管

发光二极管是一种电流型元器件，通常工作电流在 10mA 就有足够的亮度，极限值在 50mA 以下，因此在使用发光二极管时都需要在电路中串联一个限流电阻。

发光二极管常见的发光颜色有红色、黄色、橙色、蓝色、白色等。发光二极管根据其发光的波长又可分为可见光波和不可见光波，如常见的遥控器使用的就是红外线二极管。

第八课时
三极管的识别与测量

一、三极管的识别

三极管是在电子电路中应用最广泛的半导体元器件之一（图 8-1），它具有放大、饱和、截止三种工作状态，因此不但可以用在信号放大电路上，还可以当作电子开关使用。

图 8-1　三极管实物

三极管是在一块半导体基片上制作两个相距很近的 PN 结，两个 PN 结把整块半导体分成三部分，中间部分是基区，两侧部分是发射区和集电区，排列方式有 PNP 和 NPN 两种。

如图 8-2 所示，集电区面积大，基区很薄，发射区掺杂浓度大，因此多子（电子）浓度高。

在集电区引出来的端子叫作集电极（c），在基区引出来的电极叫作基极（b），在发射区引出来的电极叫作发射极（e）。它们的电路符号如图 8-2 所示。

二、三极管的原理

如图 8-3 所示，在三极管的基极与发射极之间加载一个电压 V_{BB}，在集电极与发射极之间加载一个电压 V_{CC}，使 $V_{CC} > V_{BB}$，此时发射结正偏，集电结反偏，以此图来讨论三极管的特性。

在讨论三极管的特性之前，再回顾一下二极管的特性。二极管正偏时外部电场会削弱内部电场，内部电场越来越小，最后几乎没有。且 N 区的自由电子由外部电场源源不断地提供，PN 结中有电流流过。此时参与导电的是 N 区的多子（电子），多子的运动称为扩散运动。因此得出 PN 结正偏有利于多子的扩散运动。在 PN 结反偏时，一直认为电路中没有电流，实际上电路中是存在电流的，这个电流是由 P 区的少子（电子）漂移运动到 N 区形成的，之所以 PN 结反偏时漏电流小，是因为 P 区的少子非常少。但是从这里可以看出，PN 结反偏是有利于少子的漂移运动的。

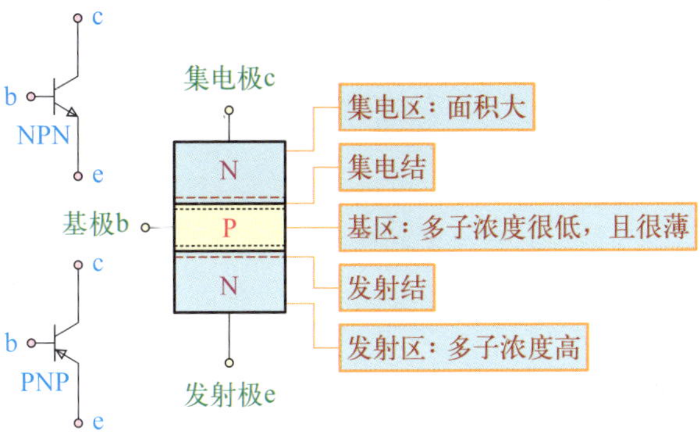

图 8-2　三极管电路符号

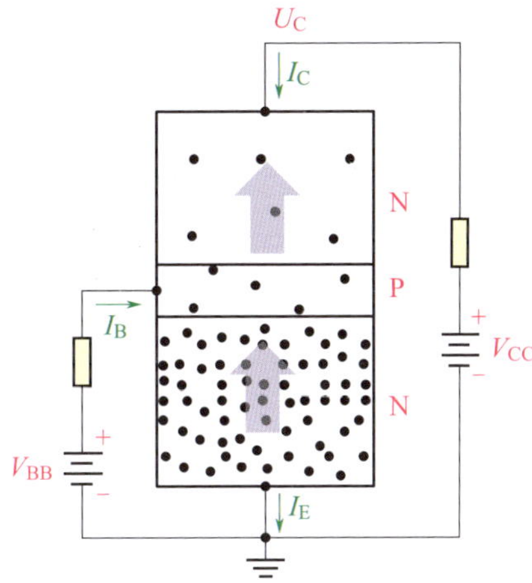

图 8-3　三极管的原理

现在再来看图 8-3，分析发射结正偏、集电结反偏时电流的走向。在发射结正偏时有利于多子的扩散运动，因此发射区的多子（电子）全部扩散到基区。由于发射区掺杂浓度高，会有很多多子扩散到基区，但是基区非常薄，因此在基区复合的电子就不多，会剩下很多没有复合的电子，基区为 P 区，所以多出来的电子在基区就是少子。接下来再看集电结，集电结处在反偏状态下，而反偏状态有利于少子的漂移运动。因此在基区复合剩下的少子会通过漂移运动来到集电区，由于基区的少子数量非常多，因此漂移至集电区的电子也非常多。

因此在发射结正偏、集电结反偏时，三极管的集电极与发射极处于导通状态。

三、三极管的测量

测量三极管时首先要确定三极管的类型到底是 NPN 型还是 PNP 型，在区分三极管类型时使用万用表的三极管挡，分别测量三极管的三个引脚。当测量到一个管压降时就说明万用表的红表笔接的是 P 区引出来的电极，黑表笔就是 N 区引出来的电极。如果测量出两个 P 区一个 N 区，那么这个三极管就是 PNP 型三极管，如果测量出两个 N 区一个 P 区，那么这个三极管就是 NPN 型三极管。

如图 8-4 所示，使用万用表测量三极管的管压降时，测量到两次管压降为 0.686V，且黑表笔都在同一个管脚，那么这个三极管就为 PNP 型三极管。

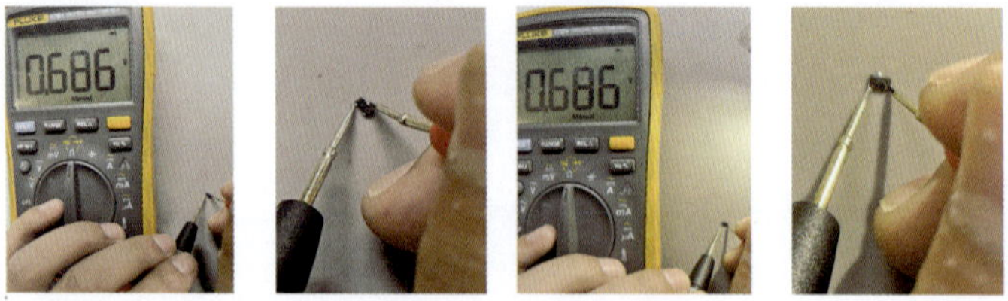

图 8-4　三极管的测量

四、三极管的放大特性

在分析三极管放大特性时，使用图 8-5 来讨论。图 8-5 中三极管的基极接电源 V_{BB}，电阻 R_B 是一个可调电阻，用于限流，以调整基极电流。V_{CC} 给三极管的集电极与发射极之间供电。

慢慢调整电阻 R_B，观察基极电流 I_B 与集电极电流 I_C，可得出 I_B 与 I_C 之间的关系。在慢慢增加 I_B 时会发现 I_C 也随之增加，当 I_B 增加到一个值时，I_C 并不会随之增加，而是固定了。

这是由于当发射结正偏时，因为电流 I_B 小，发射区扩散的多子（电子）并不是基区的全部能力，因此电流 I_B 决定了发射区发射电子的多少。而发射区发射的电子在基区复合一部分后，剩下的会由于集电结反偏，基区的少子（电子）会漂移到集电区形成电流 I_C。改变基极电流 I_B 大小，就改变了发射区发射电子的能力，从而改变了电流 I_C。如果电流 I_B 能激发发射区发射全部的电子，那么再增加电流 I_B，发射区也不会因为电流 I_B 的增大而多发射电子，此时电流 I_C 就不会再随着电流 I_B 的增大而增大了。

三极管的特性曲线如图 8-6 所示。

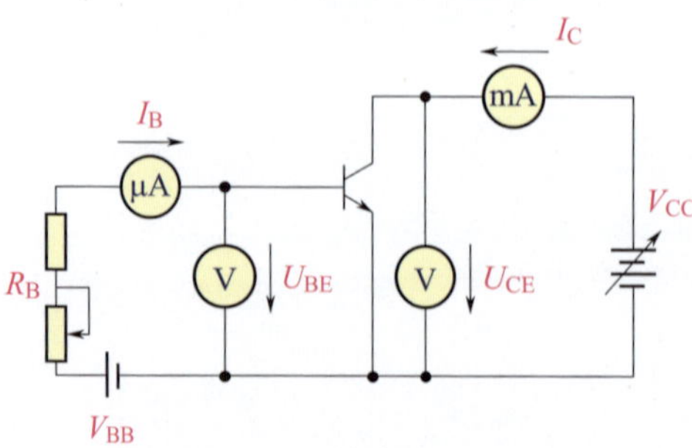

图 8-5　三极管放大特性原理

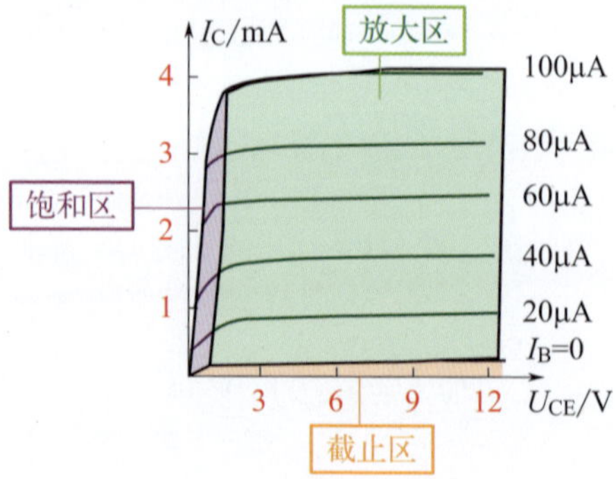

图 8-6　三极管的特性曲线

在电流 I_B 等于 0 时，对应的电流 I_C 几乎也为 0，此时三极管由于发射结不能正偏，因此发射区也就不能发射电子，所以此时 I_C 为 0，这个状态区域称为三极管的截止区。

在紫色区域内，不同 I_B 特性曲线几乎重叠在一起，此时因为电压 U_{CE} 太小，不足以让集电结反偏，因此 I_B 不能对 I_C 进行控制，这个状态区域称为三极管的饱和区。

除饱和区和截止区外，三极管的集电极电流都是随着基极电流变化的，也就是说基极电流是可以控制集电极电流的，这个状态区域称为三极管的放大区。

第九课时 三极管经典应用电路

一、三极管放大电路

如图 9-1 所示是一个由三极管、电阻、电容构成的共发射极放大电路。在电路中 R_1 和 R_2 串联分压给三极管基极提供一个静态工作点，这个静态工作点对于三极管放大电路非常重要。如图 9-2 所示，静态工作点是让三极管的基极电流处在放大区的中心，这样在放大信号时就不会失真。

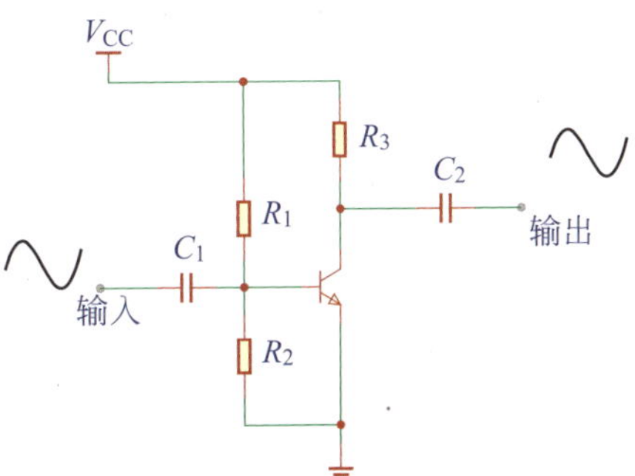

图 9-1　共发射极放大电路

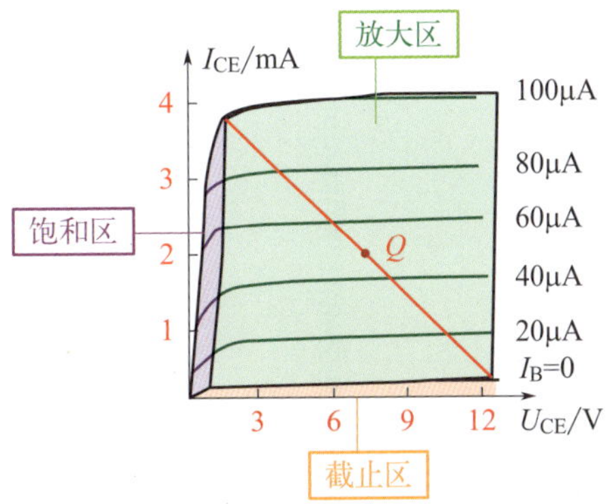

图 9-2　三极管静态工作点

当三极管的静态电流建立后，三极管集电极与发射极之间也会产生一个电流 I_{CE}，此时可以理解为三极管处于半导体状态。

当交流信号通过 C_1 耦合至三极管的基极时，如果是正半周信号，会增强电流 I_B；如果是负半周信号，会削弱电流 I_B，这样三极管的 I_{CE} 也会随之变化，同时交流信号会通过 C_2 去耦输出。这就是三极管放大电路的基本原理。

二、三极管开关电路

如图 9-3 所示为由一个三极管构成的电子开关电路，在电路中 R_1 为基极限流电阻，为了防止电流过大而烧毁三极管，在集电极上加上一个负载。

当基极为低电位时，三极管无基极电流，因此三极管的集电极与发射极无电流，灯不亮；如果给三极管的基极加上一个高电位，此时因为三极管处于饱和状态，三极管的集电极与发射极之间处于导通状态，因此有电流流过，此时灯点亮，这时候三极管在电路中的工作状态只处在饱和区或者截止区。因此这种工作电路中的三极管为开关管。

新能源汽车“三电”维修的电路板基本都是数字电路或者开关电源之类的，因此一般在新能源汽车高压部件中的三极管都是工作在开关状态，而用作信号放大的三极管一般都是在模拟电路中用于放大信号。

如图 9-4 所示同样是一个由三极管构成的开关管电路，但是图中使用的是 PNP 型三极管。基极为低电位时三极管导通，基极为高电位时三极管截止。因此在实际维修时要根据三极管不同的类型来分析其打开或关闭的状态。

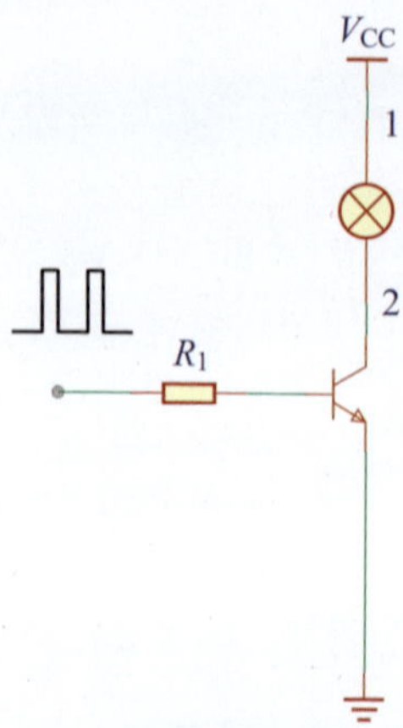

图 9-3　三极管开关状态（一）

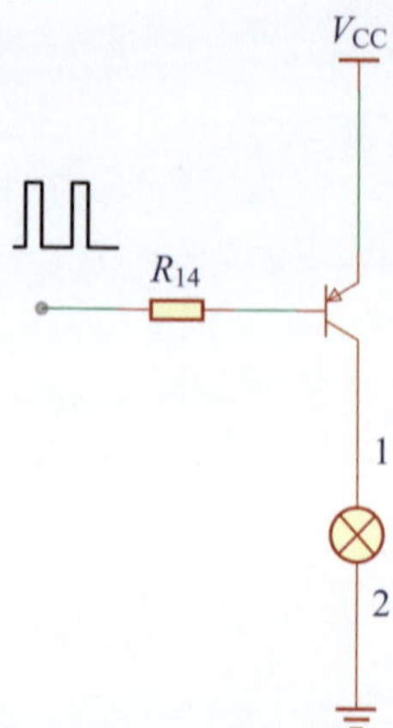

图 9-4　三极管开关状态（二）

三、无稳态振荡电路

如图 9-5 所示是无稳态振荡电路。在电路上电的一瞬间 Q_1 和 Q_2 的基极都会通过一个电阻接在电源上，假设 Q_1 先导通，在 Q_1 导通后 C_1 左边为负极，右边通过电阻 R_2 充电，电容 C_2 左边为三极管 Q_1 基极，电压大约为 0.7V。当电容 C_1 左负右正充电，电压上升到 0.7V 以上时，就可以为 Q_2 基极提供一个偏置电压，此时 Q_2 导通。当 Q_2 导通后，原本 C_2 两端电压是左负右正，左边电压为 0.7V，右边电压等于 V_{CC} 电压。现在右边电压突然变为 0，那么根据电容两端电压不能突变原理，电容 C_2 左边就会变成负电压，三极管 Q_1 基极电压变成负电压，因此三极管 Q_1 立刻截止。三极管 Q_1 截止后，

电容 C_1 左边电压变成 V_{CC} 电压，电容 C_2 左边电压由负电压慢慢充电上升至 0.7V 以上，为 Q_1 的基极提供了偏置电压，Q_1 导通。Q_1 导通后 C_1 左边电压又被拉低为 0，根据电容两端电压不能突变的原理，C_1 右边电压变为负电压，因此 Q_2 立刻截止。

按照这样重复，Q_1、Q_2 交替导通，因此在 Q_1、Q_2 的集电极就会产生一个方波信号。

如图 9-6 所示是无稳态振荡仿真电路。在电路中，在 C_1 两端接上示波器，观察 C_1 两端对地的电压变化。C_1 左边为三极管 Q_1 提供偏置电压。在示波器上是红色的波形，可以看到在三极管 Q_2 导通后，C_1 左边电压立刻变为 -1V，并慢慢充电升高，当 C_1 左边电压恢复到 0.7V 以上后，三极管 Q_2 立刻截止。因此在 C_1 右边的电压波形（图中橙色波形）呈现出一个方波。

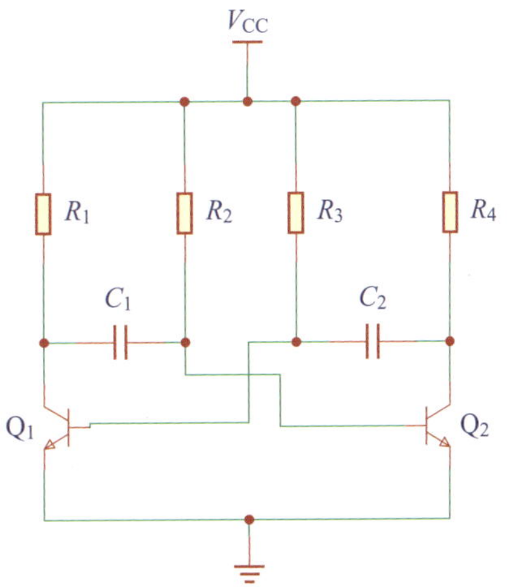

图 9-5　无稳态振荡电路

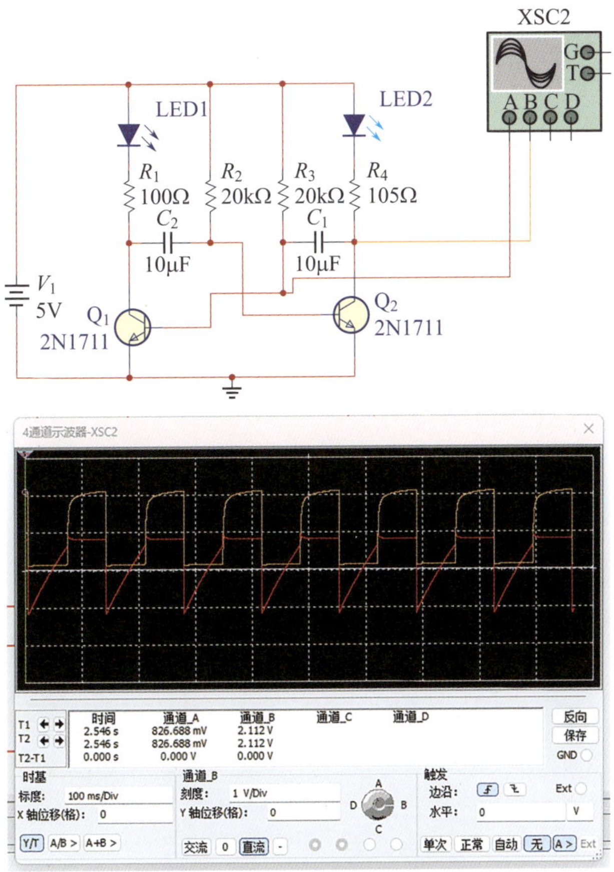

图 9-6　无稳态振荡仿真电路

第十课时
场效应管的识别与测量

场效应管主要有两种类型，即绝缘栅型场效应管（MOSFET）和结型场效应管（JFET），一般在开关电源、Boost、Buck、Buck-Boost 电路中应用的基本都是 MOSFET。两种场效应管虽然特性曲线有所不同，但基本原理相同。场效应管主要是利用电场效应来控制电流大小的半导体元器件。场效应管是三端元器件，也有三个电极，分别为栅极 G、漏极 D 和源极 S。MOSFET 可以制造成增强型和耗尽型两种，根据其沟道不同又分为 N 沟道和 P 沟道，因此又有 P 沟道增强型 MOSFET 和 N 沟道增强型 MOSFET，还有 P 沟道耗尽型 MOSFET 和 N 沟道耗尽型 MOSFET（图 10-1 ~图 10-3）。

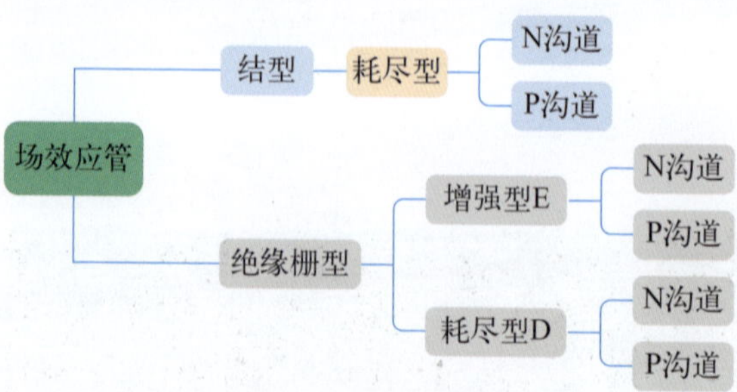

图 10-1　场效应管分类

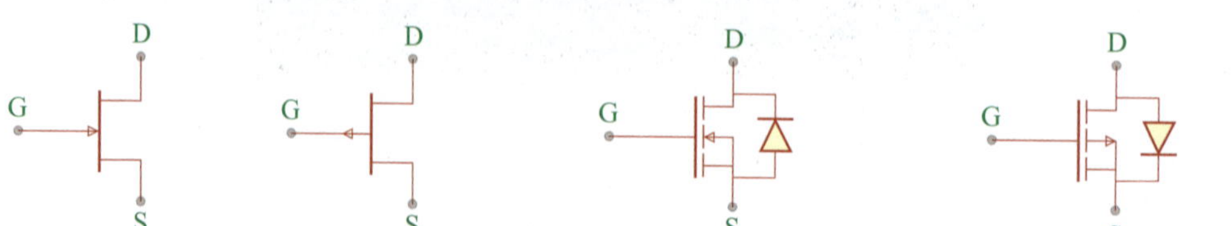

(a) N沟道JFET　(b) P沟道JFET　(c) N沟道增强型MOSFET　(d) P沟道增强型MOSFET

图 10-2　场效应管符号（一）

一、结型场效应管

结型场效应管的结构如图 10-4 所示，由 N 型或者 P 型材料制成的实心棒为主体，并在两边制作出另外一种半导体材料，这样就构成了一个结型场效应管。如果中心的材料为 N 型半导体，则称为 N 沟道场效应管；如果中心的材料为 P 型半导体，则称为 P 沟道场效应管。在中心半导体引出的电极一端叫作源极 S，另一端叫作漏极 D，两侧半导体引出的电极叫作栅极 G。

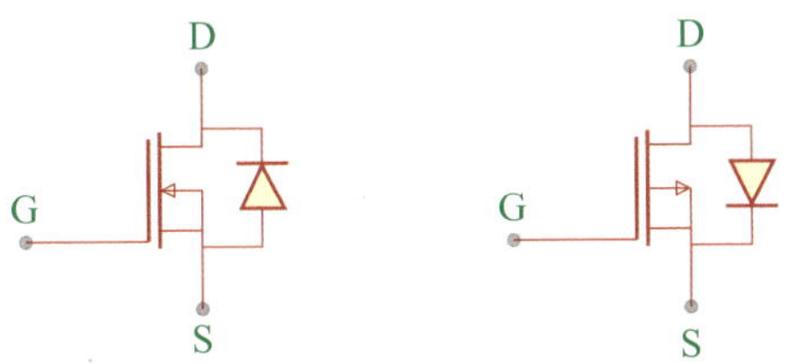

(a) N沟道耗尽型MOSFET　(b) P沟道耗尽型MOSFET

图 10-3　场效应管符号（二）

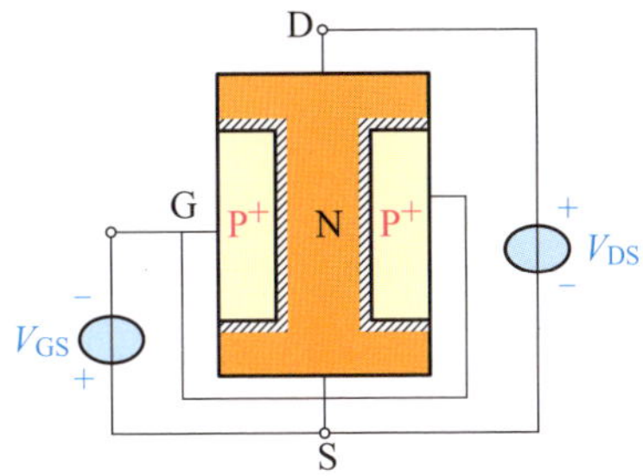

图 10-4　结型场效应管的结构

图 10-5 中绿色部分为耗尽层，当漏源间短路，栅源间外加负向电压 V_{GS} 时，结型场效应管中的两个 PN 结均处于反偏状态，如图 10-5（a）所示。随着 V_{GS} 负向增大，加在 PN 结上的反向偏置电压增大，则耗尽层加宽。由于 N 沟道掺杂浓度较低，故耗尽层主要集中在沟道一侧。耗尽层加宽，使得沟道变窄，沟道电阻增大，如图 10-5（b）所示。当 V_{GS} 负向增大到某一值后，结两侧的耗尽层向内扩展到彼此相遇，沟道被完全夹断，此时漏源间的电阻将趋于无穷大，如图 10-5（c）所示。此时的漏源间电压 V_{GS} 称为夹断电压，用 V_{GS}（off）表示。

这就是结型场效应管的工作原理，由于后期在新能源汽车维修上基本没有该元器件，因此在这里不做深入讲解。

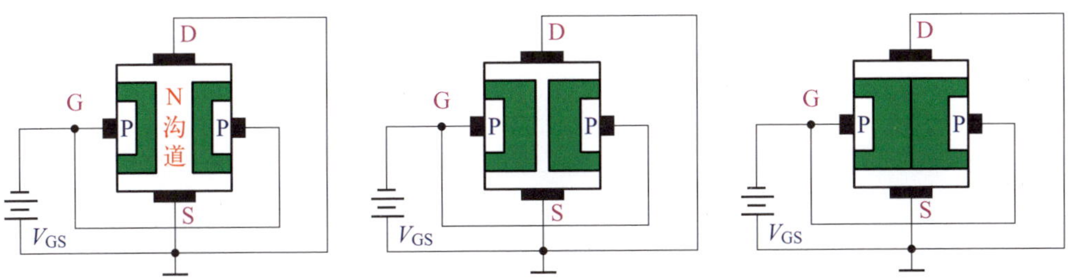

(a) 沟道宽　(b) 沟道窄　(c) 无沟道

图 10-5　结型场效应管的工作原理

二、绝缘栅型场效应管

绝缘栅型场效应管的栅极与源极、栅极与漏极之间均采用 SiO_2 绝缘层隔离，栅极为金属铝，因此绝缘栅型场效应管又叫 MOS 管（图 10-6）。

MOS 管分为四类：N 沟道增强型管、N 沟道耗尽型管、P 沟道增强型管、P 沟道耗尽型管。

增强型管：栅 - 源电压为 0 时，漏极电流也为 0。

耗尽型管：栅 - 源电压为 0 时，漏极电流不为 0。

1. N 沟道 MOS 管工作原理

N 沟道增强型 MOS 管是维修新能源汽车控制器时见到最多的一种 MOS 管，因此这里以 N 沟道增强型 MOS 管为例，详细讲解 MOS 管的工作原理。

如图 10-7 所示，将 MOS 管的漏极 D 接电源正极，源极 S 接电源负极，栅极 G 接电源正极。此时在 SiO_2 介质中会产生一个垂直于半导体表面的电场，排斥 P 区多子空穴而吸引少子电子。当 V_{GS} 电压达到一定值时，P 区表面会形成一个反型层，把两侧的 N 区导通，形成导电沟道。

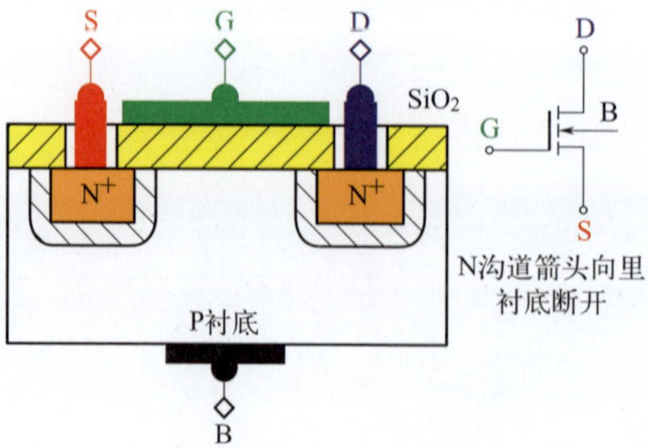

图 10-6　MOS 管结构

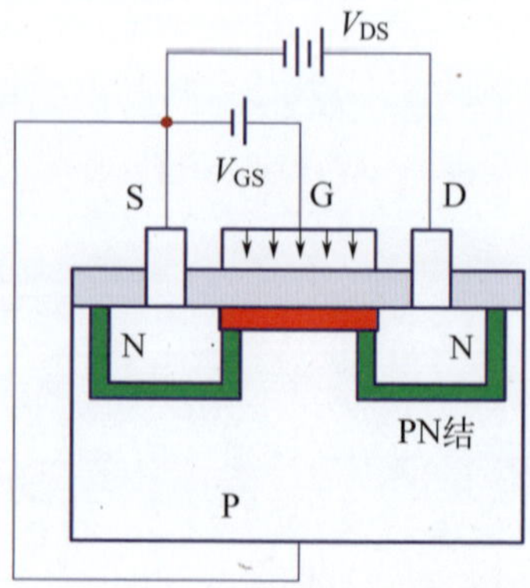

图 10-7　MOS 管工作原理

也可以把这里当作一个电容去理解，中间的绝缘层可看作电容的绝缘层，两侧可看作电容的导电层。当给这个电容接上电源后，电容两端就会充电。接在栅极 G 端的是正电，因此在 P 区就会吸引电子过来。而吸引过来的电子就会在两个 N 区形成一个导电的沟道。

也正因为如此，在使用 MOS 管时会在栅极使用一个电路。在断开 MOS 管时泄放栅极 G 电压，从而达到 MOS 管关断的效果。

2. MOS 管管脚定义

一般三脚封装的 MOS 管的管脚定义都是固定的，不像三极管那么乱。从 MOS 管正面看，左边为栅极 G，中间为漏极 D，最后一个为源极 S，如图 10-8 所示。

三、MOS 管的测量

1. 在路测量

一般在电路板上不拆下 MOS 管，粗略测量其好坏。在路测量只是测量 MOS 管是否击穿，并不能准确判断其好坏。

图 10-8　MOS 管管脚定义

第一步：测量栅极与源极之间的电阻，正常情况下应该无穷大，但是有的电路中有旁路电路影响，因此可能测量到几十到几百千欧的电阻。

第二步：测量源极与漏极之间的管压降，根据 MOS 管型号不同，其二极管指向不同。只有正向去测才有一个管压降，如果反向测量，应为无穷大。但是在路测量时如果使用电阻挡，有旁路电路的影响，也许也会测量出几十到几百千欧的电阻。

如图 10-9 所示，在路测量栅极对漏极和源极之间的电阻，一般有几十千欧的误差。栅极与源极之间的电阻可能会小，这是因为在设计电路时，会在栅极与源极之间放一个栅极关断电阻。

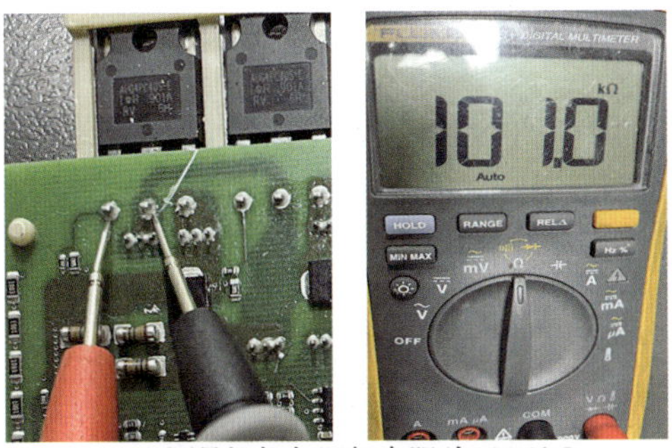

(a) 测量栅极与漏极电阻为101.0kΩ

(b) 测量栅极与源极电阻为23.20kΩ

图 10-9　MOS 管在路测量（一）

如果在路测量到栅极与漏极、源极之间的电阻很小，说明 MOS 管已经击穿，需要更换，同时需要检查相应的驱动电路。

因为 MOS 管的漏极与源极之间存在一个寄生二极管，因此在使用万用表的二极管挡位测量漏极与源极之间的管压降时，正向测量会测到一个管压降在 0.4V 左右，反向测量应为无穷大（图 10-10）。

(a) 反向测量漏极与源极管压降时为无穷大　　(b) 正向测量漏极与源极到寄生二极管的管压降为0.436V

图 10-10　MOS 管在路测量（二）

如果测量到漏极与源极之间为导通，建议使用导线将栅极与源极之间短接再次测量。如果还是导通，表明该 MOS 管损坏，需要更换。

2. MOS 管测量方法

在安装新的 MOS 管之前都需要对其进行测量，如果没有测量，直接安装上去的是一个坏的 MOS 管，可能会损坏栅极驱动电路，甚至烧毁负载电路（图 10-11）。

(a) 正向测量漏极与源极之间的管压降为0.564V　　(b) 反向测量漏极与源极之间的管压降为无穷大

图 10-11　MOS 管测量

在测量时首先要测量 MOS 管的漏极与源极之间的管压降。在测量之前，需要将 MOS 管的栅极与源极之间短接进行放电，以保证测量的准确性。

在正向测量时，测量到寄生二极管的管压降为 0.564V；在反向测量时，为无穷大。

在新能源汽车的一些设备中，会使用到碳化硅 MOS 管。对于这种 MOS 管，在测量时需要注意管压降一般为 1.6V 左右，并且在更换时需要注意不可装错，否则会损坏电路板。

3. MOS 管耐压值测量

在 MOS 管的产品手册中都会对其参数做详细描述，其中耐压值（V_{DS}）是一个非常重要的参数（图 10-12）。在新能源汽车的控制器中都是高电压，如果原车的 MOS 管老化导致耐压值低，则需要更换，否则在后期一定会损坏且炸管，炸管后会烧毁一片电路。因此在维修检测时需要对 MOS 管的耐压值进行测量，同时在替换时也需要注意耐压值。

Description

The BSS131 uses advanced trench technology to provide excellent $R_{DS(ON)}$, low gate charge and operation with gate voltages as low as 4.5V. This device is suitable for use as a Battery protection or in other Switching application.

General Features

V_{DS} = 240V I_D =0.1A

$R_{DS(ON)}$ < 14Ω@ V_{GS}=10V

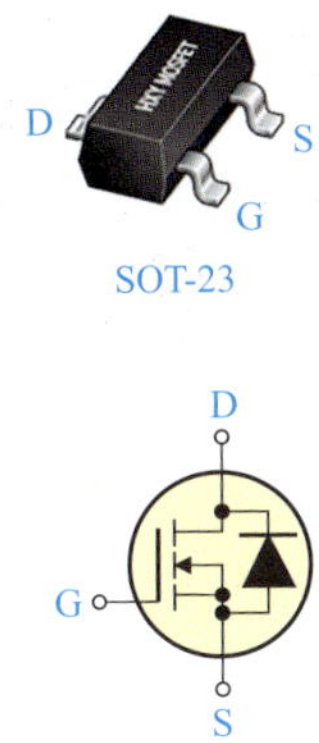

图 10-12　MOS 管产品手册节选

如图 10-13 所示，使用耐压值测试仪测量两个 MOS 管的耐压值，按照设备使用说明接好线，然后按下测试键。左边 MOS 管的耐压值为 61.7V，右边 MOS 管的耐压值为 1386V（右图中为碳化硅 MOS 管）。

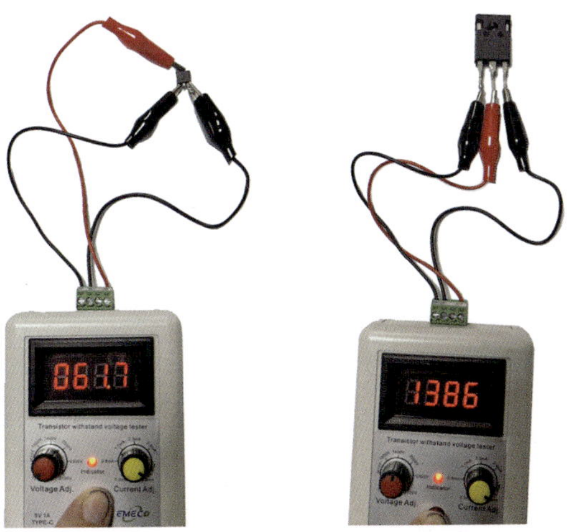

图 10-13　MOS 管耐压值测量

第十一课时 晶闸管的识别

晶闸管又名可控硅（SCR），1957 年由美国通用公司发明，可控硅又分为单向可控硅、双向可控硅以及门极关断可控硅。双向可控硅又称为三端双向可控硅（图 11-1）。

图 11-1　可控硅实物

一、单向可控硅

单向可控硅一般用在直流信号控制电路中。单向可控硅原理如图 11-2 所示，它由四层半导体材料组成，四层材料由 P 型半导体和 N 型半导体交替组成，它们的接触面构成了三个 PN 结，因此单向可控硅又被称为四层元器件。

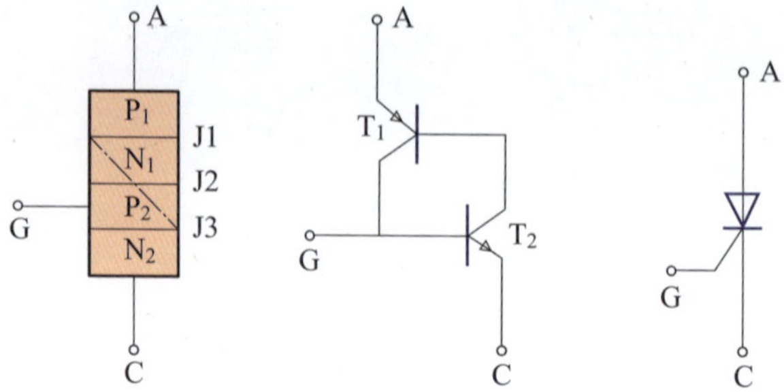

图 11-2　单向可控硅原理

P_1 区引出的线为阳极 A，N_2 区引出线为阴极 C，P_2 区引出的线为控制极 G。为了更好地理解可控硅的工作原理，还可以将可控硅等效拆分为 PNP 型三极管和 NPN 型三极管的相连器件。

单向可控硅的特点是单向导通且受控，在可控硅的 A、C 极加上一个正向电压，G 极加一个正向电压，且电流足够导通，此时 A、C 极就有电流流过（导通），且在导通后就可以将 G 极电压撤销，A、C 极依旧可以保持导通状态。

在导通期间为了维持 A、C 导通状态，那么 A、C 极之间的正向电压必须保持，且电流不小于维持电流。

如果想关断单向可控硅，只需要减小穿过 A、C 之间的电流，使电流小于单向可控硅的导通维持电流，即 A、C 之间无电压或者负电压。

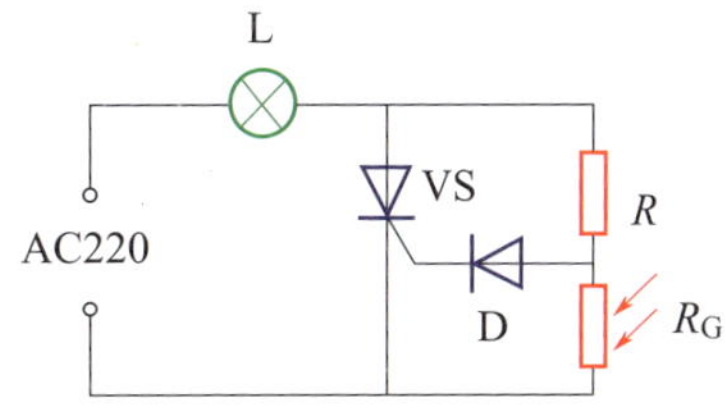

图 11-3 单向可控硅应用

如图 11-3 所示是单向可控硅的应用，220V 市电接在灯泡 L 上，在灯泡后面并联两套电路，其中单向可控硅为灯泡 L 的控制器件。电阻 R 和光敏电阻 R_G 构成分压电路，在白天光照强时 R_G 为低阻态，分压为 0，因而加载在可控硅的控制脚 G 上是无电压的，所以可控硅关断，灯泡 L 不亮。当夜幕降临时，R_G 变为高阻态，因此两个电阻分压，经二极管 D 整流后为可控硅控制脚 G 提供开启电压，灯泡 L 点亮。

由于交流电有正负半周，而单向可控硅只能通过交流电的正半周，实际通过灯泡 L 的是半波交流电，因此灯泡亮度暗且寿命极长。

当次日白天阳光再次照射在光敏电阻 R_G 上时，R_G 为低阻态，因此不能为可控硅提供控制电压，这时当交流电负半周经过可控硅时，等于在可控硅上面加载了一个反向电压，可控硅断开，灯泡 L 熄灭。

这套电路仅使用几个简单的元器件就可以实现灯泡的开启与关闭受光照强度自动控制，且稳定可靠。

二、双向可控硅

相比于单向可控硅，双向可控硅在原理上最大的区别就是可以双向导通，不再有阳极阴极之分，因此双向可控硅一般应用在交流信号控制电路中。

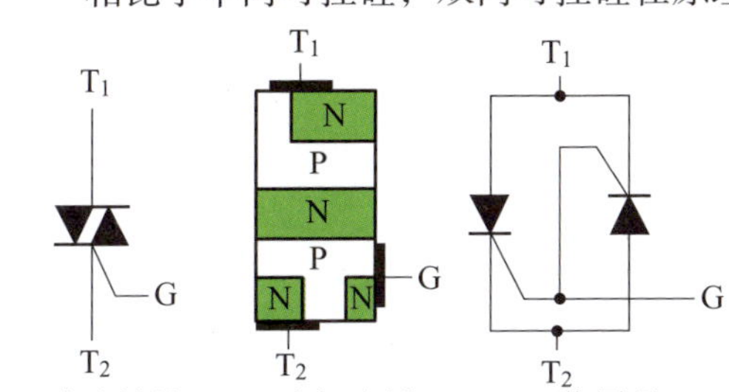

(a) 电路符号　(b) 内部分割　(c) 工作原理

图 11-4 双向可控硅原理

双向可控硅的电路符号如图 11-4（a）所示。如果不考虑 G 极，内部可以分割成如图 11-4（b）所示。其原理可以看作两个相反的可控硅并联而成，如图 11-4（c）所示。

双向可控硅的特点是无论 T_1、T_2

加载的是正向还是反向电压，只要给 G 极加一个正向或者反向电压，双向可控硅都会导通。导通后即便撤销 G 极电压，双向可控硅只要在 T_1、T_2 之间有一个保持电流，那么就一直导通。

只要当 T_1、T_2 之间的电流小于保持电流，那么双向可控硅就会断开。一般双向可控硅都用于控制交流信号，因此在正负半周交接处电流为零，在这个位置，双向可控硅就会断开。

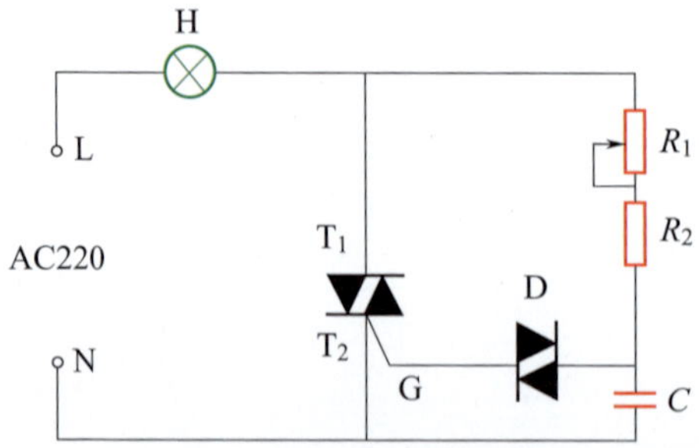

图 11-5　双向可控硅应用

如图 11-5 所示是一个 220V 灯光调光电路，在电路中 L 端子经灯泡 H 至双向可控硅 T_1 端子，经 T_2 端子接入电源 N 端子中。在后面并联一套控制电路，控制电路中的 R_1、R_2 构成一个电容 C 充电限流电路，为电容 C 充电。R_1 为可调电阻，可以调节电容 C 充电电流。在电容 C 与 R_2 串联处连接一个双向二极管，为双向可控硅提供一个控制电压。

电路接通后，电容慢慢充电。当电容电压充至双向二极管 D 导通电压时二极管导通，导通后电容 C 通过双向可控硅的 G 极迅速放电，同时双向可控硅导通，此时灯 H 点亮。

双向可控硅导通后，电容 C 通过双向二极管快速放电至电压低于双向二极管导通电压后，加载在双向可控硅的 G 极电压消失。因此在交流电正负周期交接处，T_1 和 T_2 之间无电流，灯泡熄灭。

由于二极管不导通，所以电容电压慢慢又充电至可导通双向二极管的电压。此时可控硅再次导通，灯泡再次点亮，因为导通断开频率非常高，所以肉眼无法看到灯泡熄灭，只能看到灯泡的亮度变暗。调整可变电阻 R_1 电阻，改变电容 C 充电时间，就可改变灯泡亮度。

三、门极关断可控硅

前面讲到的两种可控硅中，无论是单向可控硅还是双向可控硅，在控制脚 G 施加电压均可使其导通，关断则需要通过输入输出之间的电流来实现。而门极关断可控硅在 G 极施加正电压可让可控硅导通，施加负电压可让可控硅关断。

门极关断可控硅是一个单向可控硅（GTO），利用 G 极可关闭可控硅的原理，该器件在应用时可通过改变 G 极电压来控制 GTO 的关闭与导通。如图 11-6 所示为门极关断可控硅的电路符号。

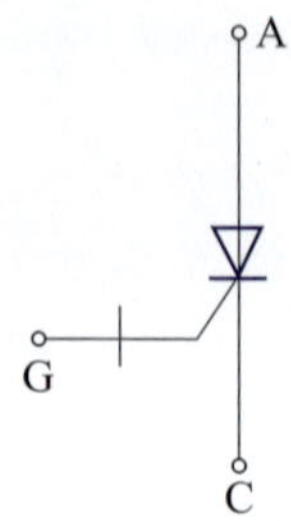

图 11-6　门极关断可控硅的电路符号

第十二课时 IGBT 的识别与测量

在新能源汽车的控制器中大量运用到 IGBT 模块作为开关管使用，IGBT 模块的中文名为绝缘栅双极型晶体管，它是由三极管和绝缘栅型场效应管组成的复合型电压驱动式半导体器件。它具有 MOSFET 的高输入阻抗和电力晶体管的导通压降两方面优点。电力晶体管饱和压降低，通过电流大，但驱动电流较大；MOSFET 驱动功率小，开关速度快，但导通压降大，通过电流小。

一、IGBT 的结构与符号

如图 12-1 所示，当栅极加正向电压后，MOS 管导通，这样三极管的集电极与发射极就呈低阻态，此时三极管导通。因此可以理解为 IGBT 就是一个三极管与 MOS 管的集合体，所以 IGBT 的引脚命名沿用了 MOS 管的栅极为 IGBT 的栅极 G、三极管的集电极为 IGBT 的集电极 E、三极管的发射极为 IGBT 的发射极 C。

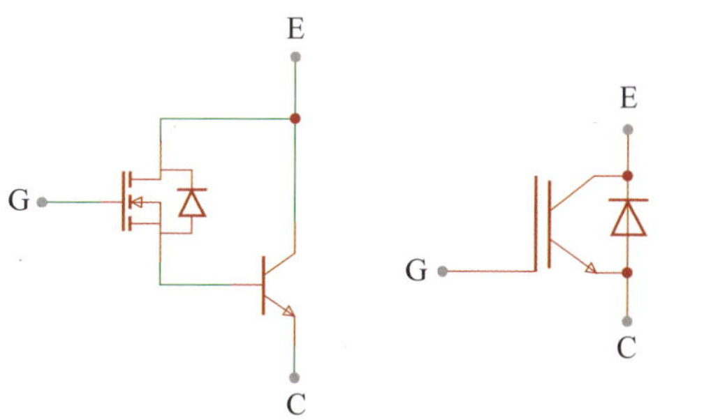

(a) IGBT等效原理　　(b) IGBT的电路符号

图 12-1　IGBT 等效原理图和电路符号

如图 12-2（a）所示是一个三脚的 IGBT 管，封装为 TO-247。从外观上看与 MOS 管、三极管、可控硅等无差异。因此在实际维修中看到这种三脚器件需要通过在电路中的位置来判断其作用，再根据上面的丝印 H20R1202 去判断是否能查到具体型号。如果能查到具体型号，就可以根据具体型号在相关电子配件网站去查阅相关的资料手册。如图 12-2（b）为 IGBT 模块，IGBT 模块是将多个 IGBT 集成在一起构成一个功能组件，一般是三相逆变桥居多，对于这种集成元器件则需要查阅相关的资料才能知道管脚定义以及相关参数。

(a) IGBT管　　(b) IGBT模块

图 12-2　IGBT 实物

二、IGBT 的测量

测量 IGBT 的方法与测量 MOS 管的方法基本一样。首先测量的是栅极与集电极和发射极之间的导通，好的情况下它们之间的电阻应该是无穷大的，如果击穿就为损坏。测量集电极与发射极之间的管压降：正向测量管压降为 0.35V 左右，反向测量管压降无穷大，则为正常（图 12-3）。

对于 IGBT 模块，应先找到其手册，确定引脚关系后再测量。

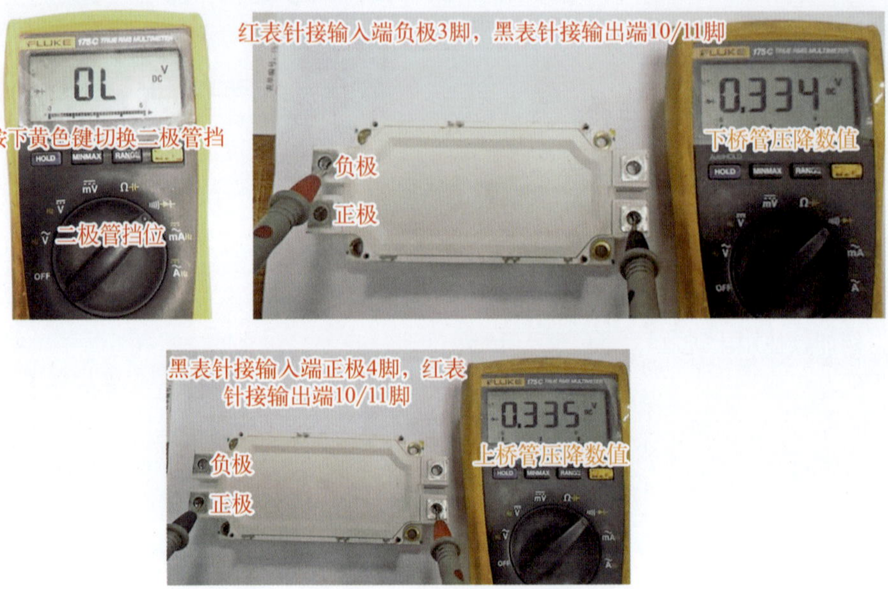

图 12-3　IGBT 测量

第十三课时 数字电路基础

一、数字电路的定义

数字电路是由数字信号进行处理和传输的电路系统。相对于模拟电路来说，模拟电路信号在时间上是连续变化的，而数字信号在时间上是离散的。

数字信号由逻辑门和触发器等基本逻辑元件组成，可实现逻辑功能和运算。数字电路是基于二进制系统的，在二进制中只有数字 0 和 1，对应电路的有电与没电。

二、二进制与十六进制

二进制仅使用 0（零）和 1（一）的数列组合来表示具体的数值，是一种计数方法。

例如，使用十进制计数方法来记录十二个东西，就写作 12。这里十进制中使用到的字符为 0 ~ 9 共十个，运算逻辑为逢十进一。那么二进制中的运算逻辑就是逢二进一。使用二进制记录十二个东西就记作：1100。

十六进制使用字符 0、1、2、3、4、5、6、7、8、9、A、B、C、D、E、F 共十六个字符计数，运算逻辑为逢十六进一。同样是十二个东西，使用十进制计数为 12，二进制计数为 1100，十六进制计数为 C。

在计算机系统中使用的是二进制，但是二进制使用的都是 1 和 0 且数据量大，如果全部使用 1 和 0 来显示计算机的数据，对于人类来说是极其不友好的，因此二进制在书写时一般都是四位一组，不足四位在前面补 0。即便是这样阅读起来也不是很友好，因此一般计算机数据读出来后都是使用十六进制显示的，4 位的二进制刚好对应一个十六进制数。它们之间的对应关系见表 13-1。

表 13-1 十进制、十六进制和二进制的关系

十进制	十六进制	二进制	十进制	十六进制	二进制
0	0	0000	8	8	1000
1	1	0001	9	9	1001
2	2	0010	10	A	1010
3	3	0011	11	B	1011
4	4	0100	12	C	1100
5	5	0101	13	D	1101
6	6	0110	14	E	1110
7	7	0111	15	F	1111

三、逻辑门电路

1. 与门电路

如图 13-1 所示是一个由分立元件构成的与门电路，A、B 为输入端，Y 为输出端。它们满足表格中（真值表）的逻辑关系，即输入有 0，输出为 0；输入全 1，输出为 1。

满足数学乘法运算逻辑，A×B = Y。

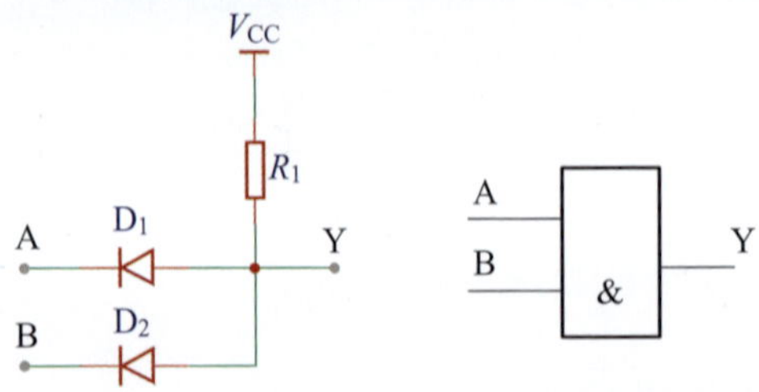

(a) 电路原理 (b) 符号

A	B	Y
0	0	0
0	1	0
1	0	0
1	1	1

(c) 真值表

图 13-1 与门电路

2. 或门电路

如图 13-2 所示是一个由分立元件构成的或门电路，A、B 为输入端，Y 为输出端。它们满足表格中（真值表）的逻辑关系，即有 1 出 1；全 0 出 0。

满足数学加法运算逻辑，A+B = Y。

3. 非门电路

如图 13-3 所示是一个由分立元器件搭建的非门电路，这个电路的特点是输入与输出是反的，即输入为 0 输出即为 1，输入为 1 输出即为 0。

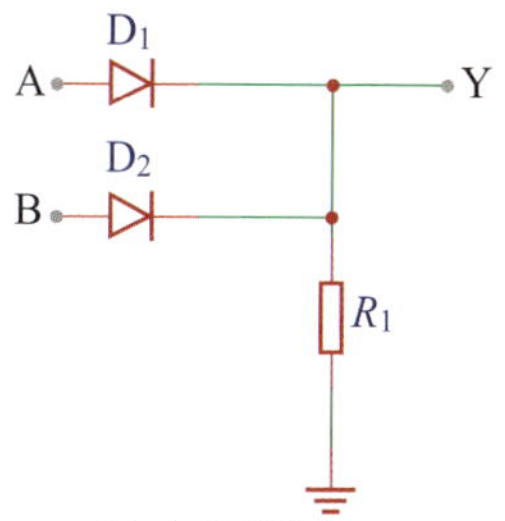

(a) 电路原理

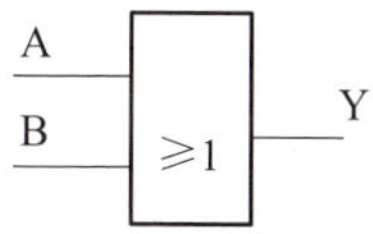

(b) 符号

A	B	Y
0	0	0
0	1	1
1	0	1
1	1	1

(c) 真值表

图 13-2 或门电路

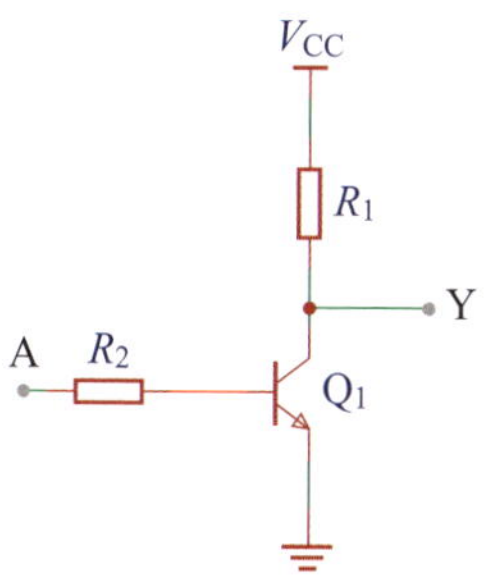

(a) 电路原理

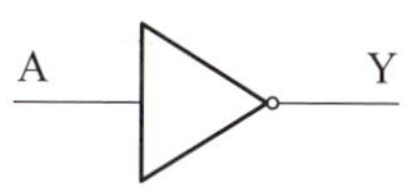

(b) 符号

A	Y
0	1
1	0

(c) 真值表

图 13-3 非门电路

4. 组合逻辑门电路

在实际应用中单靠以上三个基本门电路是无法完成一些复杂的电路功能的，因此会将一些逻辑门进行组合以达到电路设计需求。将这种逻辑门组合的电路称为组合逻辑门电路。组合逻辑门电路类型非常多，这里以“与非门”逻辑电路来简单介绍组合逻辑门的运算。

在新能源汽车电控系统的维修中逻辑门电路运用并不是特别多，但是也会有。因此对逻辑门电路的讲解并不会太深，对数字电路感兴趣的读者可查阅其他关于逻辑门电路的书籍。

在维修中如遇到逻辑门电路芯片，可查阅该芯片的管脚定义与真值表来确定其在电路中的作用。

如图 13-4 所示是与非门逻辑电路，它是将一个非门和一个与门结合起来，它的逻辑运算关系为有 0 出 1，全 1 出 0。

四、C14F 逻辑门芯片

通过查询丝印可知，C14F 芯片（图 13-5）的真实型号为 SN74LVC1G14，这个芯片是一个非门集成电路，可以实现数学逻辑运算，采用先进的 CMOS 工艺设计，具有低功耗和高输出驱动能力，电源电压 V_{CC} 为 1.65 ~ 5.5V 的芯片均可正常工作。它的封装方式共有 7 种，如图 13-6 所示。

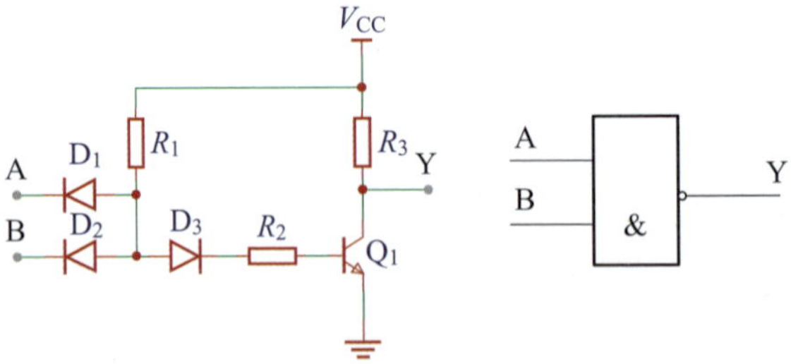

A	B	Y
0	0	1
0	1	0
1	0	0
1	1	0

(a) 电路原理　(b) 符号　(c) 真值表

图 13-4　与非门逻辑电路

图 13-5　C14F 芯片

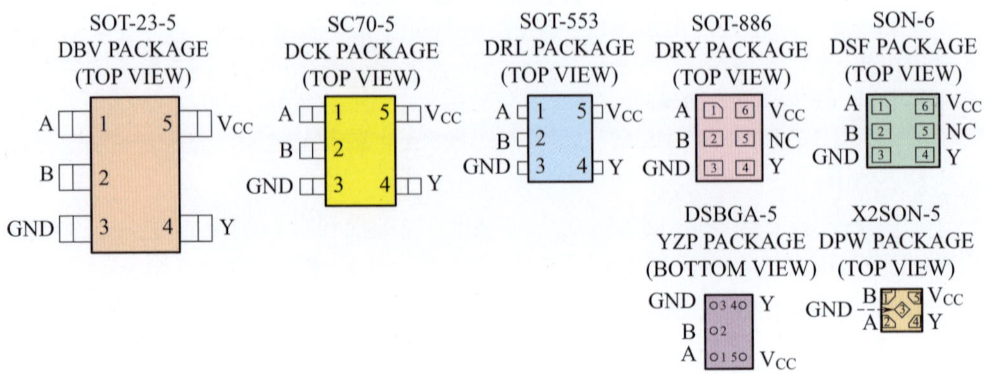

图 13-6　C14F 芯片封装

C14F 逻辑门芯片的管脚说明见表 13-2，极限参数见表 13-3。

表 13-2 C14F 逻辑门芯片的管脚说明

名称	DBV/DCK/DRL	DRY/DSF	YZP	DPW	说明
NC	1	1.5	A_1，B_2	1	空脚
A	2	2	B_1	2	输入
GND	3	3	C_1	3	电源地
Y	4	4	C_2	4	输出
V_{CC}	5	6	A_2	5	电源正

注：NC 表示空脚，内部无连接线。

表 13-3 C14F 逻辑门芯片的极限参数

参数	符号	极限值	单位
工作电压	V_{CC}	6.5	V
输入	V_{IN}	−0.5 ~ 6.5	V
输出电压（1）	V_{OUT}	−0.5 ~ 6.5	V
单个管脚输出电流	I_{OUT}	25	mA
V_{CC} 或 GND 电流	I_{CC}	50	mA
存储温度	T_S	−65 ~ 150	℃
（10s）引脚焊接温度	T_W	260	℃

注：1. 在断电状态下，输出所能承受的极限电压。

2. 极限参数是指无论在何种条件下都不能超过的极限值。万一超过极限值，将有可能造成产品劣化等物理性损伤；同时在接近极限参数下，不能保证芯片可以正常工作。

如图 13-7 所示为 C14F 芯片资料，包括输入与输出的真值表，在维修时应找到该芯片的手册，并根据手册检测芯片的好坏。

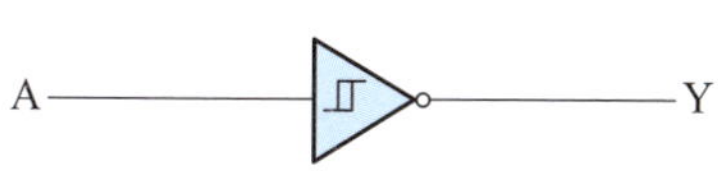

(a) 原理逻辑

输入	输出
A	Y
L	H
H	L

(b) 真值表

图 13-7 C14F 芯片资料

如果没有同类型的芯片用来测量管脚之间的管压降作为对比以判断其好坏，则需要根据手册说明测量芯片的供电是否正常，输入和输出逻辑关系与真值表是否一致，若不一致则说明芯片损坏。

第十四课时 运算放大器与电压比较器

运算放大器（简称“运放”）是一个具有很高放大倍数的电路单元。运放具有两个输入端，标有“+”的称为同相端，标有“-”的称为反相端。如果当同相端电压高于反相端电压，输出端就会输出芯片的供电电压；如果同相端电压小于反相端电压，输出端就会输出负极。这里只要同相端电压高于反相端电压一点点，输出端就会输出。而如果芯片的电源是双电源，那么在同相端电压低于反相端电压时，输出端就会输出负电压。

图 14-1　运算放大器实物与电路符号

因为运放的放大系数太大，所以在使用时会搭配外围电路做反馈来限制放大系数。如图 14-1 所示为运放实物与电路符号。

一、运算放大器特性

在使用运算放大器时有两种方式：一种是无反馈电路；另一种是带反馈电路。无反馈电路的又称为开环，带反馈电路的又称为闭环。一般情况下，运算放大器电路都是接入反馈电路来使用的，这也是最常用的应用。

反馈是指将输出信号通过一定的电路再折回至输入电路。如果折回的信号使前级突然变大，则为正反馈电路；如果折回的信号使输入信号突然变小，则为负反馈电路（图 14-2）。

运算放大器的工作状态又可分为线性区域与非线性区域。在线性区域，输入信号（差模信号：指同相端电压减反相端电压）与输出信号线性变化，但是这个线性区域特别窄。非线性区域也称为饱和区，即输出信号不随输入信号变化，为常数，但是最大电压不超过供电电压（图 14-3）。

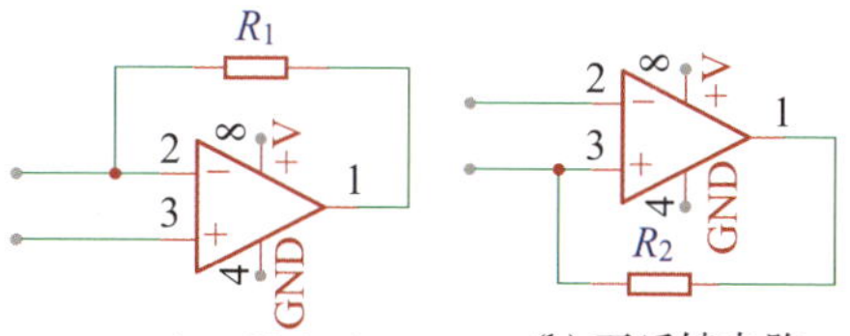

(a) 负反馈电路　　(b) 正反馈电路

图 14-2　运算放大器反馈电路

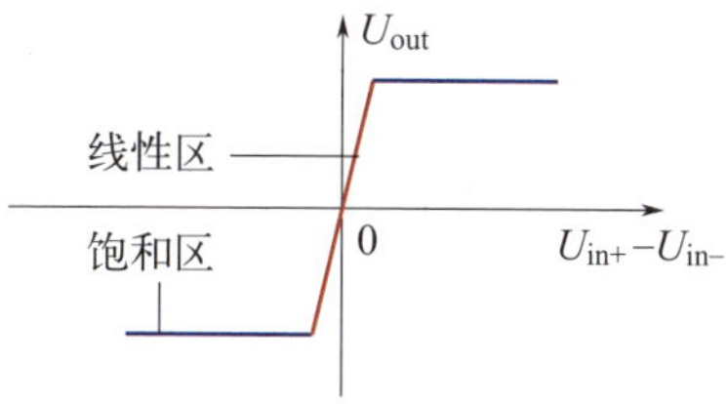

图 14-3　运算放大器曲线

在理想状态下，当运算放大器工作在线性区域时，由于运算放大器的放大倍率特别高，因此输入端差值非常小，可以忽略不计。且在理想状态下运算放大器的差模输入端电阻接近无穷大，所以流入运算放大器的电流几乎为 0。

通过以上分析，可以得出运算放大器的两大重要特点：虚短和虚断。

虚短：因为运算放大器的放大倍数非常大，一般都在 10000 倍以上，即输入差模信号 1mV，那么输出电压会有 10V。而一般运算放大器供电不到 10V，所以输入电压不足 1mV 的变化，输出就等于电源电压了。因此认为运算放大器的两个输入端近似等电位，相当于两个输入端短路，但又不是真正的短路，所以引入虚短的概念。

虚断：由于运算放大器的差模输入阻抗非常大，一般的运算放大器的输入阻抗都在 1MΩ 以上，因此运算放大器的输入端电流几乎为 0。可以把两个输入端视为开路，但是它又不是真正的开路，所以引入虚断的概念。

二、电压跟随器

电压跟随器在电路中的应用是为了提高信号的带载能力，因为虚断，所以运放的输入差模信号几乎等于 0，再利用负反馈使得输出电压等于输入差模电压，这样就提高了信号的带载能力，同样也提高了信号的输入阻抗。

如图 14-4 所示是电压跟随器电路，使用电阻 R_2、R_3 串联得到一个分压，把分压信号送给运放的同相端，再把输出信号反馈给反相端。根据运放的虚短的特性，同相端电压等于反相端电压，而同相端电压又等于 R_2、R_3 的分压，因此输出电压就等于 R_2、R_3 的分压。

三、同相放大器

在电压跟随器电路上，也应用到了运算放大器的负反馈电路。但是电压跟随器电路并没有对信号做放大。如果想让运放对信号做放大，那么需要对电路做一定的调整。

在电路中将负反馈的电压经过电阻 R_2、R_3 分压后再次反馈给反相端。根据运放的虚短可知，输入的同相端电压等于反相端电压，因此等于 R_2、R_3 串联的分压。那么输出电压与分压之间的关系就等于该电路的放大倍数（图 14-5）。

假设 R_2=R_3，供电电压是 5V，输入信号为 1V。那么根据虚短的原理，同相端电压等于反相端电压，为 1V。即 R_2、R_3 分压也是 1V，所以输出电压应等于 2V。所以在该电路中信号放大了 2 倍。

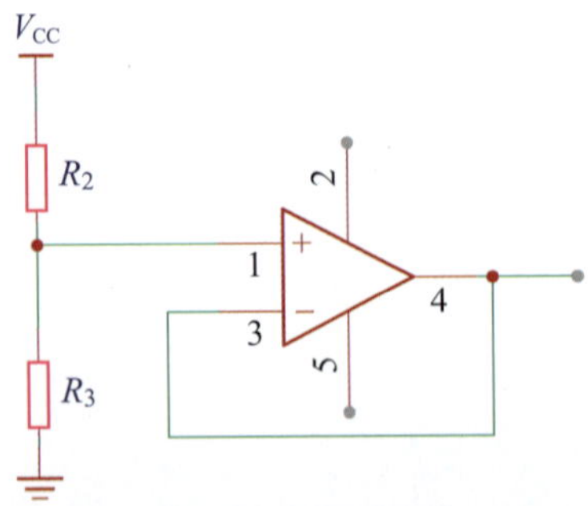

图 14-4　电压跟随器电路

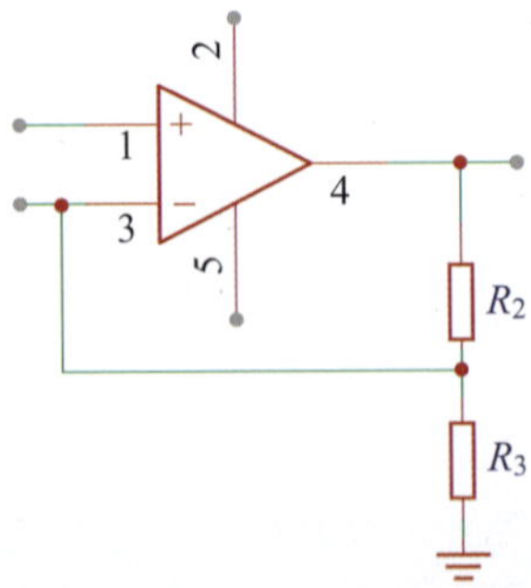

图 14-5　同相放大器电路

四、反相器

如图 14-6 所示，将运放的输出端接 R_2 电阻反馈至反相端。同相端接地，反相端输入电阻 R_1=R_2，运放的电源接正负电源，这样实际 3 号脚的电压就是正负电压的接地。

例如，输入信号为 1V，供电电压等于 ±5V。由于运放的输入阻抗非常高，因此电流从输入端经 R_1 和 R_2 降至 −5V，所以 2 脚电压为 −3V。此时同相端电压高于反相端电压，输出电压从 −5V 往 +5V 变化，当变化至 −1.1V 时，R_1 和 R_2 的分压为 0.05V，即反相端电压小于同相端电压，运放输出转为向 +5V 变化。

实际运放的增益非常大，所以运放的输出电压无限逼近 −1V，反相端电压无限逼近 0（虚短），因此这种电路实现的效果为 $U_{in}=-U_{out}$，即电压反相器。

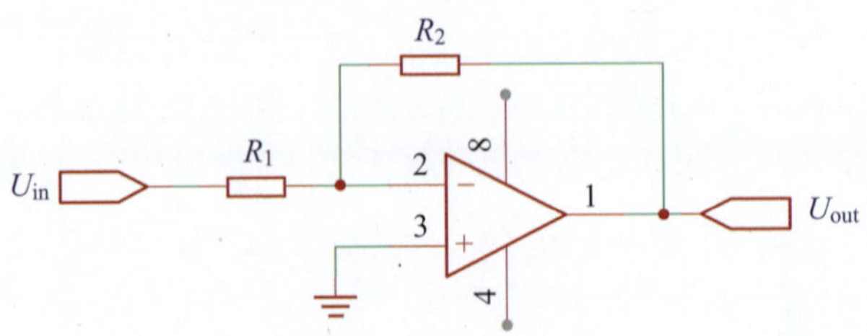

图 14-6　反相器电路

如图 14-7 所示，将运放的输出端接电阻 R_2 反馈至反相端。同相端接地，反相端输入电阻 R_1、反馈电阻 R_2，运放的电源接正负电源，这样实际 3 号脚的电压就是正负电压的接地。

根据运放的特点（虚短和虚断）推断可知

$$U_p = U_n = 0$$

因运算的输入端虚断，则电阻 R_1 和 R_2 为串联，那么流过它们的电流相等，则

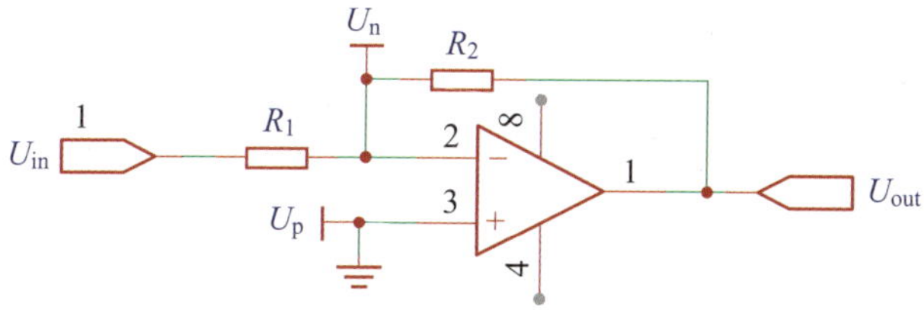

图 14-7　反相器放大电路

$$I_1 = \frac{U_{in} - 0}{R_1} = I_2 = \frac{0 - U_{out}}{R_2}$$

$$U_{in}/R_1 = -U_{out}/R_2$$

$$U_{out} / U_{in} = -\frac{R_2}{R_1}$$

$$U_{out} = -\frac{R_2}{R_1} U_{in}$$

因此该电路可以实现输入信号的反向放大。

五、电压比较器

电压比较器与运放在电路中符号相同，实际则是两种不同的元器件。电压比较器也具有同相端和反相端，当同相端电压高于反相端电压时，输出端就输出高电位；当同相端电压低于反相端电压的时候，输出端则没有输出。

电压比较器的输出端是集电极开路结构，因此它并没有直接输出电压的能力，需要配合上拉电阻来输出。运放内部是一个推挽输出，因此运放是可以直接输出的（图 14-8）。

六、LM358 运放

如图 14-9 所示是 LM358 运放芯片，查找手册可得知该运放的一些参数。根据其引脚布置可知该运放是一个双路运放，它们共用一个电源。2 脚和 3 脚为第一路输入的反相端和同相端，1 脚为第一路输出。5 脚和 6 脚为第二路输入的同相端和反相端，7 脚为第二路的输出，8 脚为芯片的供电、4 脚为芯片的负极。

在维修中，要熟练掌握查询芯片手册的方法来查找芯片的参数。对于运放，主要是知道其引脚定义。

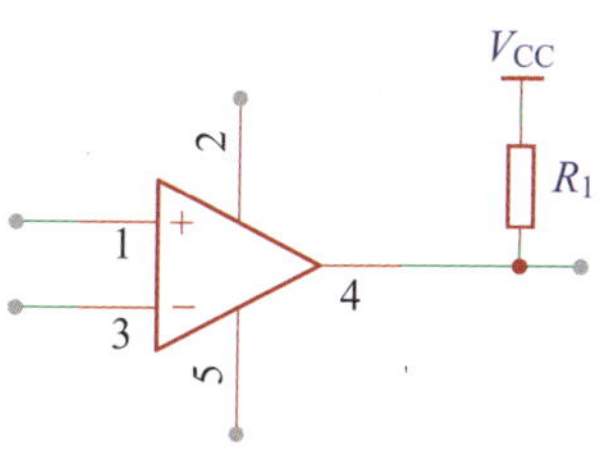

图 14-8　电压比较器电路

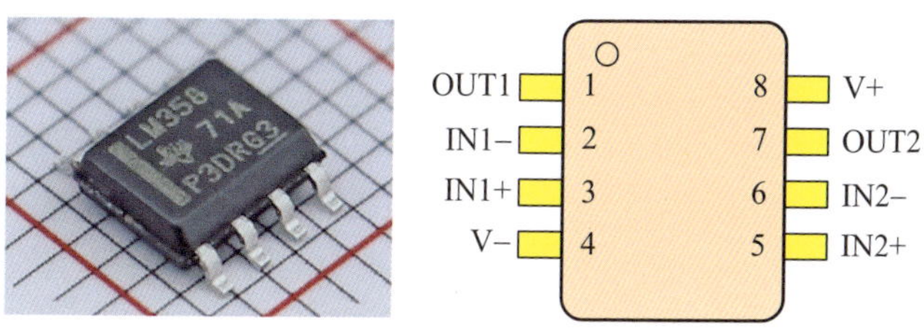

图 14-9　LM358 运放芯片

第十五课时
光耦与 TL431

一、光耦工作原理

光电耦合器简称光耦，其内部由一个发光二极管和一个光敏三极管封装在一起，发光二极管把输入信号转换为光信号，传递给光敏三极管并转换为电信号输出。这样输入端与输出端就没有了电气连接关系，因此光耦的输入和输出信号是隔离状态。

如图 15-1 所示为光耦原理，1 号脚和 3 号脚为发光二极管引脚，4 号脚和 6 号脚为光敏三极管输出。给 1 号脚和 3 号脚施加电压，4 号脚与 6 号脚就会导通。

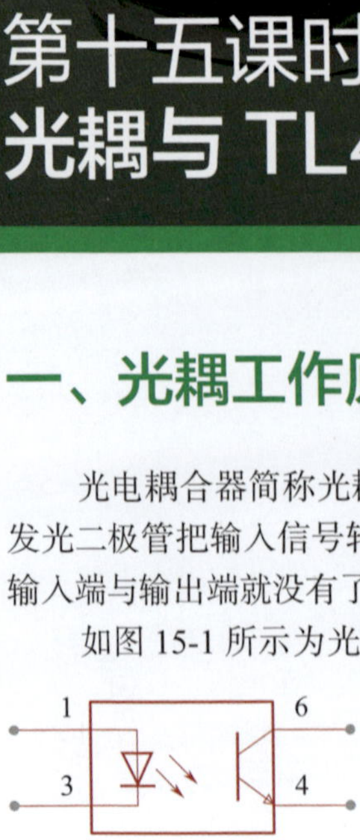

图 15-1　光耦原理

根据光耦的特性，可将其分为线性光耦和非线性光耦。非线性光耦一般用于传递开关信号；线性光耦的特性是输出信号与输入信号成比例关系，因此更适合信号的连续传递。

二、光耦工作电路

如图 15-2 所示是一个典型的光耦隔离驱动电路，光耦的 1 号脚经限流电阻 R_1 接电源，3 号脚为控制信号。6 号脚经上拉电阻接三极管 Q_1 的基极，三极管的集电极接继电器控制脚，继电器一端接电源。

当无控制信号时，光耦的 4 号脚和 6 号脚不通，因此三极管 Q_1 的基极为高电位，三极管导通，继电器受控闭合。当有控制信号时，光耦内部发光，光敏三极管导通，因此三极管基极为低电位，三极管不导通，继电器也不工作。

在这个电路中，控制信号与受控端完全隔离，不会因为受控端故障导致控制信号端烧毁，在新能源汽车高压部件中常用于电压采样信号、电流采样信号与单片机之间的隔离，也可用作驱动信号的隔离。

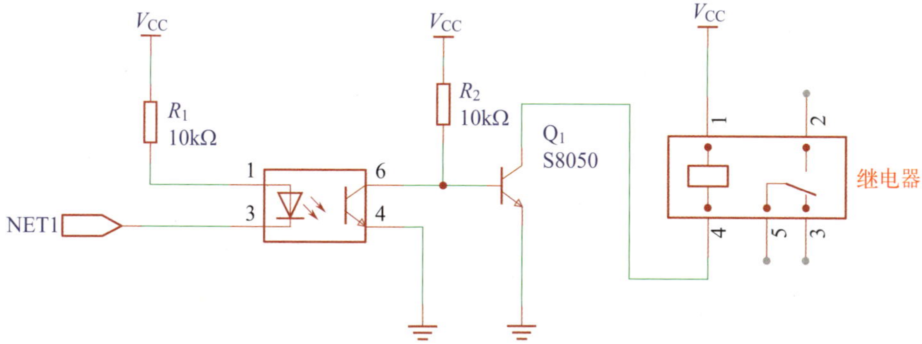

图 15-2　光耦隔离驱动电路

三、光耦的测量

光耦在新能源汽车上应用广泛，故障率高，因此必须熟练掌握光耦的测量方法。在测量时应先看外观是否有明显的烧毁或炸裂痕迹，如果明显损坏则直接更换。

接下来使用万用表的二极管挡测量 1 号脚和 3 号脚，因为内部是一个发光二极管，因此可以测到一个正向管压降、反向无穷大（在路测量可能因为外围元件影响，反向测也有管压降）。再使用两节 1.5V 干电池接在 1 号脚和 3 号脚之间，在 6 号脚接一个上拉电阻至 5V 电源，4 号脚接地。再次测量 4 号脚与 6 号脚之间的电压，应为 0.7V 左右，拿掉电池后应测量到 5V 电压，说明光耦正常（图 15-3）。

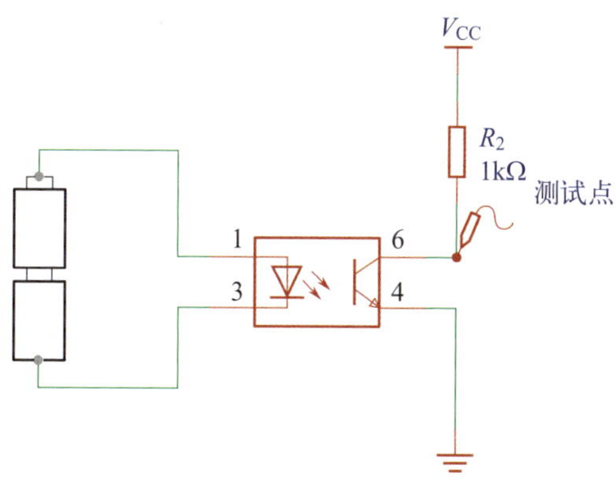

图 15-3　光耦隔离测量电路

四、TL431

TL431 是由美国德州仪器和摩托罗拉公司生产的 2.5 ~ 36V 可调精密并联稳压器，它是一种具有可调电流输出能力的基准电压源，TL431 系列产品包括 TL431C、TL431I、TL431AI、TL431Y 等型号，它们的内部电路完全相同，仅个别技术参数略有差异。

如图 15-4 所示是 TL431 实物与原理，1 脚为阴极 K，2 脚为参考端 R，3 脚为阳极 A。

如图 15-5 所示为 TL431 内部等效原理，内部 V_{ref} 是一个 2.5V 精密基准电压源，由一个电压比较器和一个开关管组成。参考端给电压比较器同相端输入电压，电压比较器与基准电压做比较来控制三极管导通和关闭。当输入参考电压高于内部精密基准电压时 TL431 立刻导通，当输入参考电压低于内部精密基准电压时 TL431 立刻关闭。注意这里只是内部原理等效电路，实际阴极与阳极之间并非只有导通和关闭两个状态，还有可能处在三极管的放大区域。

图 15-4 TL431 实物与原理

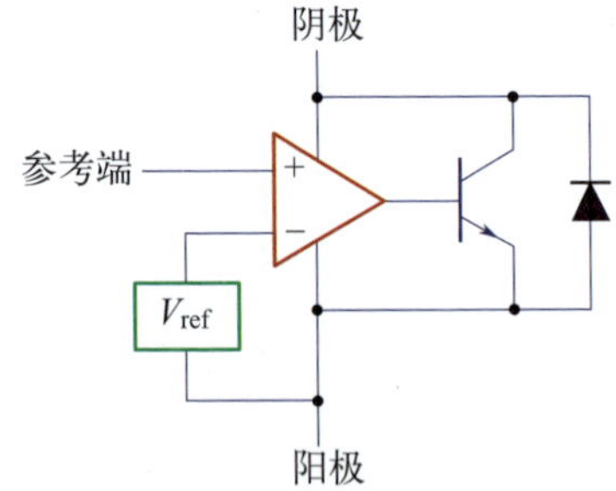

图 15-5 TL431 内部等效原理

在新能源汽车“三电”维修中，常能见到光耦与 TL431 在一起构成开关电源的输出电压反馈电路来工作。如图 15-6 所示为 TL431 与光耦构成的电源反馈电路。

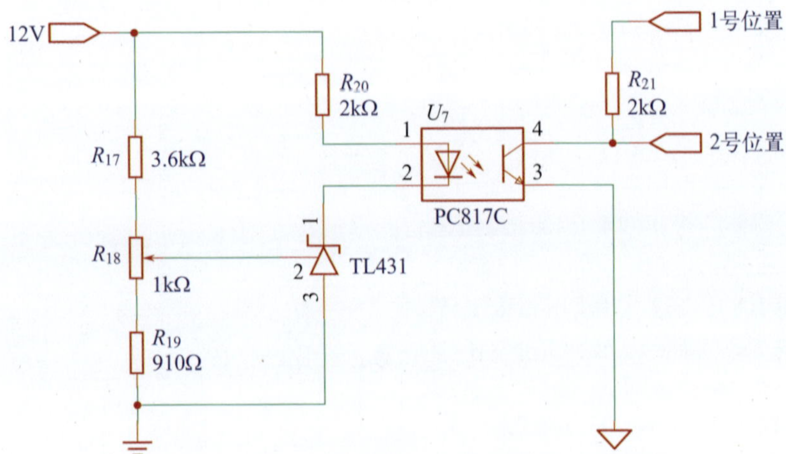

图 15-6 TL431 与光耦构成的开关电源反馈电路

该电路一般接在开关电源的输出端，用于检测输出电压是否在设定电压。如果不是，那么主控芯片将会调整脉宽以使输出电压在设定范围内。

图 15-6 中 1 号位置来自开关电源主控芯片提供的参考电压经限流电阻到光耦 4 号脚，光耦 3 号脚和 4 号脚导通决定了 2 号脚采样电压高低。而 3 号脚和 4 号脚导通状态受光耦 1 号脚和 2 号脚控制。12V 来自开关电源输出取样电压，经 2kΩ 限流电阻为光耦 1 号脚供电，光耦 2 号脚负极受 TL431 控制。

TL431 是否导通取决于参考端电压，参考端电压为 R_{17} 与 R_{19} 串联分压取得，R_{18} 为调整使用。如果不管 R_{18}，设定输出电压 12V，那么 R_{17} 与 R_{19} 串联得 2.63V，微调可调电阻使参考电压等于 2.5V。

当输出电压过高时，TL431 导通，光耦 1 号脚和 2 号脚导通发光，3 号脚和 4 号脚有电流，2 号位置被主控采集到后调整占空比，使输出电压变小为 12V。同理，当输出电压低于 12V 时，TL431 完全不导通，则光耦不工作，2 号脚检测到后就会增大占空比来增大输出电压。

第十六课时 NE555 定时器

NE555 芯片（图 16-1）应用非常广泛，NE555 是 555 系列芯片中的一个型号，其功能引脚与运用都是相同的。不同型号的 555 芯片其价格不同，所以稳定性、功耗、可产生的频率也不相同。

NE555 芯片只需要少数的电阻和电容就可以产生不同频率和不同占空比的信号。

图 16-1　NE555 芯片

一、NE555 芯片内部构造原理

由 NE555 芯片内部构造原理（图 16-2）可知：该芯片内部由 3 个 5kΩ 电阻连接 V_{CC}、GND，这样就构建了一个把 V_{CC} 电源分成 1/3 电压、2/3 电压的电路，NE555 芯片也因此得名。内部有两个电压比较器 C_1、C_2，上面三个电阻形成的两个分压分别作为比较器的参考电压。

两个电压比较器的输出端全部连接至 RS 触发器，RS 触发器输出端（$Q_{非}$）与非门连接输出，三极管 Q_1 连接至 RS 触发器的输出端（$Q_{非}$），三极管 Q_2 连接至 RS 触发器的复位端。

RS 触发器原理为（R 表示复位，S 表示设置）：

1. 当 R 为高电平、S 为低电平时，Q 为低电平、$Q_{非}$为高电平；
2. 当 R 为低电平、S 为高电平时，Q 为高电平、$Q_{非}$为低电平；
3. 当 R 为低电平、S 为低电平时，Q 和 $Q_{非}$保持；

❹ 当 R 为高电平、S 为高电平时，Q 和 Q$_{非}$无效，不能出现。

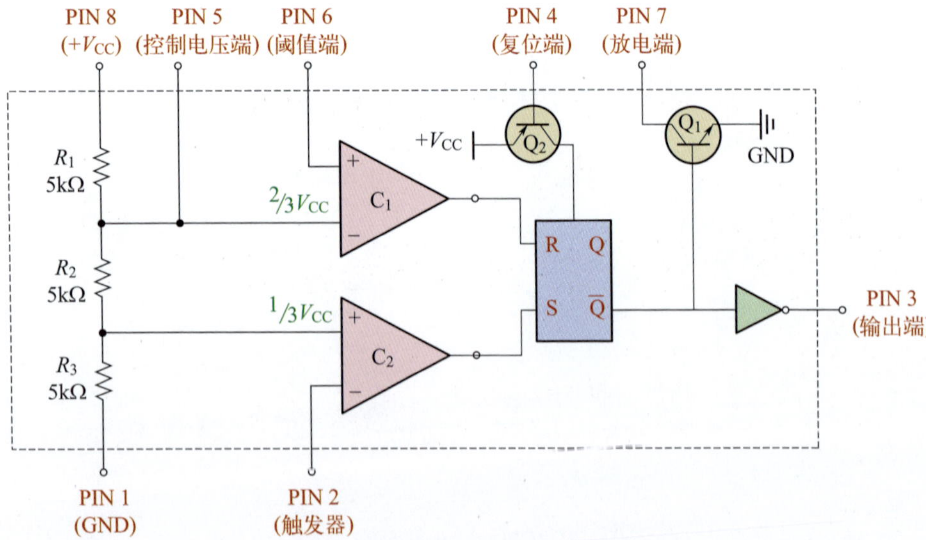

图 16-2 NE555 芯片内部构造原理

即输入端一高一低，才会有输出；全高全低，无效输入或者保持输出。

如图 16-3 所示，在 NE555 芯片外加几个电阻和电容就可以构成一个简单的振荡电路。

芯片内部有三个电阻串联分压，电压比较器 C_1 的反相端获得电阻分压的 2/3 电源电压；电压比较器 C_2 同相端获得 1/3 电源电压。

上电时，电源通过 R_1、R_2 给电压比较器 C_1 充电，电压比较器电压慢慢上升，此时芯片 2 号脚和 6 号脚电压全部为 0，电压比较器 C_1 同相端电压小于反相端，电压比较器 C_1 输出 0；电压比较器 C_2 同相端电压大于反相端，电压比较器 C_2 输出 1；因此 R 为低电平、S 为高电平，$Q_{非}$为低电平（3 号脚无输出）

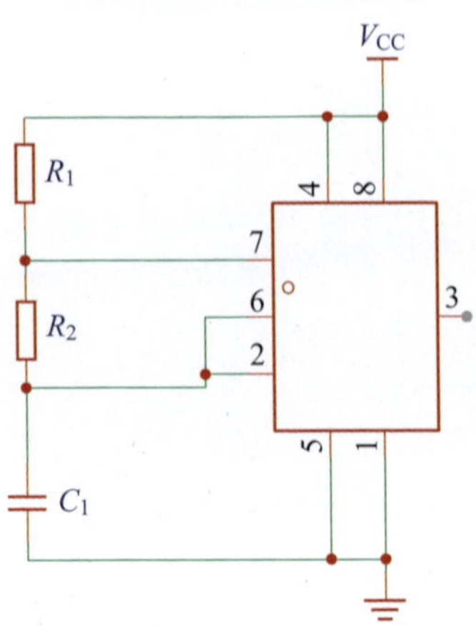

图 16-3 NE555 芯片振荡电路

当电压比较器电压充至 1/3 电源电压以上，芯片 2 号脚检测到电压大于 1/3 电源电压时，电压比较器 C_2 同相端电压小于反相端，输出 0；电压比较器 C_1 不变。因此 R 为低电平、S 为低电平，Q$_{非}$保持（3 号脚无输出）。

当电压比较器电压充至 2/3 电源电压以上，芯片 6 号脚检测到电压大于 2/3 电源电压时，电压比较器 C_1 同相端电压大于反相端电压，输出 1，C_2 不变。因此 R 为高电平、S 为低电平，Q$_{非}$为高电平（3 号脚输出）。

在 3 号脚输出的同时，芯片内部三极管 Q_1 导通、7 号脚接地，因此电压比较器通

过 R_2 经芯片 7 脚放电。

当电压比较器电压放至 2/3 电源电压以下、1/3 电源电压以上时，电压比较器 C_1 同相端电压小于反相端，输出 0；电压比较器 C_2 同相端电压小于反相端，输出 0。因此 R 为低电平、S 为低电平，$Q_{非}$保持（3 号脚继续输出）。

当电容电压放至 1/3 电源电压以下时，电压比较器 C_1 同相端电压小于反相端，输出 0；电压比较器 C_2 同相端电压大于反相端，输出 1。因此 R 为低电平、S 为高电平，$Q_{非}$为低电平（3 号脚无输出）。

同时三极管 Q_1 截止，电压比较器将不再放电，开始新的充电循环。芯片三脚也在不断地输出高低电平，形成一个脉冲电压。

总结：当 6 号脚检测到电压高于 2/3 电源电压时，3 号脚输出高电平，同时 7 号脚接地；当 2 号脚检测到电压低于 1/3 电源电压时，3 号脚输出低电平，同时 7 号脚断开接地。

二、频率可调脉冲电路

如图 16-4 所示，该电路可实现由芯片 3 号脚输出一个频率可调的电路，在电路中电源通过可调电阻 R_3 与 R_2 串联给电容充电。当 6 号脚检测到电容充电电压到电源电压 2/3 以上时，3 号脚输出高电位。同时 7 号脚导通，电容通过 R_3、R_2 放电，当放电电压低于 1/3 电源电压时，3 号脚输出低电位，7 号脚截止，电容继续充电。

调整 R_3 的电阻值就可以改变电容充放电的速度，因此就改变了 3 号脚输出脉冲频率。

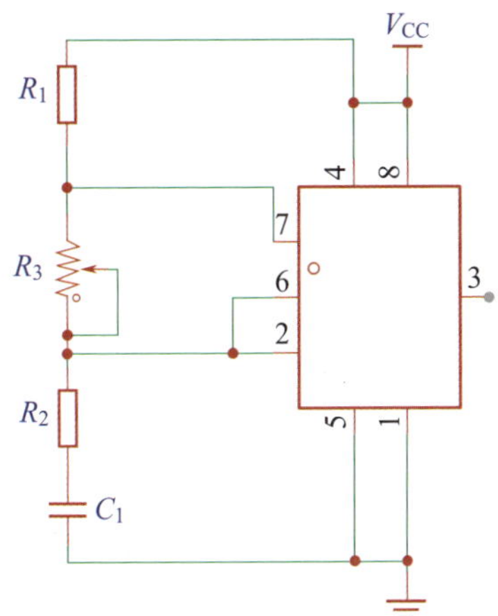

图 16-4　NE555 芯片构成的频率可调电路

第十七课时
单片机

单片机是一种集成电路芯片，采用超大规模集成电路技术把具有数据处理能力的CPU、随机存储器 RAM、只读储存器 ROM、多种 I/O 接口、A/D 转换电路全部集成在一块芯片上。这样这块单片机就具备了一台计算机的能力，但是它体积小、价格便宜，被广泛用于工业控制与汽车控制模块。

在汽车上各种控制主板大体结构都差不多，一套或多套电源电路给主板以及外部供电，由传感器采集外部数据给单片机分析计算，由总线获取其他电脑采集或计算的数据供单片机分析计算，单片机分析计算结果通过驱动芯片控制各种执行器工作，并通过总线与其他模块共享数据。

单片机在主板上非常容易识别，一般它的引脚最多，并且边上一定有一个晶振为其提供时钟信号（图 17-1）。

图 17-1　单片机

一、单片机最小系统

单片机最小系统（图 17-2）是指能让单片机正常工作的基本电路，不同型号的单片机需要的最小系统电路有所不同，但是差别不大。它们包括单片机芯片的供电、晶振电路、复位电路。

1. 单电机供电

在单片机的引脚标志上面一般标注 V_{CC}、V_{DD}、V_{DDIO} 等，且都采用稳压芯片供电，供电电压有 5V、3.3V、1.8V 等，供电电压越低其功耗越小。通常标注 V_{CC} 的为 5V 供电、标注 V_{DD} 和 V_{DDIO} 的为 3.3V 或者 1.8V 供电。

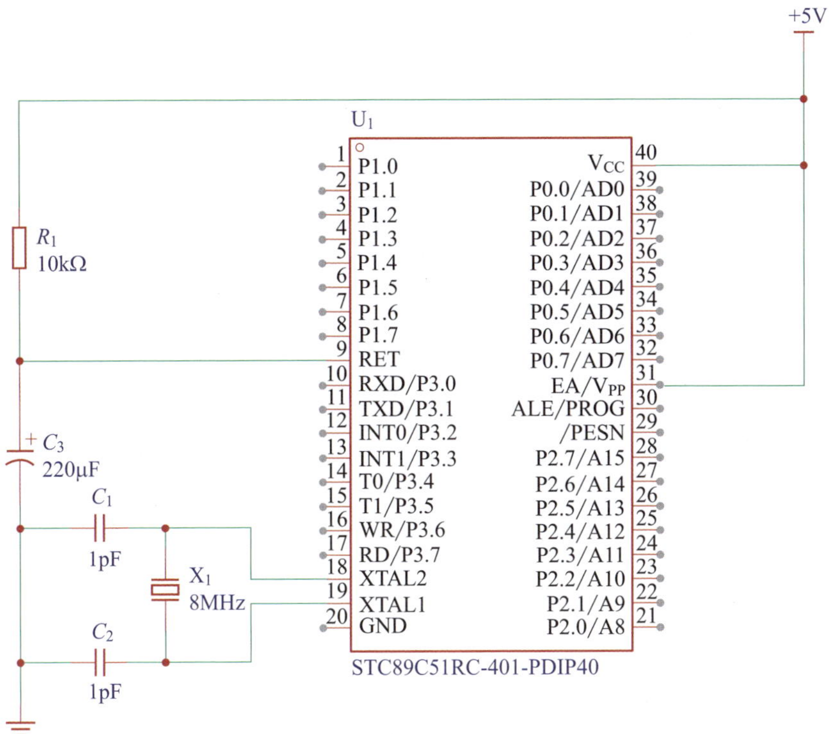

图 17-2 单片机最小系统电路

在维修电路板时，如果怀疑单片机故障，应首先查找单片机的手册确认供电引脚，然后使用万用表测量其供电是否正常。如果供电不正常，应使用万用表测量供电引脚边上的电容判断是否短路；如果短路导致供电电压拉低，就找到短路点；如果没有短路，应查找供电电路是否工作正常。

2. 单片机复位

单片机复位电路（图 17-3）是指在单片机上电时让单片机的程序从头开始运行的电路，该电路分高电位复位和低电位复位。单片机上电后复位引脚 RET 接在复位电路上，复位电路由限流电阻与一个电容构成，上电瞬间电容充电，因此 RET 引脚电压为 0，单片机检测到后复位。当电容电压上升到电源电压时，单片机检测到后开始运行，此电路为低电平复位。

在高电平复位电路中电容与电阻位置互换，上电瞬间电容充电，R_1 上端电压为高电位，此时单片机复位。当电容充满电后，单片机开始运行程序，此电路为高电平复位。

因此在检测单片机电路时，如果供电电源没有问题，则需要检测复位电路，根据其电路结构分析复位电路是高电平复位还是低电平复位，如果是低电平复位，电路电压为 0，那么单片机就不会运行。如果是高电平复位，电路电压为高电位，那么单片机就会运行，此时需要检查复位电路。

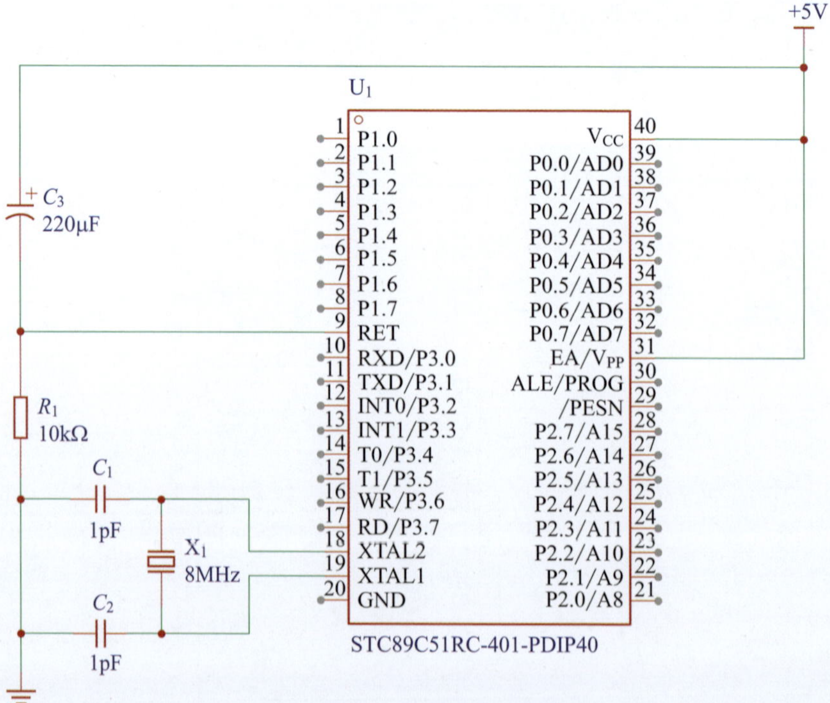

图 17-3　单片机复位电路

3. 单片机晶振

晶振用于给单片机提供时钟脉冲信号，单片机程序在运行时，每一条指令运行的时间就是一个时钟信号。一般单片机晶振电路由一个无源晶振加谐振电容构成。

晶振电路是单片机工作的必要条件，因此单片机不能运行时需要检测其晶振电路是否正常。检测晶振电路时，首先使用万用表测量晶振的引脚对地是否短路，若没有短路，上电后使用示波器测量其是否有正弦波，如果没有，则测量供电是否正常，若供电正常则更换晶振（图 17-4）。

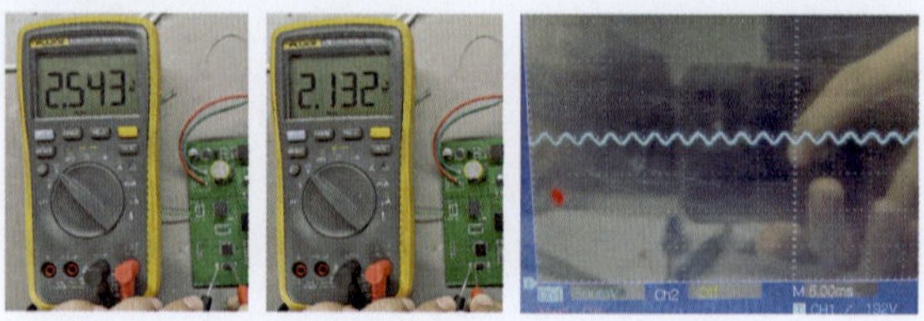

图 17-4　单片机晶振电压与波形

二、汽车常用单片机

前面以 51 单片机为例介绍了单片机原理，实际上这是一种很古老的单片机，在汽车上几乎没有应用。下面介绍一些汽车上能经常见到的单片机及其引脚定义。

1. 海立压缩机主控单片机TMS320（图17-5）

(a) 芯片

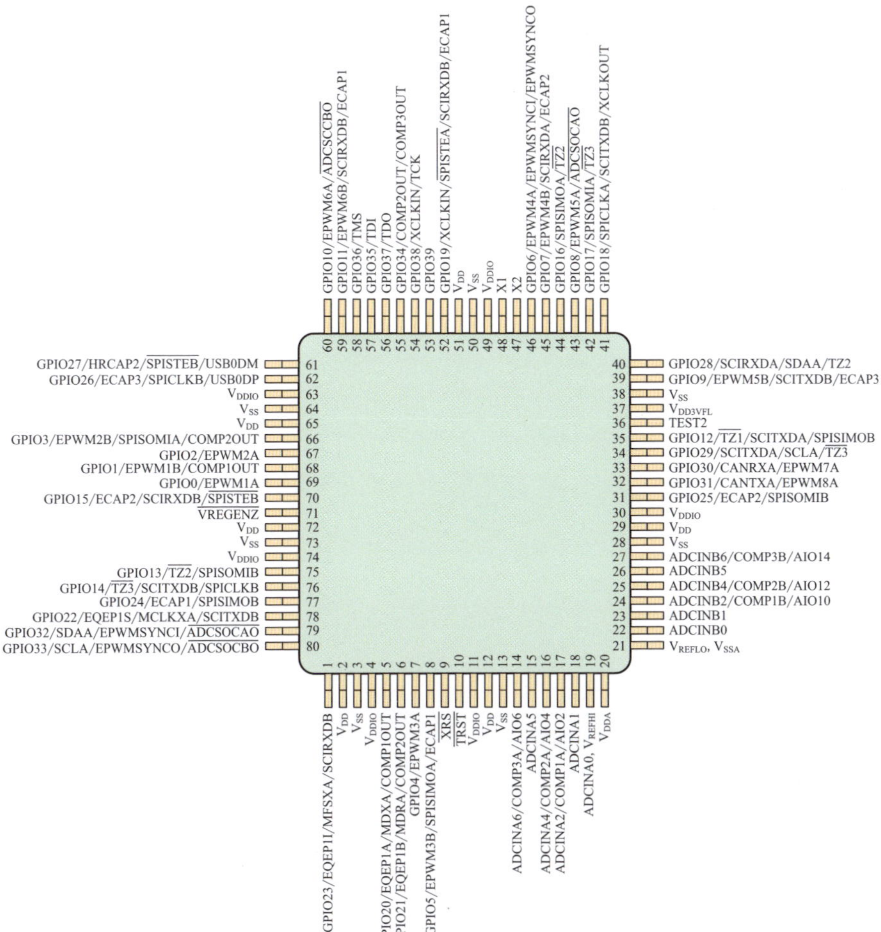

(b) 端口

图 17-5　海立压缩机主控单片机 TMS320

2. 欣锐充电机控制单片机（图17-6）

(a) 芯片

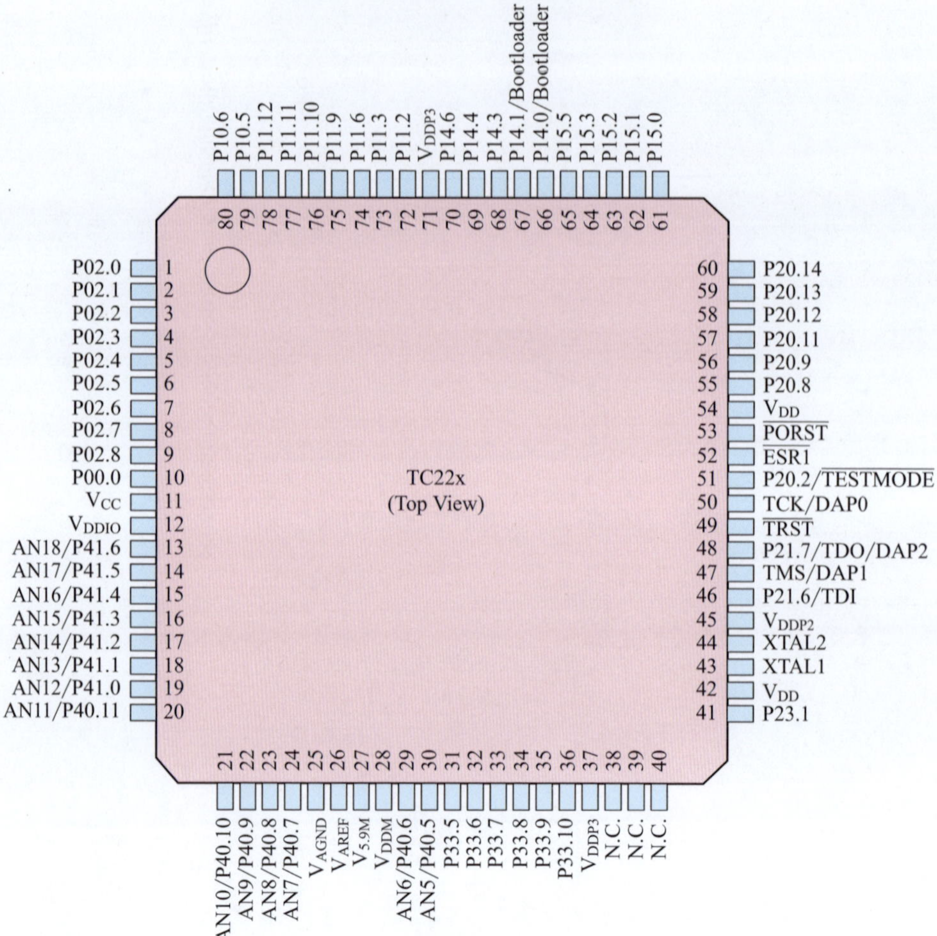

(b) 端口

图 17-6　欣锐充电机控制单片机

3.其他芯片（图17-7）

(a) 比亚迪E5 DC控制芯片

(b) 北汽EU5电控控制器芯片

(c) 比亚迪E5电控芯片

(d) 比亚迪压缩机芯片

(e) 广汽埃安充电机芯片

(f) 吉利电控芯片

图 17-7　其他汽车常用芯片

第十八课时 单片机编程

单片机的运行是依靠程序控制的，为了让大家更好地理解单片机是怎么运行起来的，本课时主要介绍单片机编程方式，但这并不作为学习重点。

一、硬件搭接

使用单片机开发一个产品，首先要搭接相关的硬件电路。以最简单的STC89C52单片机为例进行介绍（图18-1）。如图18-2所示，该单片机共有44个引脚，其中38号脚为V_{CC}供电、16号脚为GND，14号、15号脚为时钟（晶振），4号脚为复位引脚，P0.0～P0.7为P0 I/O接口，P1.0～P1.7为P1 I/O接口，P2.0～P2.7为P2 I/O接口，P3.0～P3.7为P3 I/O接口，其中某些I/O接口为复用口，即在程序定义下可实现不同的功能。例如，P3.0和P3.1复用为RXD、TXD，即程序烧写的输入、输出端。限于篇幅，其他复用接口本书不做详细介绍，感兴趣的读者可以查阅相关手册。

图18-1　STC89C52单片机实物

如图18-2所示，给单片机搭建一个必要的工作电路：电源、时钟电路、复位电路。并且在P0.0接口接一个LED灯，R_3与LED串联，起限流作用。此时如果想用单片机控制该LED的熄灭，就需要让P0.0口输出低电位；如果想让LED点亮，就需要给P0.0口输出高电位。这种操作就需要对单片机进行编程来完成。

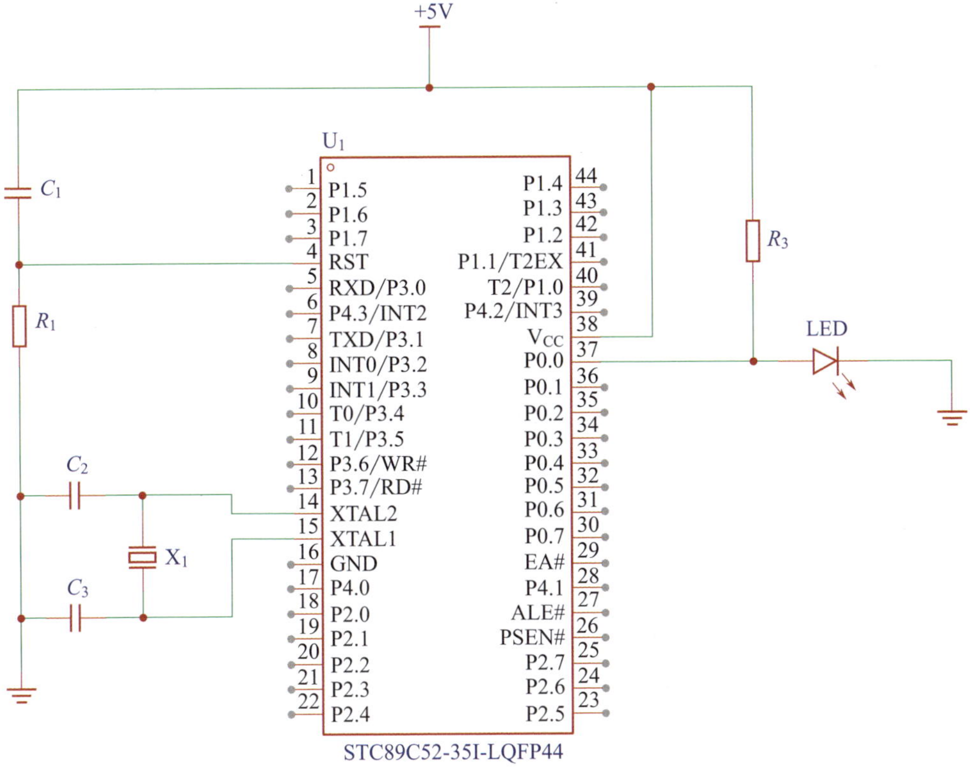

图 18-2 STC89C52 单片机硬件搭接

二、程序编写流程

单片机开发软件有很多种，这里以 Keil 为例介绍软件开发流程。打开 Keil 软件后首先新建一个工程文件，并在工程文件中新建一个编写软件的界面，同时选择要开发单片机的型号。

新建好后即可在这个界面编写软件，这里使用 C 语言来编写软件（图 18-3）。

根据前面的原理图以及需求，需要让单片机的 P0.0 口输出高电位或者低电位来实现 LED 灯的亮灭。因此，在软件编写时，代码含义如下。

❶ #include<stc89c5xrc.h> 为头文件定义，即开发单片机函数库。

❷ void main() 表示主函数。

❸ P00=0 表示主函数内容是将 P0.0 口输出为 0，即输出低电位。如果需要输出高电位，则写为 P00=1 即可。

通过这样几行简单的代码就可以实现让单片机的 P0.0 口输出高低电位，如果需要实现复杂的功能则需要编写其他代码。由于本书主要介绍维修，因此不涉及过多的开发内容，这里只是想让大家理解编程的概念。

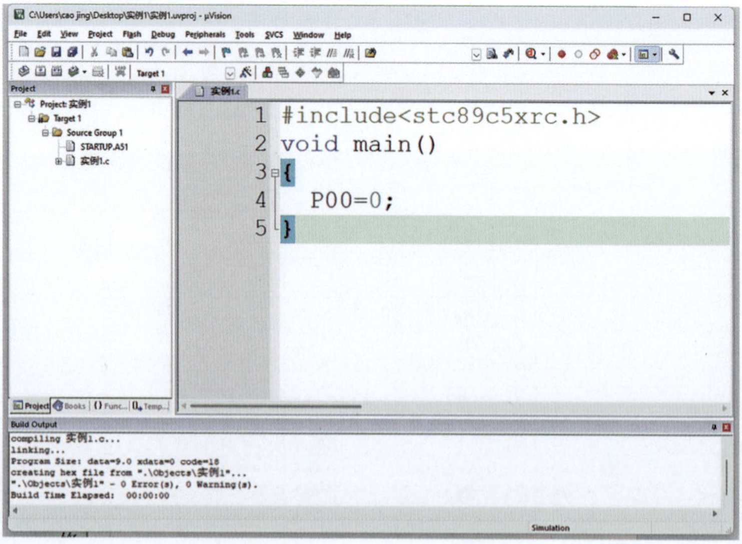

图 18-3 Keil 开发软件界面

三、程序编译与烧录

当程序编写完成后，就可以对程序进行编译并生成可执行文件。生成可执行文件后，即可使用烧录软件把可执行文件烧录至单片机内部使单片机运行起来（图 18-4）。

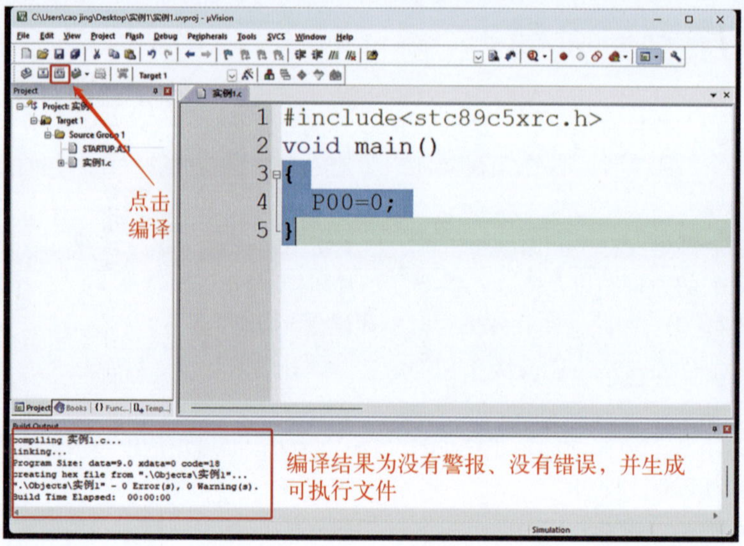

图 18-4 Keil 软件编译文件

当生成可执行文件后，就可以在工程文件夹中找到它，文件后缀为“.hex”。这个文件就是使用编程器读出来的数据，实际使用编程软件编写的程序最终也是生成“.hex”文件，只有这种类型的文件才能被写入单片机。

接着使用烧录软件，每个单片机使用的烧录软件可能有所不同，这里使用 STC 的烧录软件（图 18-5）。在软件中选择单片机连接至电脑的端口，并选中需要烧录的“.hex”文件，最后点击写入就可以把编写的程序写入单片机内。

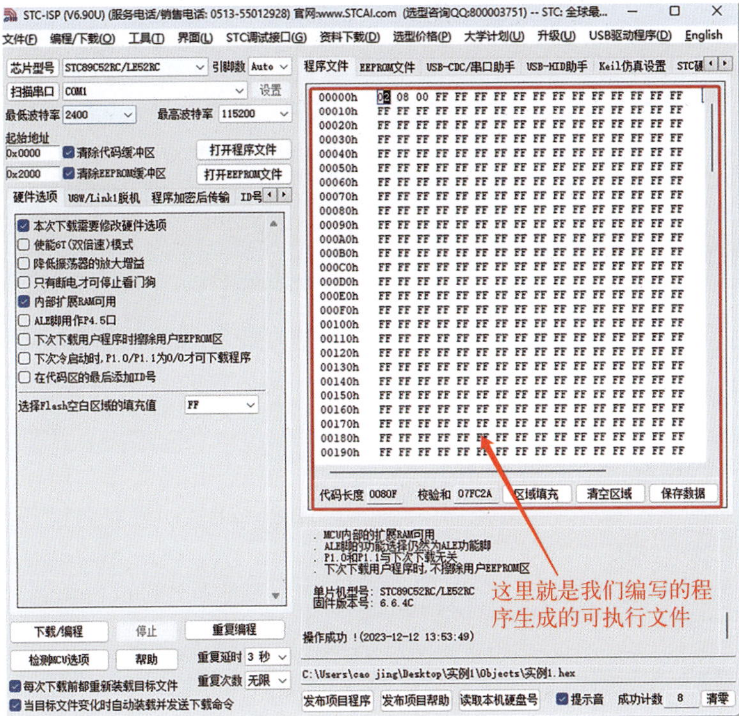

图 18-5 STC 烧录软件

总结：通过本课时内容的介绍，大家应该对一块单片机的开发流程有所了解了。首先根据需求设计硬件电路，给单片机工作的必要条件设计电路；其次设计输入信号电路、输出控制电路；接着使用编程软件编写程序，程序编写调试成功后再生成“.hex”文件；最后通过编程器将“.hex”文件写入单片机。

在汽车电脑中几乎都有一个或者多个单片机，单片机除了会出现硬件损坏外，软件也可能会损坏。如果是软件损坏，找一个好的软件写入单片机即可。如果是硬件故障，则需要更换单片机并写入程序，如果没有好的程序就放弃维修。

第十九课时 编程器的使用

一、CG100 编程器

CG100 是由深圳长广科技推出的编程器（图 19-1），该编程器可用于汽车仪表调校、气囊电脑数据恢复以及部分车型钥匙匹配。同时还具备八脚储存芯片读写以及部分单片机数据读写功能。

在新能源控制器维修中，常用到该编程器读写单片机数据以及八脚储存芯片数据。

图 19-2 所示为 CG100 编程器的软件界面，该软件可在长广科技官网上下载。软件主页面有以下几个选项。

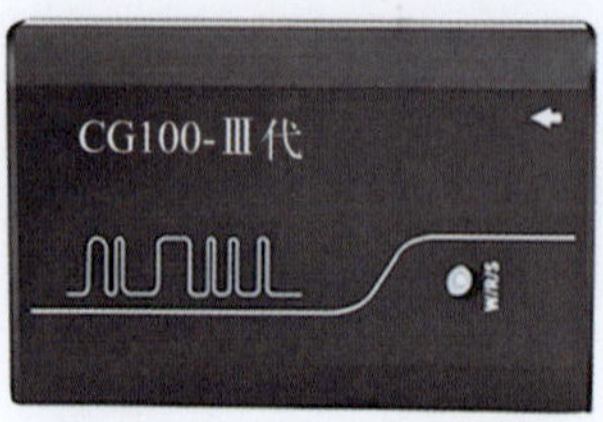

图 19-1　CG100 编程器

图 19-2　CG100 编程器的软件界面

❶ 仪表里程：该功能为汽车仪表里程改写。

❷ 气囊修复：该功能为汽车气囊电脑在碰撞后的数据修复。

❸ 发动机修复：该功能为部分发动机电脑数据读写。

❹ 车身修复：该功能为部分车身电脑数据读写。

以上这些功能是建立在通用编程器之上的，通用编程器也可用于单片机以及八脚芯片的数据读写，但是需要自己根据单片机引脚定义接线，而前面的仪表里程、气囊修复、发动机修复、车身修复是根据具体型号，电脑已经标注出需要接线的焊点，部分功能还包含数据自身编辑修复功能，这样就大大提高了工作效率。

例如，在里程修复功能内选择车型仪表类型，设备就会提示需要读取哪一个芯片的数据（八脚 / 单片机）并给出相应的位置，在读出数据后还会自动计算数据中的里程位置并显示出来。这样就可以很方便地修改里程，气囊数据修复同理。

本书主要针对新能源汽车数据刷写，因此主要介绍通用编程器的使用方法。

通用编程器支持的芯片在软件上都有相应的菜单显示，菜单左侧显示可支持的单片机厂家，点开后会显示所支持的具体单片机型号。其中部分单片机支持写入，并不支持读取数据，这是因为该芯片在写入数据时是加密状态，因此只能找同行要正确的数据直接写入（图 19-3 和图 19-4）。

8 脚码片指的是 eeprom 数据储存器，这类存储器都是支持可读和可写的。

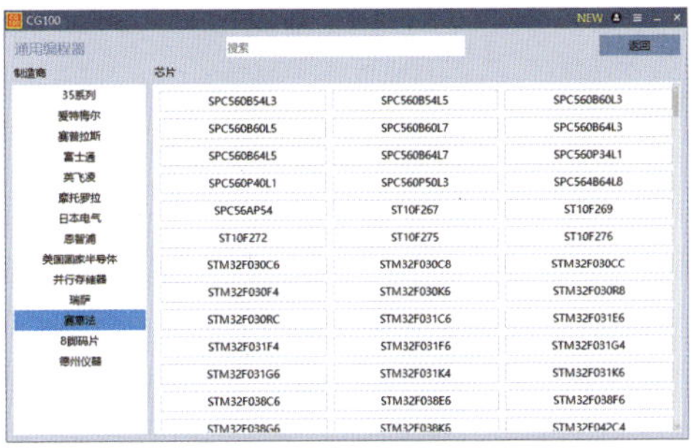

图 19-3　CG100 编程器通用编程器界面

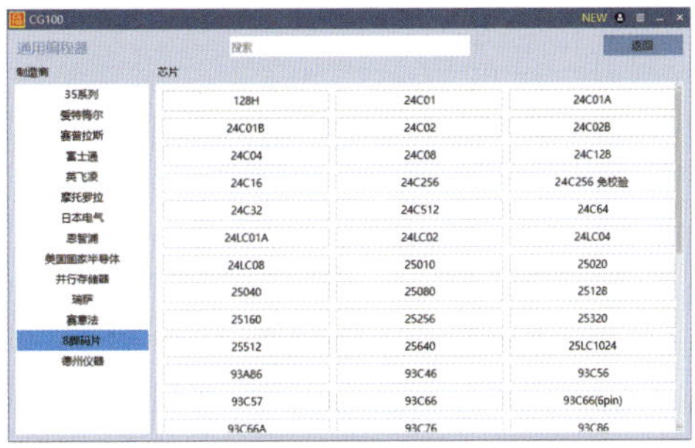

图 19-4　CG100 编程器 8 脚码片刷写界面

案例：三菱电动压缩机数据刷写

三菱电动压缩机（EVH33Y1）的涡旋一旦卡死，更换全新的涡旋后压缩机并不能正常工作，这是因为该型号压缩机卡死后电流过大就会启动保护机制，压缩机并不会运行。

因此在更换压缩机后需要对压缩机上面的数据进行刷写，观察压缩机控制电路板后发现电路板上有一个 8 脚储存芯片（图 19-5）。

观察芯片型号为 C66，即 93C66，选择编程器软件→通用型编程器→ 8 脚码片→ 93C66 并打开。

使用风枪将芯片焊下并安装在适配器上，点击【读取】，读取成功后保存数据（养成保存原始数据的习惯），再加载一个从好的压缩机板上面读取的数据（该数据一次读取保存，永久使用），再次点击写入，写入成功后将芯片焊回电路板就完成了数据的刷写（图 19-6 和图 19-7）。

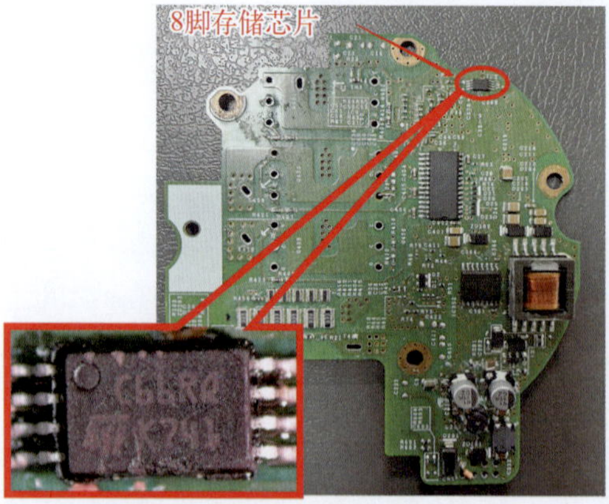

图 19-5　EVH33Y 压缩机主板

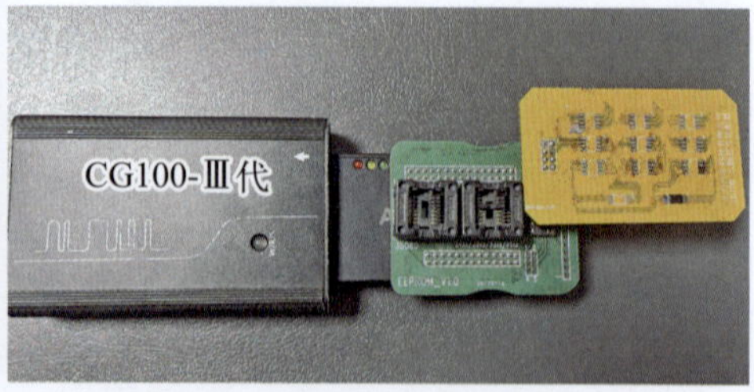

图 19-6　CG100 适配器连接方法

数据读取流程：连接好设备→读取→保存→命名文件名→保存。

数据写入流程：连接好设备→打开→选择好的数据→写入。

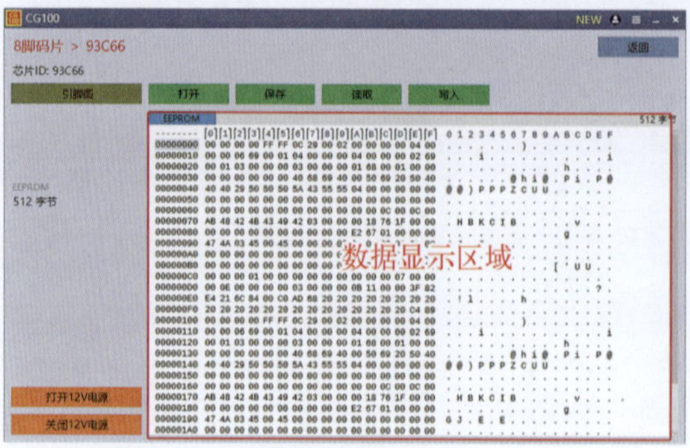

图 19-7　8 脚数据读取写入界面

当需要刷写单片机数据时，首先要确认单片机的厂家，并在 CG100 编程器中找到该厂家并打开。打开后会显示该软件支持该芯片的具体型号，这时要根据单片机上的型号来找到对应的刷写程序。

打开操作界面后（图 19-8）点击接线图，此时可以看到单片机引脚定义，这里需要根据引脚定义将编程器的适配器线焊接上去，焊上后根据软件提示读写数据。

这里需要注意的是直接在芯片的引脚焊线比较困难，且主板上面一般会有预留的烧录口，因此可以根据单片机引脚图使用万用表测量每一个烧录口的定义，这样就可以直接把烧录线焊在烧录口读写数据。

如图 19-9 所示是某日本电气厂家生产的 D70F3336 单片机读写界面，如果读写这种单片机就选择该界面，其他品牌单片机的操作方法大体一样。

CG100 编程器只是维修中使用众多编程器中的一种，在后续维修作业中还会用到其他品牌的各种编程器工具。但是无论什么品牌的编程器，在使用中都大致相同。其目的都是对单片机内部的程序进行读写操作，若无法读取，可找一个好的程序直接写入。

但是也有部分编程器比较特殊，操作难度稍大。这类编程器的厂家基本都提供使用教程与售后服务，在使用过程中按照厂家的指导一步一步操作即可。

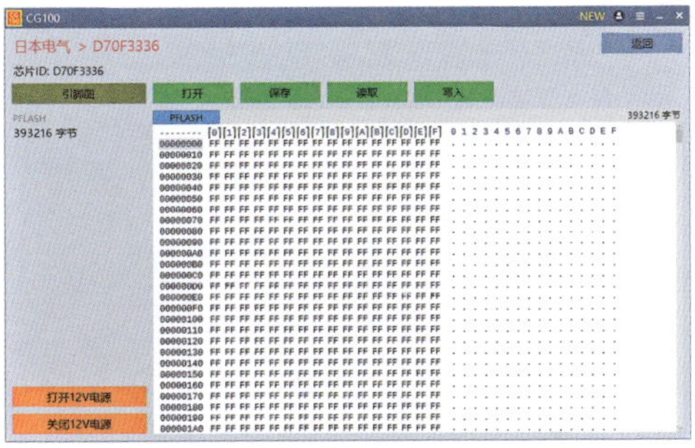

图 19-8 单片机数据读写界面

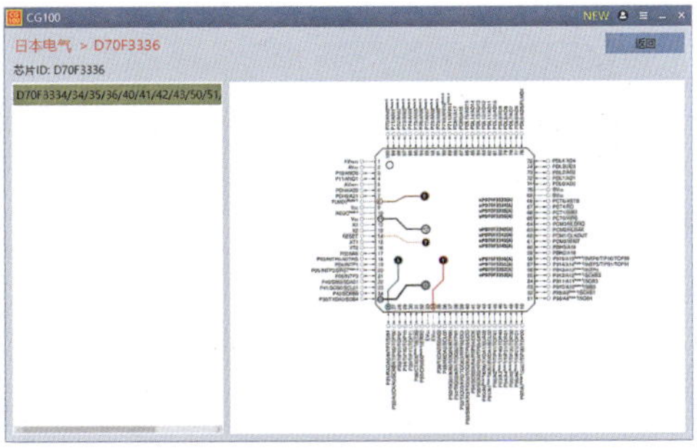

图 19-9 某日本电气厂家生产的 D70F3336 单片机读写界面

二、特殊编程器

吉利汽车使用的 PTC 加热器是由伟巴斯特（Webasto）提供的，并且该 PTC 加热器还广泛应用于其他车型。如果该 PTC 加热器遇到高温就会锁定数据，导致高温的原因可能是外部水泵故障、PTC 内部加热体损坏等。

维修这类 PTC 加热器时，需要对单片机数据进行刷写。其中部分单片机型号为英飞凌的 TLE9832，支持该芯片读写的设备非常少（图 19-10）。此处对该编程器刷写伟巴斯特加热器数据的方法进行详细介绍。

打开 PTC 加热器后观察主板芯片，型号为英飞凌 TLE9832，并且有两片这种单片机，根据电路板结构分析其工作原理，一个为高压控制单片机，一个为低压控制单片机（图 19-11）。一般刷写数据时两个单片机都需要刷写，如果只刷一个可能无法解决问题。

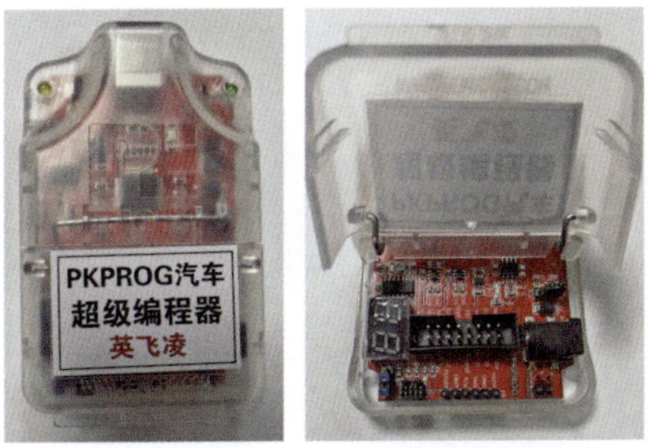

图 19-10 英飞凌编程器

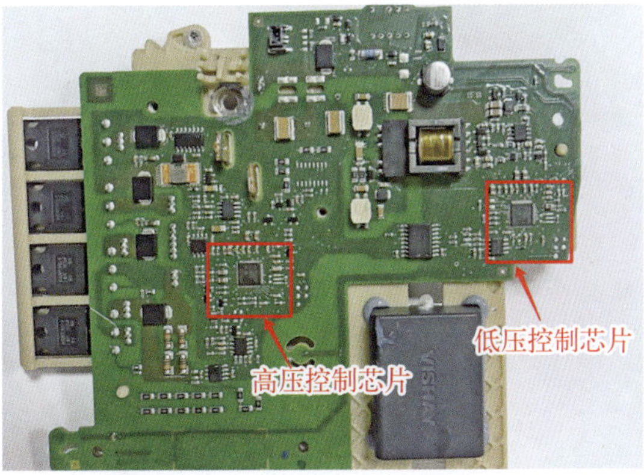

图 19-11 伟巴斯特 PTC 主板

第一步：根据厂家提供的接线图，在电路板上对应位置焊上烧录线，并将设备与计算机 USB 接口连接（图 19-12）。

第二步：根据接线图提示，需要将接线焊在 DAT 接线处，并将跳线设置 DAT 模式 5V 供电（图 19-13）。最后将设备通过 USB 连接至计算机并给设备提供 12V 电源。

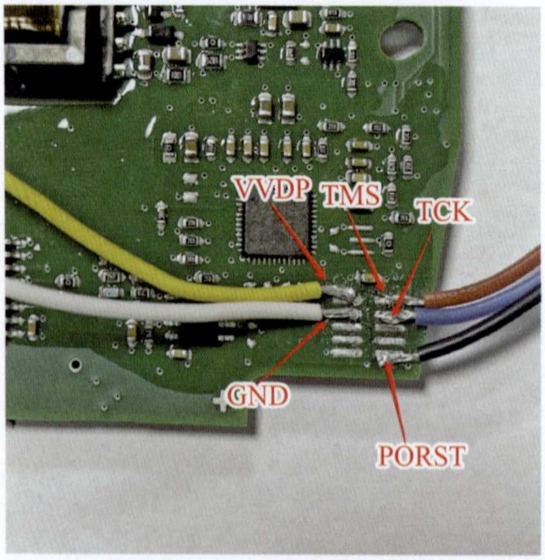

图 19-12　第一步接线

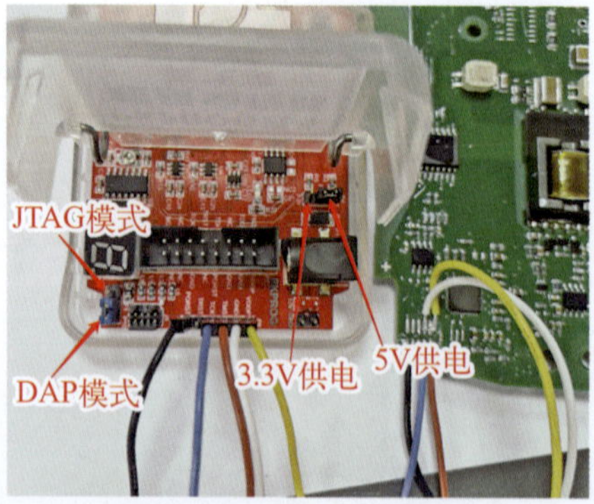

图 19-13　第二步设置

第三步：打开计算机上安装的软件后并点击 Select Product，选择单片机型号（图 19-14）。

第四步：在软件中根据接线图提示的模式，选中合适的模式。这次使用的是 DAS 模式（图 19-15）。

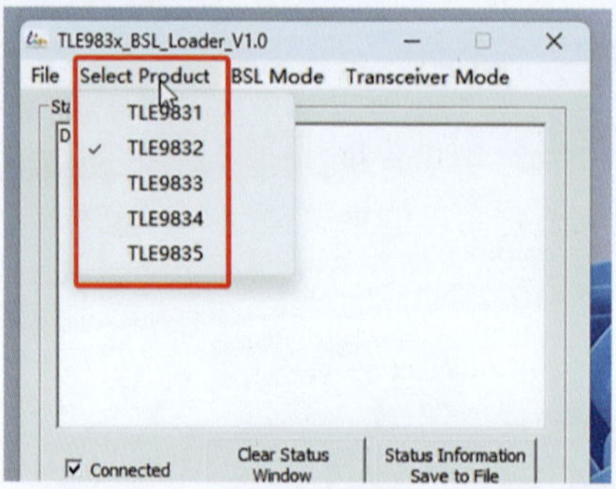

图 19-14　第三步选择单片机型号

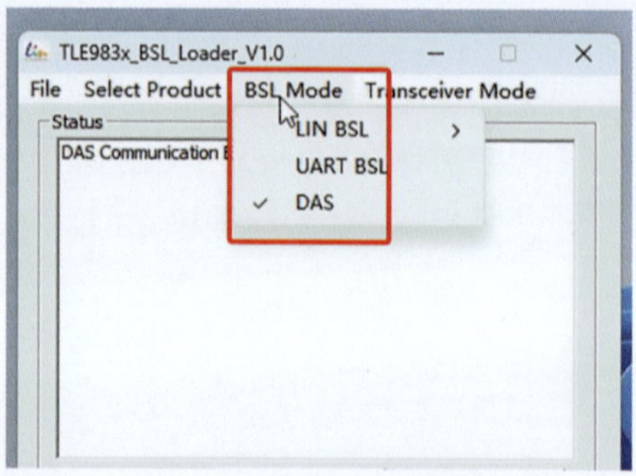

图 19-15　第四步选择通信模式

第五步：在 Connected 位置打勾（图 19-16），这里的意思是让设备与芯片进行连接，如果连接正常，则在图 19-16 中 2 位置提示 DAS 连接正常。

第六步：点击 File 后选择 Open，打开好的文件（一般设备商提供），如图 19-17 所示。

第七步：等待软件加载完成后，软件会提示数据加载完成（图 19-18）。

第八步：数据加载成功后，在图 19-19 中 1 位置选中，并点击 2 位置执行文件写入，等待软件自动将正确的数据写入单片机。

在操作时需要将两个单片机数据全部刷写，否则 PTC 加热器还是无法正常工作。

该编程器除了可以对 PTC 加热器数据进行刷写外，还可以对一些锂电池 BMS 数据进行刷写，主要针对英飞凌、飞思卡尔的加密芯片。

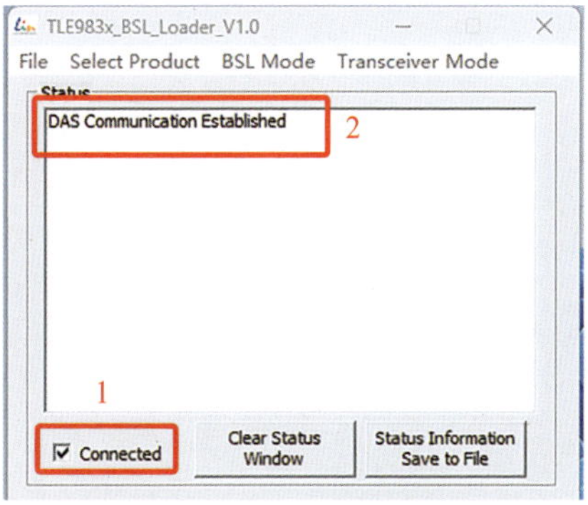

图 19-16 第五步连接通信芯片

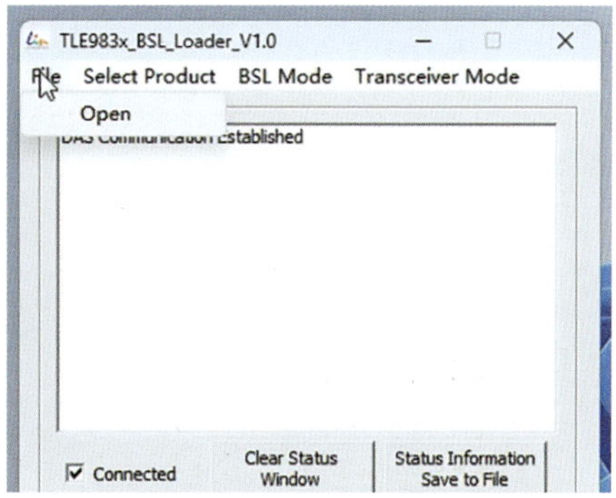

图 19-17 第六步 加载好的数据

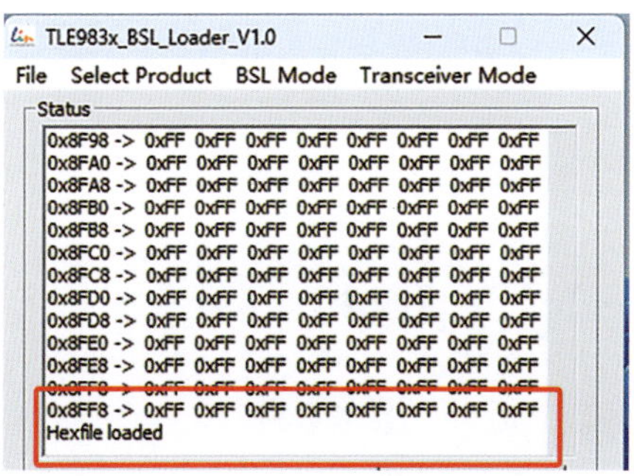

图 19-18 第七步 加载数据成功

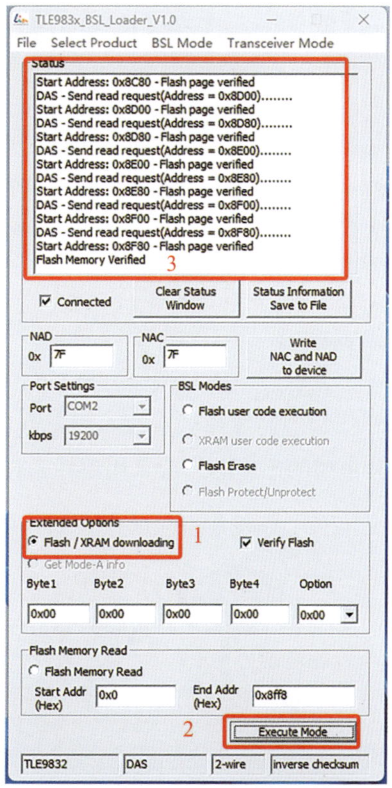

图 19-19 第八步写入数据

第二部分　芯片级单元电路分析

第二十课时
CAN 通信电路

汽车上各系统可能有多个控制单元，每个控制单元之间又使用CAN总线连接，相互传输数据。CAN总线结构至少需要两个以上模块才能构成汽车网络，每个模块既可以发送报文，也可以接收报文。

根据CAN总线速率不同，其结构特点也有所区别（图20-1），常见的CAN总线波特率有125kbit/s、250kbit/s、500kbit/s。一般波特率为500kbit/s的称为高速CAN总线，对于高速CAN总线，通常都在终端安装电阻来保证信号稳定传输。

模块与模块连接的电线一般由两根相互绞接在一起的双绞线来传输报文，但是也有部分车型的低速总线会采用单线来传输报文。

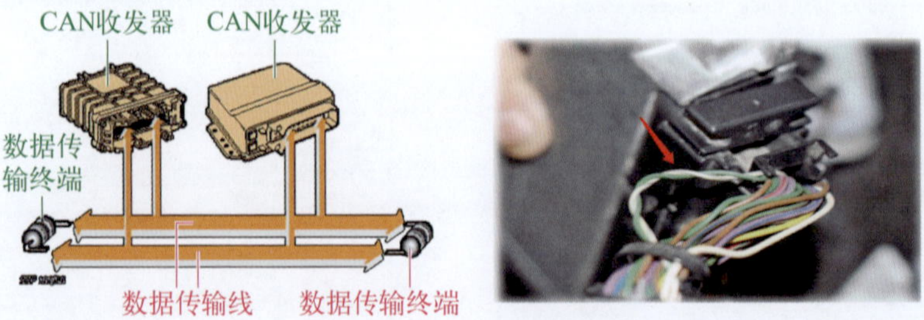

图20-1　CAN总线结构

一、总线拓扑图

1.星型拓扑结构

汽车上模块众多，每个模块都使用总线连接传输数据，模块之间的连接关系称为网络拓扑图。

而星型网络拓扑结构是指所有在同一总线中的模块都将总线汇集到某一处，这个地方称为网络结点。

如图 20-2 所示为常见的星型网络拓扑结构。这种结构的结点进水后会出现腐蚀接触不良，从而导致所有模块不能通信或者多个模块不通信。

如图 20-3 所示为奥迪车型的网络结点位置。这种结构采用插头短接的方式实现了模块之间总线的连接，同时也方便单独诊断某个模块的通信故障。

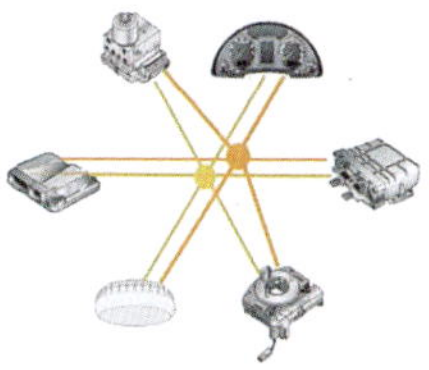

(a) 模块连接关系

(b) 实际车辆上的网络节点实拍

图 20-2 常见的星型网络拓扑结构

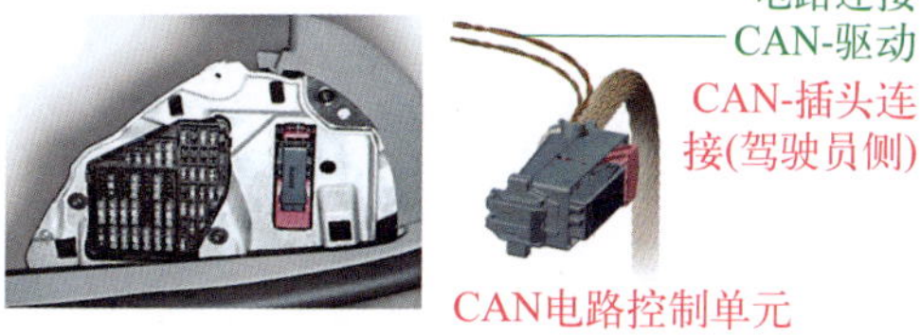

图 20-3 奥迪车型的网络结点位置

2. 串联网络拓扑结构

串联网络拓扑图在美系车中经常遇到。串联网络拓扑图是指把所有模块依次串联起来，如图 20-4 所示。这样做的优点是省掉了结点，缺点是如果串联模块中任意模块开路或者发生故障，整个网络就瘫痪了。

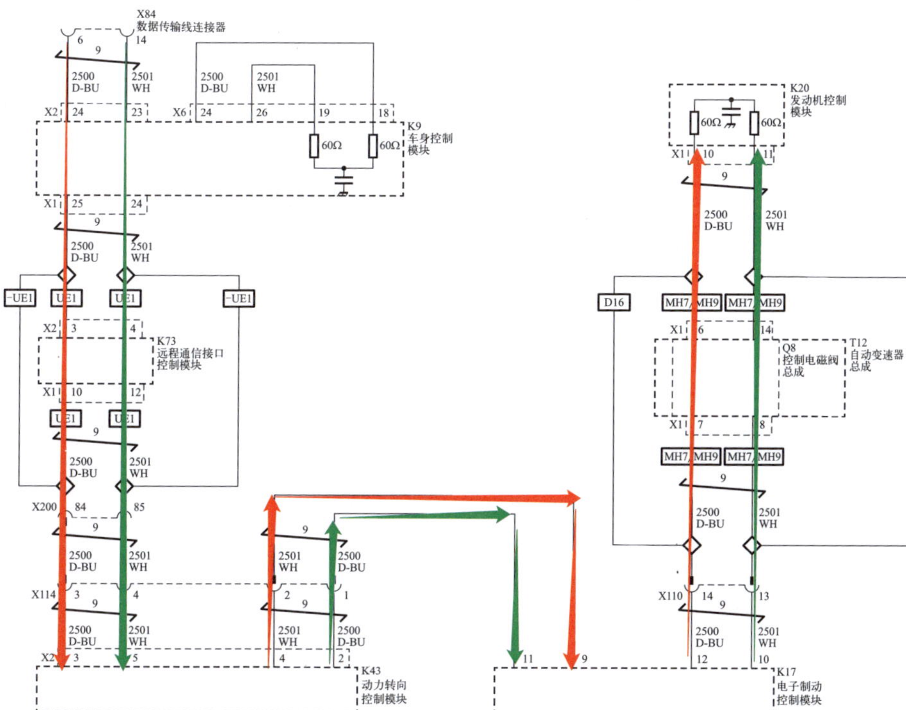

图 20-4 串联网络拓扑

3.整车网络拓扑

在一辆汽车上可能会存在多个网络，如车身系统由几个电脑构成一个网络，驱动系统由几个电脑构成一个网络，这样一辆车就有了多个网络。而各个网络之间又需要相互传递信息，因此所有的网络又会汇集到一个网关，并引出总线至OBD接口，供维修人员诊断车辆使用（图20-5）。

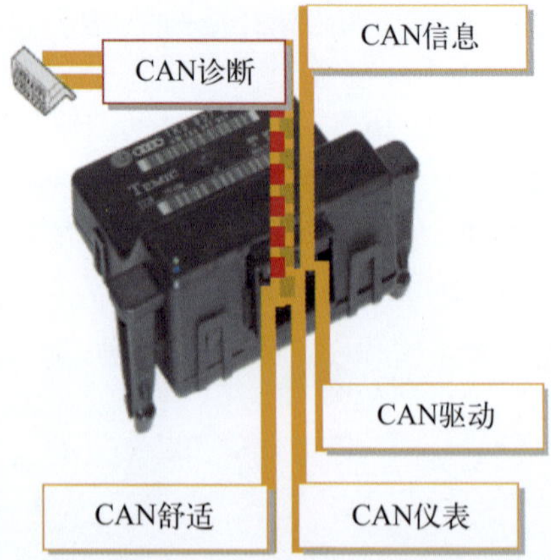

图20-5 整车CAN拓扑

二、CAN总线波形

1.高速CAN总线波形

在没有数据传递时，CAN波形是两个相互镜像的矩形波（图20-6）。总线上面的电压都是2.5V。

CAN-H上面表达数字1是2.5V，表达数字0是3.5V。

CAN-L上面表达数字1是2.5V，表达数字0是1.5V。

在CAN总线上把表达数字1的状态叫作隐性，表达数值0的状态叫作显性。因此：

CAN-H的显性电压为3.5V，隐性电压为2.5V；

CAN-L的显性电压为1.5V，隐性电压为2.5V。

2.低速CAN总线波形

如图20-7所示是低速CAN波形，可以看出舒适CAN与驱动CAN明显的区别。它们的显性电压与隐性电压完全不一样。

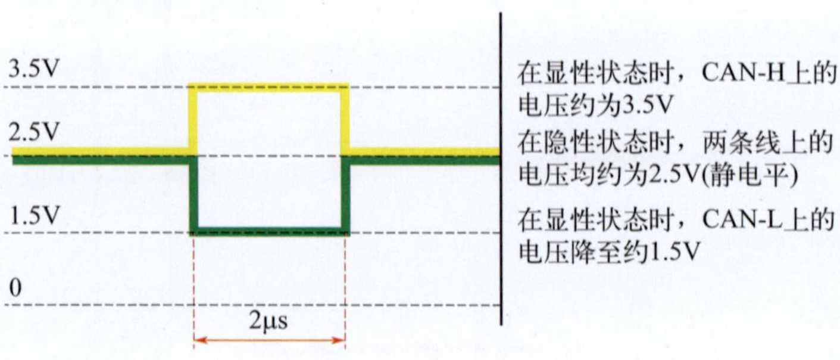

图20-6 高速CAN波形

CAN-H上面表达数字0是3.6V，表达数字1是0。

CAN-L上面表达数字0是1.4V，表达数字1是5V。

也可以说CAN-H的显性电压是3.6V，隐性电压是0；CAN-L的显性电压为1.4V，隐性电压为5V。

以上两种是CAN总线典型的波形，在其他车型里面的CAN总线会有不同的叫法，比如雷诺、标致车型中把高速 CAN 总线叫作 CAN，低速 CAN 总线是在 CAN 总线的基础上开发的 VAN 总线，其结构原理与 CAN 总线类似，传输数据的波形也基本一致。通用车型的高速 CAN 总线称为 GMLAN，名称不同，协议当然也与 CAN 有点区别，但是其基本的结构以及波形还是一样的。

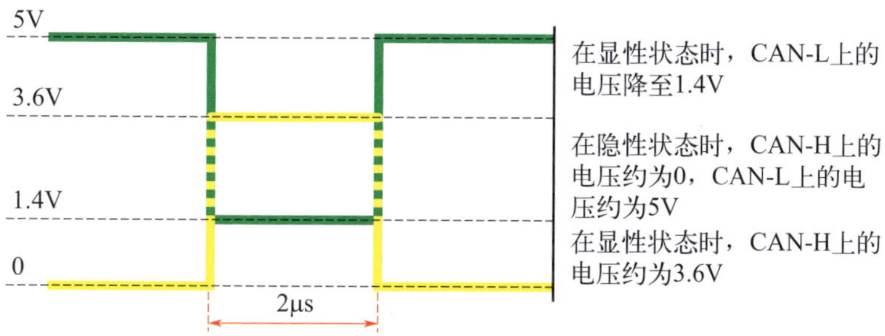

图 20-7 低速 CAN 波形

三、CAN 总线诊断

1. 电压测量法

（1）高速 CAN 总线　高速 CAN 总线在无数据传递时（休眠 / 隐形状态）的电压无论是 CAN-H 还是 CAN-L 都是 2.5V，因此得出 CAN-H 和 CAN-L 的电压相加是 5V。但是在有数据传递时（显性）CAN-H 的电压会更高，如果使用万用表测它对地的电压应该是高于 2.5V 的。CAH-L 的电压在显性时会更低，因此使用万用表在测量 CAN-L 时的电压会低于 2.5V。实际测量中一般 CAN-H 的电压在 2.6V 左右，CAN-L 的电压在 2.4V 左右，因此它们的电压相加还是 5V。这也作为利用电压判断 CAN 总线故障的方法之一。

（2）低速 CAN 总线　在前面分析了低速 CAN 总线的波形。低速 CAN 总线的 CAN-H 在无数据传递时电压为 0，CAN-L 在无数据传递时电压是 5V，所以它们之间的电压相加也是 5V。有数据传递时 CAN-H 电压是 3.6V，CAN-L 是 1.4V，它们的电压相加也是 5V。实际测量时低速 CAN 总线的 CAN-H 电压是 4.3V 左右，CAN-L 的电压是 0.7V 左右，相加也是 5V。

总结：汽车上无论是什么 CAN 总线，其 CAN-H 和 CAN-L 的电压相加始终是 5V，这可以作为判断总线故障的一个依据。

2. 电阻测量法

在前面的 CAN 总线物理结构中介绍了 CAN 总线为了抗干扰，会使用两个终端电阻（都是 120Ω），如图 20-8 所示。终端电阻一般在一套网络里面有且只有两个，安装在不同的模块内部。但也有例外的，有的车型会把两个终端电阻做在导线上面，也有的车型会把两个终端电阻放在一个模块内部，比如大众车型会把终端电阻都放在发动机电脑内部（66Ω）。当然大部分车型的终端电阻都是在两个模块内部或者在导线上面。根据电阻并联的特性，测量 CAN-H 和 CAN-L 之间的电阻应该是 60Ω，由于实际上终端电阻并不是标准的 120Ω，因此在测量时一般会在 60Ω 左右。

利用高速 CAN 网络的这个特点，除了装有终端电阻的模块外，对于其他任意模块都能在两根 CAN 总线中测到 60Ω 的电阻，可用其判断线路是否开路或者互相短路。这种方法在某些低速 CAN 网络上不适用。

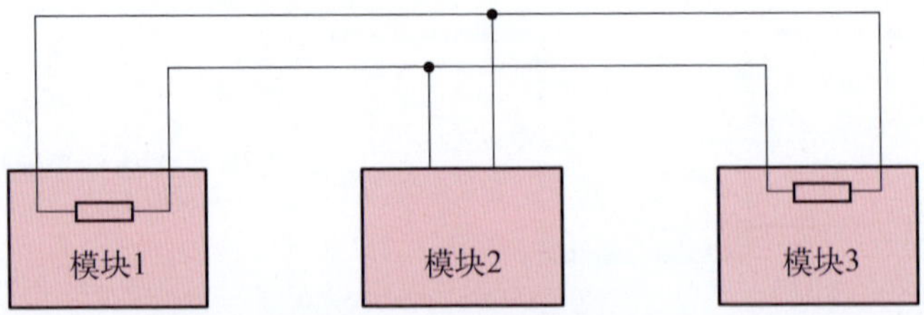

图 20-8　电阻测量法

3. 单一模块不通信故障诊断

所谓单一模块不通信，是指在一个局域网上所有的模块都能通信且可以读出故障码，但是都会报故障码与某一个模块失去通信。例如，在驱动 CAN 总线上面有发动机电脑、自动变速箱电脑、ABS 电脑，现在亮起了 ABS 故障灯。接下来使用解码器扫描全车模块，发现发动机电脑有故障码、自动变速箱电脑有故障码、ABS 电脑无法通信。那么这种故障，定义为 ABS 单一模块不通信。根据总线通信的原理可以分析出：

❶ 驱动 CAN 总线没有对正极 / 负极短路，否则驱动 CAN 总线便瘫痪；

❷ 如果 ABS 电脑内部有终端电阻，则不考虑 ABS 电脑的 CAN 总线开路，否则驱动 CAN 总线便瘫痪；

❸ 如果 ABS 电脑内部没有终端电阻，则可能是 CAN 开路；

❹ABS 电脑的电源可能会出现故障，因为如果 ASB 电脑的电源有故障，那么 ABS 电脑就无法正常开机工作，所以电脑无法通信；

❺ABS 电脑本身故障，如果电源是好的，总线也是好的，则 ABS 电脑本身故障。

下面介绍准确的检修步骤。

❶ 根据电路图检查电脑的电源部分，如果有故障修复即可。

❷ 根据电路图找到电脑的总线，然后拔掉插头测量 CAN-H 和 CAN-L 的电压，看是否在合理范围内。一般只会得到以下两个结果：

a. 正常的；

b. 一根线没有电压，还有一根线正常，或者两根线都没有电压，那么没电压的那根线即开路。

❸ 如果确定了电脑的电源是好的，CAN 线电压也是合理的，此时便可以更换电脑。

4. 总线瘫痪故障诊断

总线瘫痪，顾名思义就是总线上所有的模块都不能通信，且是持久不能通信，不是偶发的。如果是偶发的，要考虑线路是否虚接。如果是持久的瘫痪，根据总线通信原理，大致故障点如下。

（1）总线对正极短路　使用测电压法，检查 CAN-H 和 CAN-L 对地的电压。看是否有一个线电压过高，如有请挨个拔下网络上的模块。拔下一个看电压是否恢复。若恢复，则是该模块故障。若所有模块都拔下，总线依旧是高电压，即说明线路有地方对正极短路，因此要查线路。

（2）总线对负极短路　使用测电压法，检查 CAN-H 和 CAN-L 对负极的电压。看是否有一个线电压为 0，如有请挨个拔下网络上的模块。拔下一个看电压是否恢复。若恢复，则是该模块故障。若所有模块都拔下，总线电压依旧是 0，即说明线路有地方对负极短路，因此要查线路。

（3）总线开路　在前面的测试中，如果电压正常，不代表总线就是好的。因为对于每个模块，只要电源正常，无论是否接到总线上去，模块本身也会发出电压。所以这时候需要采用电阻法来测量。根据总线结构原理可知，拔掉任意一个模块后其总线端子之间的电阻都是 60Ω 左右（注意测电阻时需要断电）。因此可以根据这种方法来判断线路是否开路。若检测到电阻是 120Ω 则有两个原因：

❶ 拔下的这个模块本身就是带终端电阻的模块，可通过测模块电阻进行验证。

❷ 带有终端电阻的模块在总线上是开路状态，需要找到哪个模块是带终端电阻的。拔掉可疑模块测模块电阻，然后检查其线路。若舒适网络没有终端电阻，也就不会出现带有终端电阻的模块开路导致总线瘫痪。

（4）总线之间相互短路　总线之间短路最好验证，在前面的电阻测量法中就可以测量到总线之间的电阻过小。接下来可以拔下该网络中的模块，拔一个测量一次电阻，直到电阻合适为止。如果全部拔光了电阻还是过低，那么就需要检查线路了。

5. 串联拓扑总线故障诊断

这种结构的车型一般在通用旗下用得较多。如图 20-9 所示，每一个模块都是串联起来的。一般驱动 CAN 总线会直接接入 OBD 结构的 6/14 号脚。这种结构的总线一般出现故障就直接是总线瘫痪。出现故障的原因一般是 CAN-H 和 CAN-L 之间短路或者线路开路。检修方法很简单，关钥匙检查 OBD 接口的 6/14 号脚，看电阻是否合理。根据电阻大小判断问题点，如果电阻过小表明线路之间短路，如果电阻为 120Ω 说明线路开路。检修方法则一样，拔掉模块 1 插头，检查 3/4 号脚之间电阻，好的话应该是 120Ω，无穷大说明线路开路，电阻过小说明线路短路。如果有故障，继续检查模块 2 插头的 1/2 号脚电阻，插回模块 1 插头后电阻应该是 120Ω，否则表明前段有故障。检查 3/4 号脚，电阻应该为 120Ω，否则表明后段有故障。依此类推就可以轻松找到故障点。

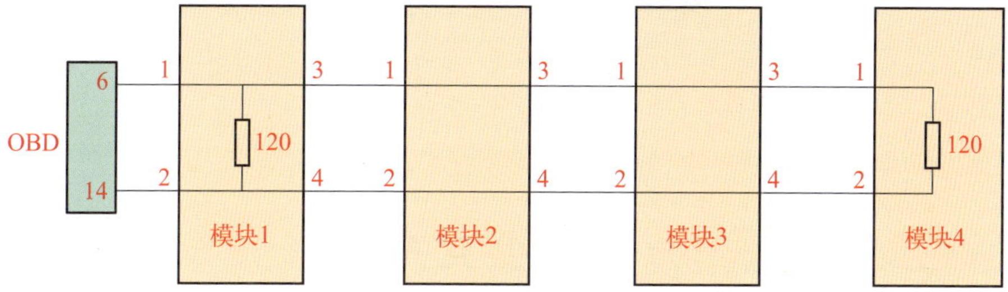

图 20-9　串联拓扑总线结构

第二十一课时 CAN 卡应用

一、CAN 卡上位机介绍

在进行汽车电子维修时需要截取 CAN 报文分析，在进行新能源汽车故障诊断时，一些小众车型也需要使用厂家提供的上位机来诊断和分析故障，因此需要一个 CAN 卡来连接车辆与电脑上位机。

CAN 卡可以获取 CAN 总线上的报文，并通过 USB 接口与电脑连接，在电脑上有上位机软件来分析报文。上位机软件根据功能可分为以下几类。

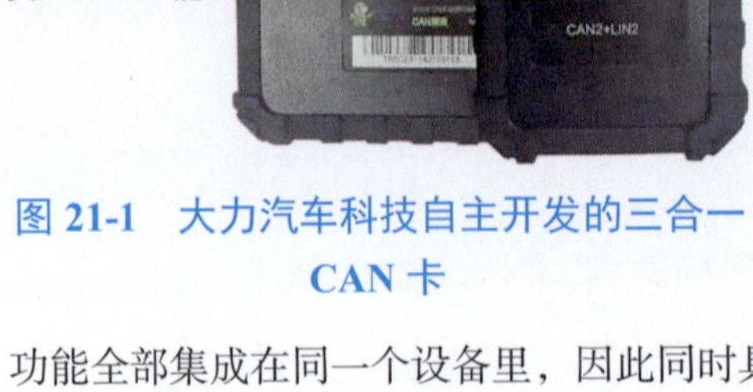

图 21-1　大力汽车科技自主开发的三合一 CAN 卡

（1）通用型上位机　这种上位机可截取、发送 CAN 报文，并可以通过 DBC 文件对报文进行分析。

（2）部件上位机　常见的一般是电池包的 BMS 上位机软件，可以对电池包做独立的诊断

（3）整车上位机　部分车企会开发一个整车上位机，用于对整车某些控制单元进行故障诊断。

如图 21-1 所示是大力汽车科技自主开发的一款三合一 CAN 卡，该卡将各种功能全部集成在同一个设备里，因此同时具备了 CAN 卡、LIN 卡、网关等功能。

二、CAN 卡截取 / 发送报文方法

在高压电子维修作业中，常需要截取某个部件的启动报文并保存好，用于在以后

维修好控制器后进行离线测试。

下面通过截取一段压缩机启动报文来介绍启动报文的截取方法。

第一步：在需要截取启动报文的部件上找到低压插接件，并根据电路图找到 CAN 线，将 CAN 卡的 CAN-H、CAN-L 接到低压插接件上的 CAN-H 与 CAN-L 上面，并将 CAN 卡的 USB 线与电脑连接（图 21-2）。

第二步：打开上位机（上位机软件为 ZCANPRO）后，在红色框内【设备管理】中选择 CAN 卡类型（图 21-3）。

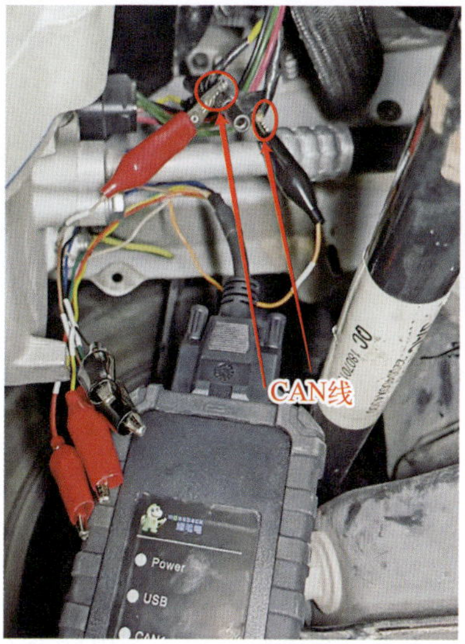

图 21-2　CAN 卡连接方法

图 21-3　上位机界面

第三步：打开【设备管理】后在【类型】处选择 CAN 卡类型，一般都是选择 USBCAN-Ⅱ，然后点击【打开设备】（图 21-4）。

通道 0 和通道 1 对应 CAN 卡上面的两组 CAN 线，根据所接的线进行选择。点击【启动】，然后会弹出一个波特率选择框，这里根据设备的波特率进行选择，一般选择 500kbps、250kbps、125kbps 居多（图 21-5）。

第四步：当波特率选择成功后，软件就会滚动显示由 CAN 卡截取回来的报文。如 9988　6.148300　0　0x235 CAN Rx 8 02 17 0A 00 00 40 0C 40，这里 9988 是接收回来的报文序号，6.148300 为时间标识，0x235 为报文的 ID，一般一个部件可能会有多个 ID，这里的 0x235 就代表压缩机，CAN 代表数据类型为 CAN 格式，Rx 代表该数据是由 CAN 卡接收回来的报文，8 代表数据共有 8 位，02 17 0A 00 00 40 0C 40 为实际报文信息，这个报文如果没有 DBC 文件是无法知晓其真实含义的（图 21-6）。

第五步：在车上按空调 AC 按键，让压缩机工作。在上位机中点击【暂停】，再点击【清空】，这样可以把数据框中的报文全部清掉，然后开始截取报文（图 21-7）。

第六步：点击【实时保存】，在弹出的对话框中选择报文格式为“.can”，并对报文命名（图 21-8 和图 21-9）。

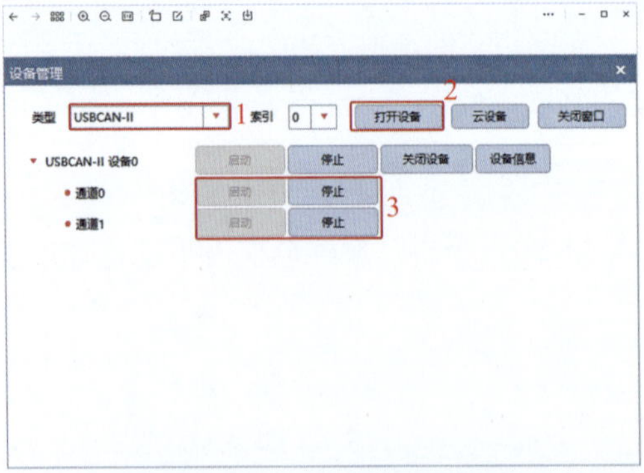

图 21-4　上位机软件设置

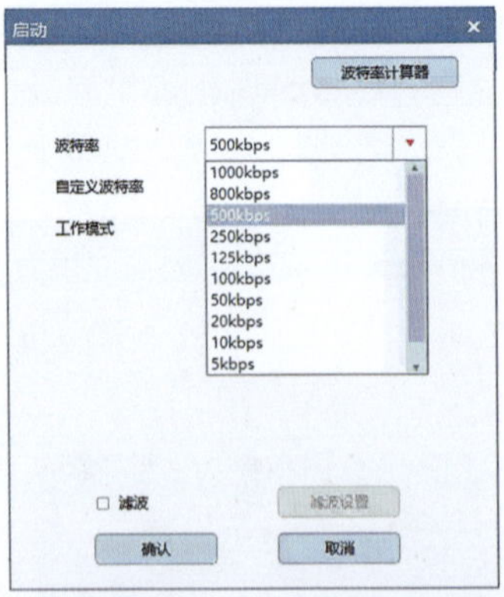

图 21-5　上位机软件设置

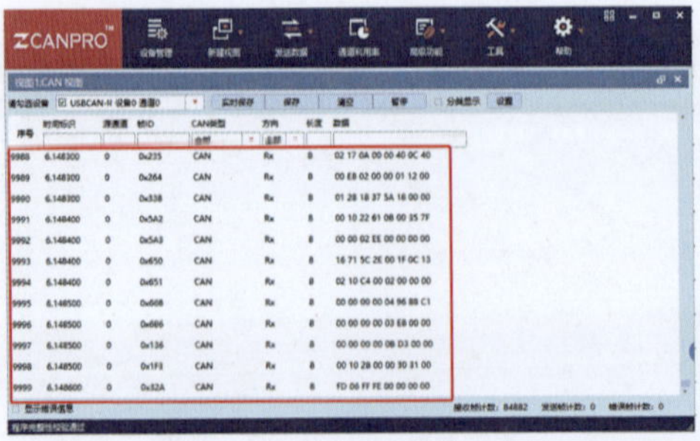

图 21-6　上位机软件报文

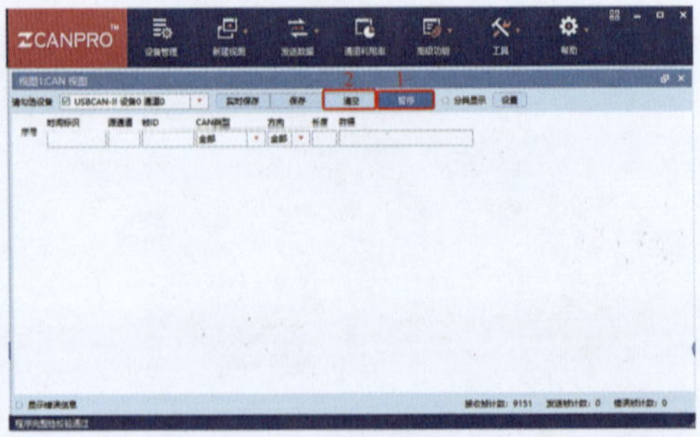

图 21-7　暂停截取报文

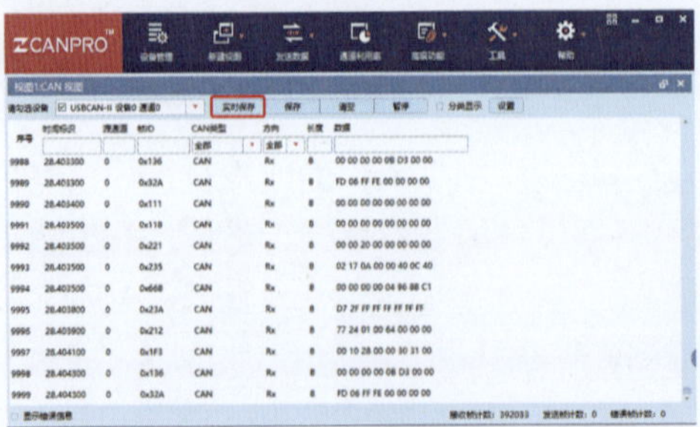

图 21-8　截取报文（一）

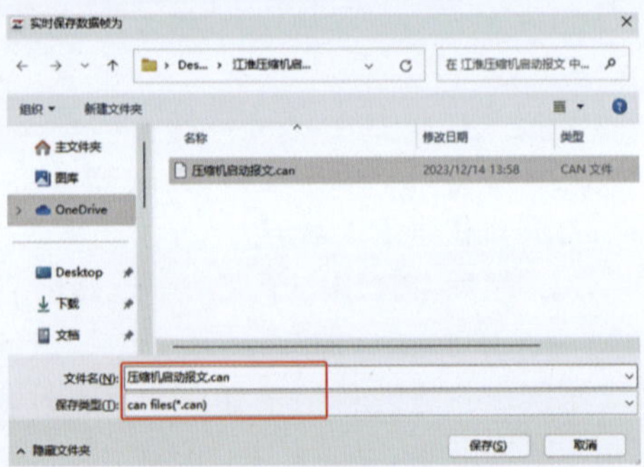

图 21-9　截取报文（二）

第七步：等报文运行一段时间后，就可以点击【停止实时保存】（图 21-10），这样就可以把压缩机的启动报文截取下来。

其他部件的启动报文截取方式与此相同。大家在平时应多收集一些好的启动报文，方便在后期维修时使用（图 21-11）。

报文发送可用作启动高压部件，这里仅对报文发送方法做解释。点击【发送数据】，选择【文件发送】（图 21-12）。

打开后这里基本不用设置，只需要在文件后面的三个点那里点击打开并选择需要发送的文件，点击发送即可（图 21-13）。如果发送后无法驱动部件，需要在【每次发送间隔】位置设置间隔时间为 10ms（图 21-14 和图 21-15）。

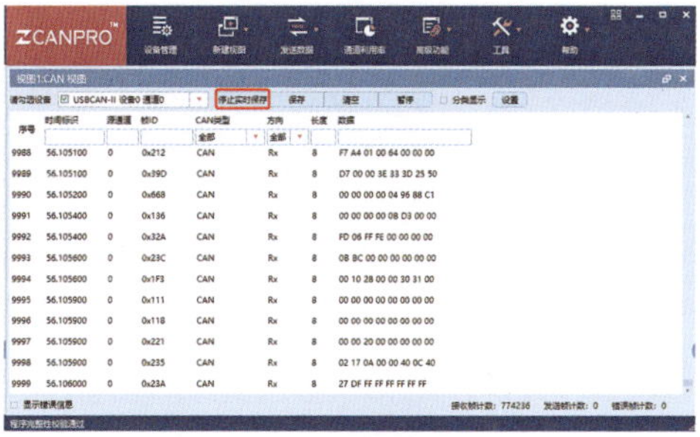

图 21-10　截取报文（三）

图 21-11　保存的报文

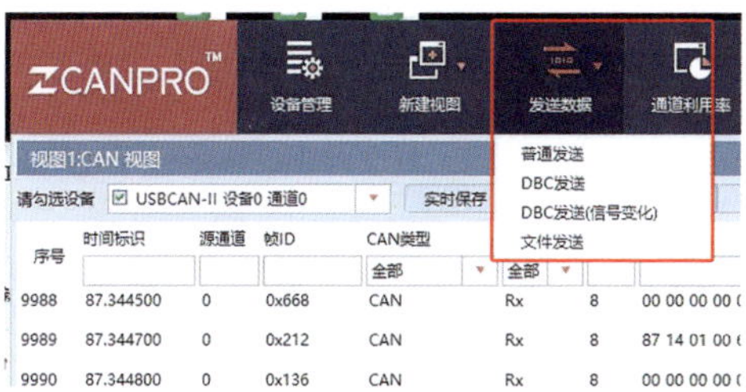

图 21-12　报文发送（一）

图 21-13　报文发送（二）

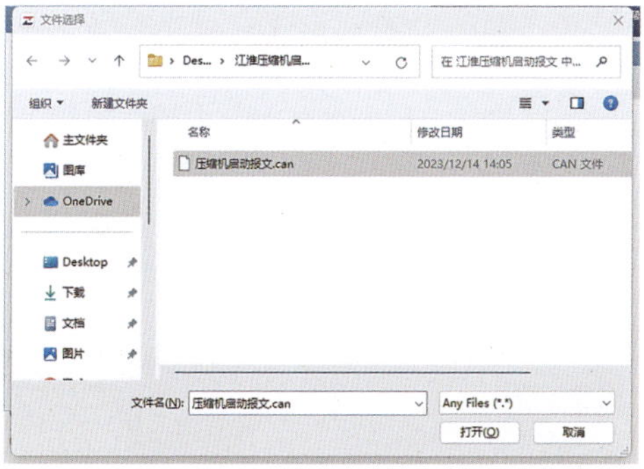

图 21-14　报文发送（三）

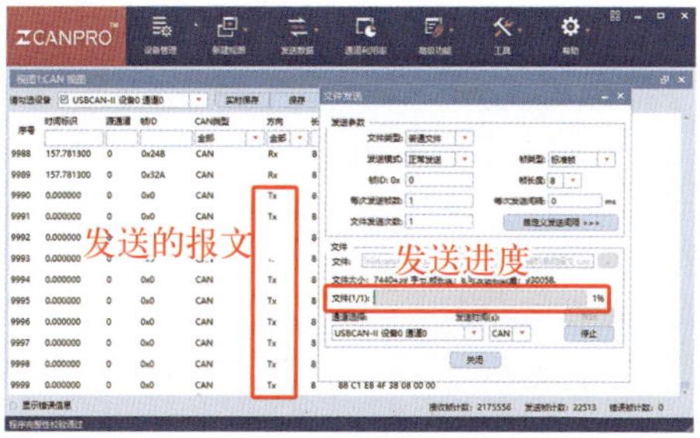

图 21-15　报文发送（四）

第二十二课时
电路板上的 CAN 通信电路

一、比亚迪压缩机 CAN 通信电路

如图 22-1 所示为比亚迪 HAEV-8103020A 型压缩机主板外观，图 22-2 为其 CAN 线部分细节。

图 22-1 压缩机主板外观

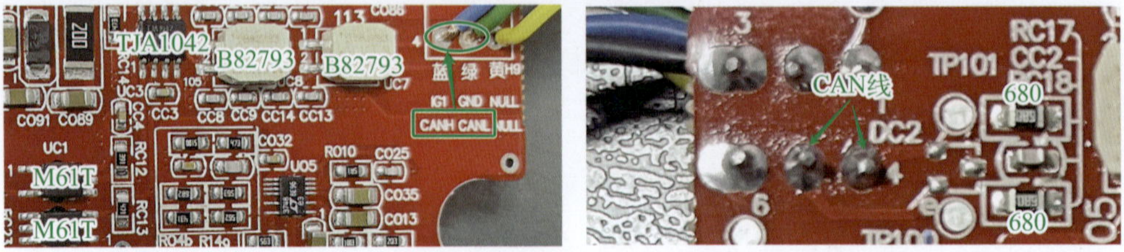

图 22-2 CAN 线部分细节

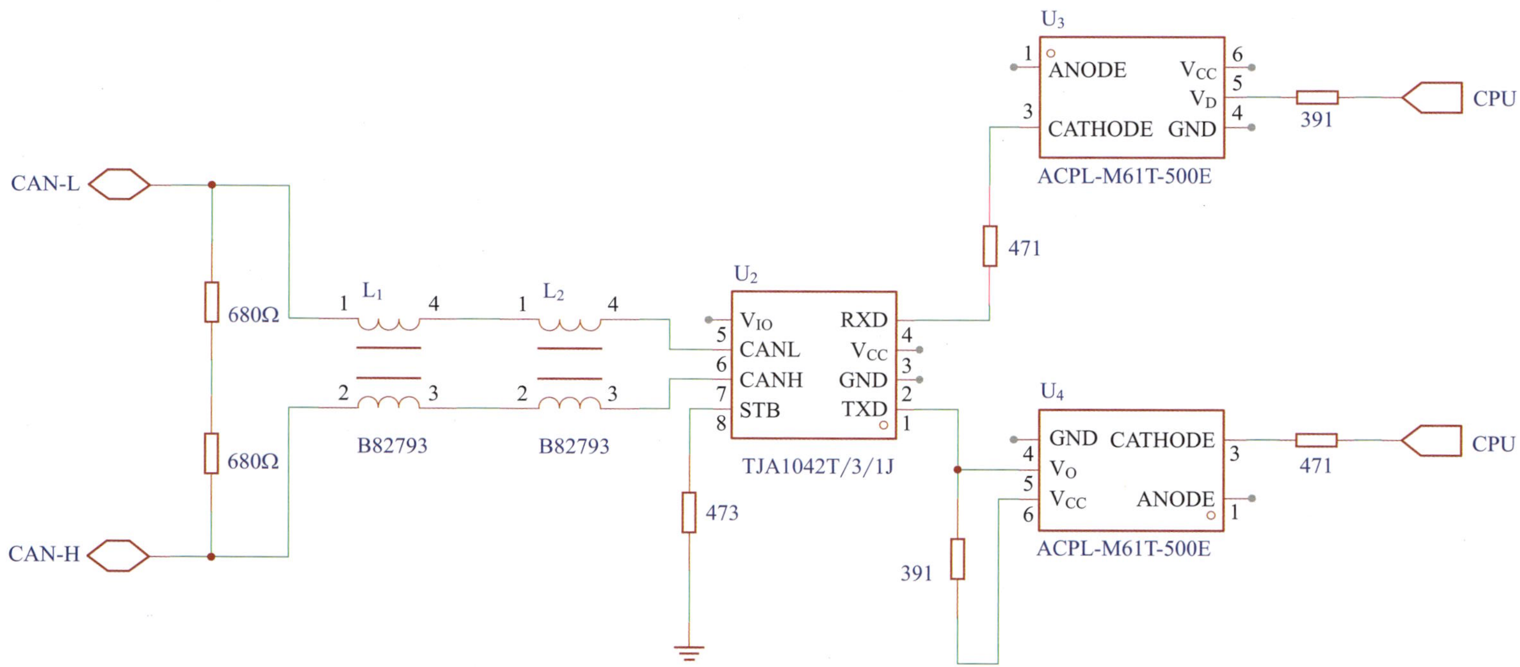
CAN-L
CAN-H
680Ω
680Ω
L1
L2
B82793
B82793
U2
VIO
CANL
CANH
STB
RXD
VCC
GND
TXD
TJA1042T/3/1J
473
471
391
U3
ANODE
CATHODE
VCC
VD
GND
ACPL-M61T-500E
391
CPU
U4
GND
VO
VCC
CATHODE
ANODE
ACPL-M61T-500E
471
CPU

图 22-3　CAN 线原理

CAN 线原理如图 22-3 所示。CAN 线进到压缩机控制电路板后，先在 CAN-H 和 CAN-L 之间用两个 68Ω 电阻串联构成 136Ω 的终端电阻（高速总线），接着进入两个 B82793 共模电感。

由于 CAN 线是差模信号（CAN-H 和 CAN-L 之间的电位差作为信号），因此对总线上的共模干扰非常敏感，一旦出现共模干扰（两根总线之间出现干扰电压）就会导致 CAN 信号失真，从而影响通信的可靠性。因此在 CAN 总线接入电路板后都会有共模电感滤波。

CAN 线从共模电感出来后进入 CAN 通信芯片（TJA1042T），CAN 通信芯片是单片机与外界通信的桥梁，CAN 通信芯片通过 TXD（发送）引脚接收来自单片机的信号，并通过 RXD（接收）引脚将总线上的信号发送给单片机。TJA1042T 的引脚定义见图 22-4。

CAN 线从 TJA1042T 通信芯片出来后通过光耦（M61T）与单片机连接，由于压缩机是高压部件，因此有高压击穿单片机的风险。如果单片机被高压击穿，则会导致整个 CAN 网络上的模块全部损坏，因此在这里使用光耦进行隔离。一般低压控制电路板没有光耦元器件做隔离。

M61T 光耦的引脚定义与电路原理如图 22-5 所示。

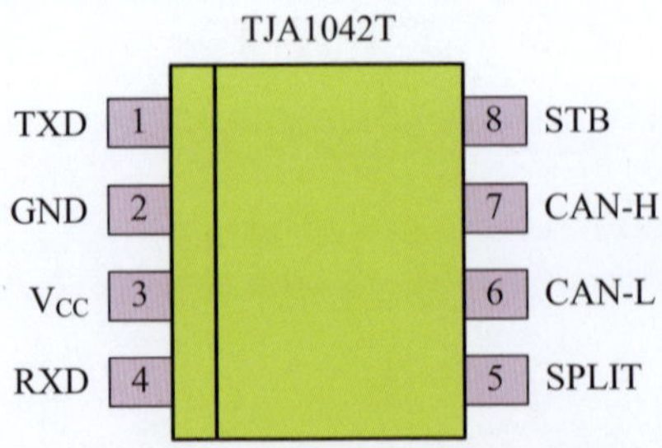

图 22-4　TJA1042T 引脚定义

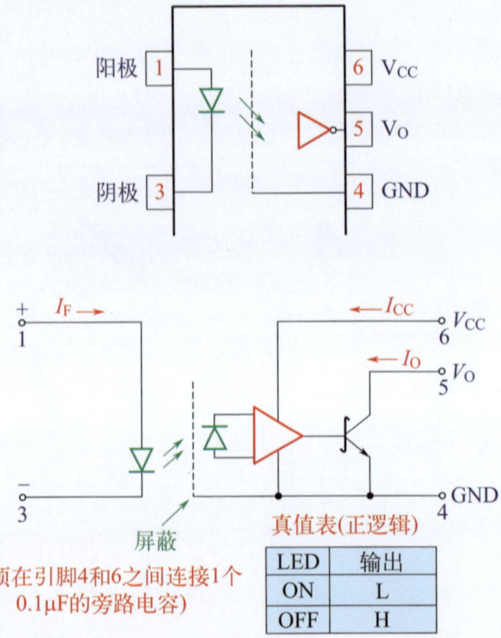

LED	输出
ON	L
OFF	H

图 22-5　M61T 光耦引脚定义与电路原理

二、CAN 通信故障诊断

当设备出现不能通信故障时，检查 CAN 通信电路的步骤应是先在路测量元器件是否正常，确定无短路、断路现象。

接着给设备供电，检查芯片的供电引脚是否供电正常，如图 22-6 和图 22-7 所示。如果供电异常，则需要检测电源电路。如果供电没有问题，则需要使用示波器检测 CAN-H、CAN-L 波形以及 TXD、RXD 波形，波形检测方法如图 22-8 ~ 图 22-11 所示。如果 CAN-H、CAN-L 无波形，TXD、RXD 有波形，则表明芯片故障；如果 TXD、RXD 无波形，则检测光耦；如果光耦前端依旧没有波形，则需要检测单片机引脚是否虚焊。如果以上均没有问题，则说明单片机故障，可以尝试刷一下数据，看是否可以解决故障。

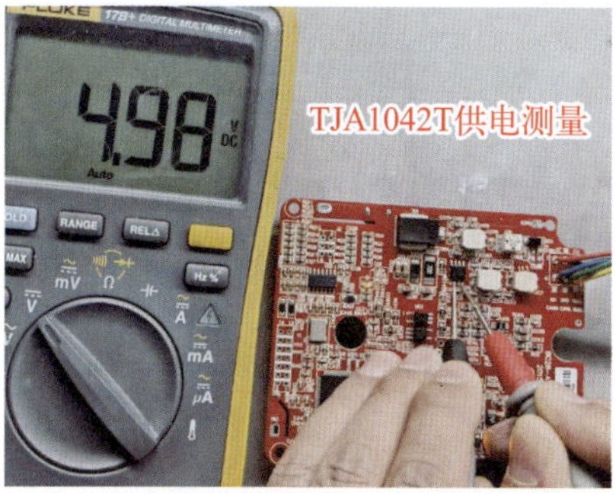

图 22-6　TJA1042T 供电测量

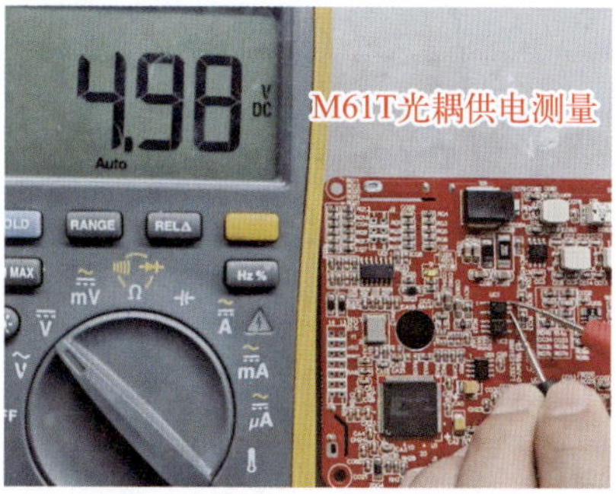

图 22-7　M61T 光耦供电测量

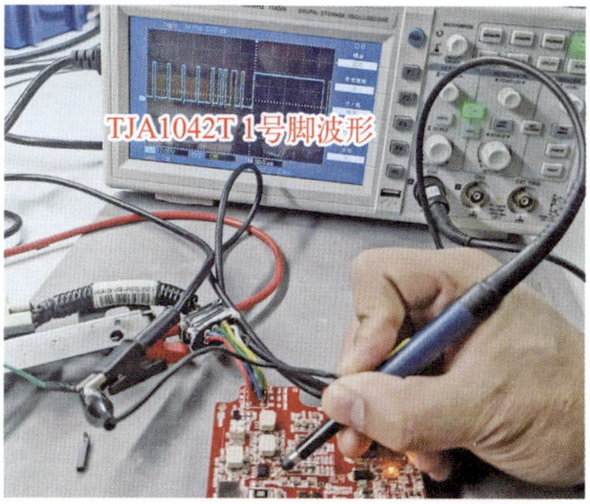

图 22-8　TJA1042T　1 号脚波形

图 22-9　TJA1042T　4 号脚波形

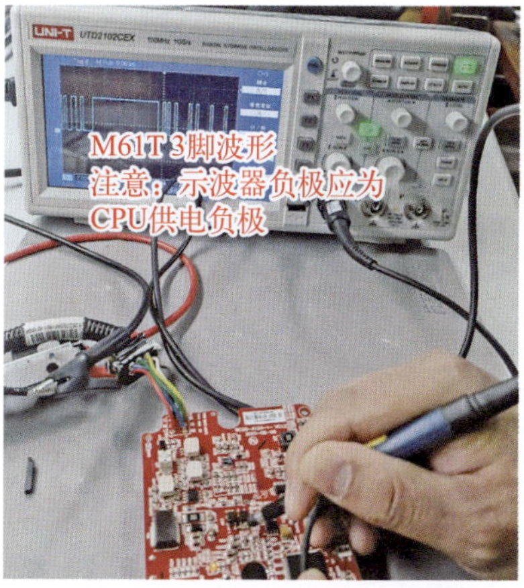

图 22-10　M61T 3 号脚波形

图 22-11　M61T 5 号脚波形

三、海立压缩机 CAN 通信电路

海立压缩机使用的是一个隔离 CAN 模块，其目的也是防止压缩机内部高压击穿后导致 CAN 线电压过高，从而烧毁其他模块。

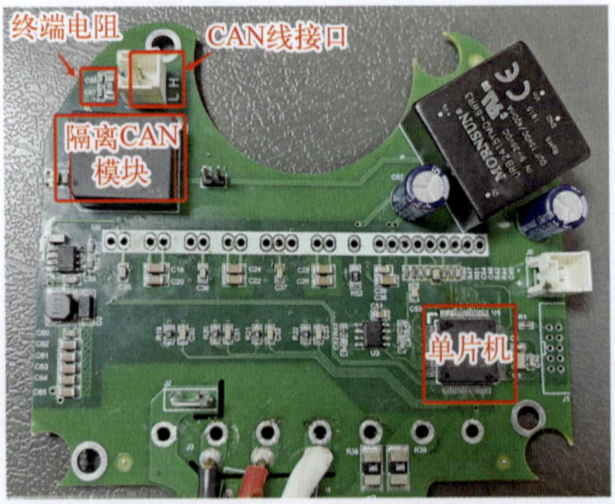

图 22-12 海立压缩机主板

在维修电路板上面 CAN 电路时，应根据低压接口找到 CAN 芯片或者 CAN 模块（图 22-12），并画出其基本结构原理图（图 22-13），再找到关键芯片的手册，在手册里面一般会有该芯片的引脚定义以及经典应用（图 22-14），根据这些信息对照电路板弄清楚 CAN 线的走向。

最后应测量关键芯片的供电与输入和输出信号的波形，以判断模块不能通信的故障点，并加以排除。

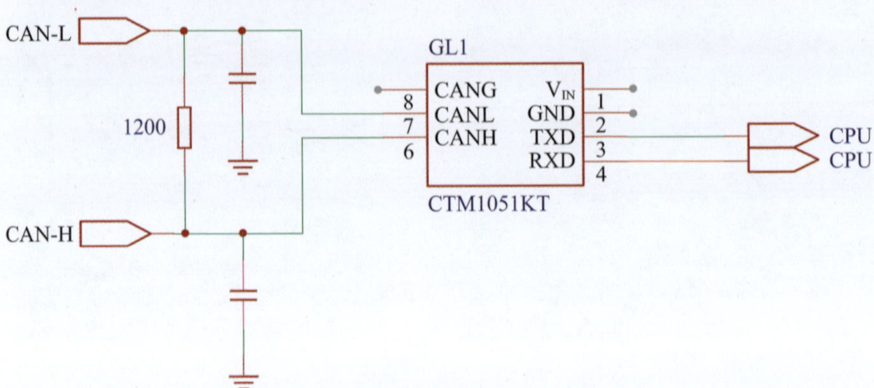

图 22-13 海立压缩机 CAN 原理

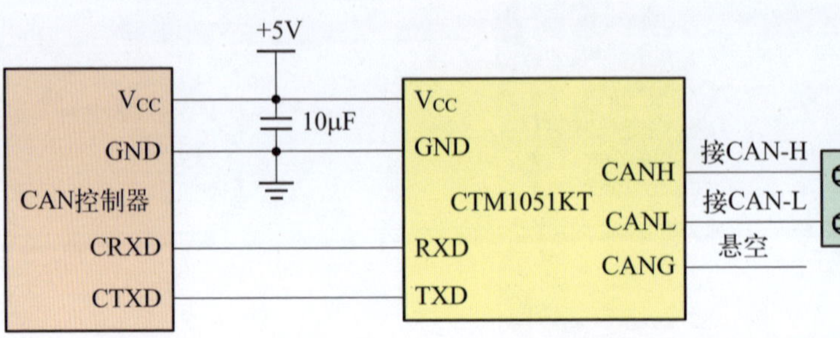

图 22-14 海立压缩机 CAN 模块典型连接电路

第二十三课时 LIN 通信电路

一、LIN 网络结构

LIN 总线在汽车上应用广泛，一般用作执行单元控制或者传感器数据采集。LIN 网络结构为主从结构，一般在一个 LIN 网络中有一个主机和多个从机（最多 16 个），主机在网络中的权重最高，它可唤醒从模块、发送驱动信息、获取从模块反馈信息。

LIN 网络通信速度慢、成本低廉，因此应用场景一般只在执行器控制与传感器数据采集上。

如图 23-1 所示为奥迪空调系统的 LIN 网络结构，在网络中空调面板为 LIN 网络主模块，风门电机、鼓风机等部件的驱动由主模块通过 LIN 总线控制，并且通过主模块可以在从机反馈报文上查询从机工作状态，以便主模块更精准地控制从模块工作，如果是传感器，则可以在从模块反馈的报文中获取传感器数据。

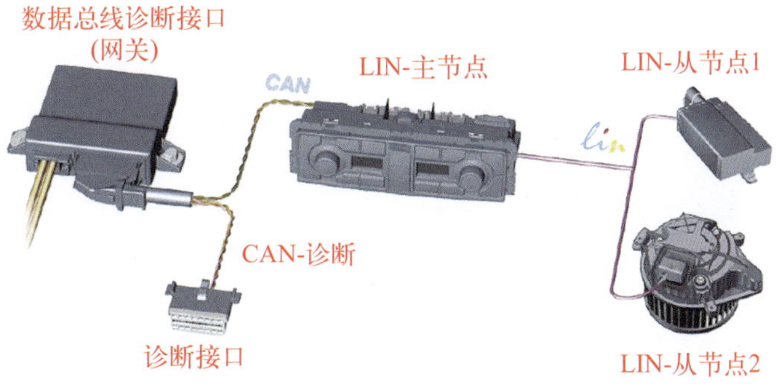

图 23-1　奥迪空调系统的 LIN 网络结构

如图 23-2 所示是 LIN 总线正常的波形，在没有数据传递时 LIN 总线上面的电压为12V，在传输数据时电压在0 ~ 12V来回变化。在实际测量时，可以使用万用表检查LIN总线上面的电压，在车辆休眠时总线电压大约是12V，在有数据传递时总线电压大约为9V。

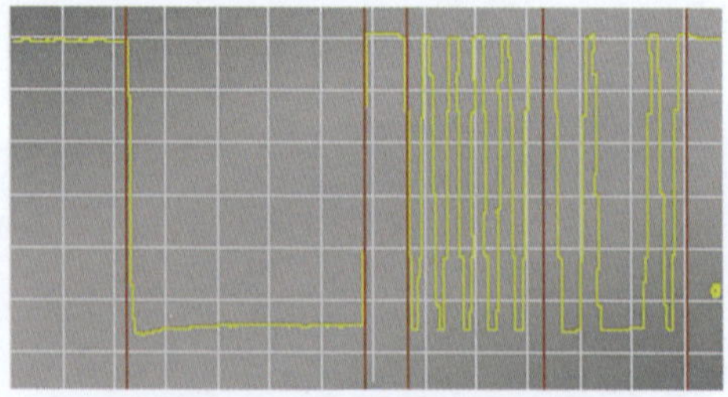

图 23-2　LIN 总线正常的波形

二、LIN 报文采集卡应用

在新能源汽车高压部件维修中有些部件是使用LIN总线唤醒并驱动的，因此在维修时就需要使用LIN报文采集卡（以下简称LIN卡）来唤醒或者驱动高压部件。这里结合三合一CAN卡来讲解如何使用LIN卡功能进行采集、发送报文，以实现部件的唤醒与驱动。

1. LIN卡连接与软件认识

在使用LIN卡时，无论是采集报文还是驱动设备都需要将LIN卡与设备连接。与CAN不同的是，LIN卡在连接时需要将其上的LIN线与设备的LIN线连接，并且将LIN卡上面的电源正负极与设备的电源正负极连接在一起，这样打开上位机就可以操作（图23-3）。

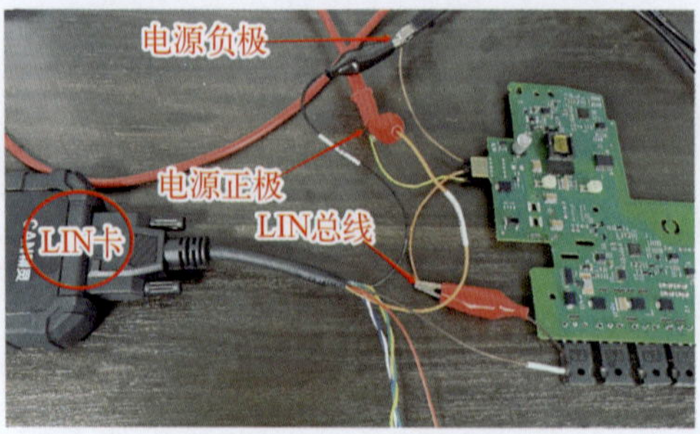

图 23-3　LIN 卡连接方法

打开上位机后，在弹出的对话框中选择LIN配置（图23-4），在弹出的对话框中选择打开所有通道，波特率一般默认。如果波特率不对，可改为19200，设置好后点击确定就可以打开LIN上位机。LIN上位机界面如图23-5所示。

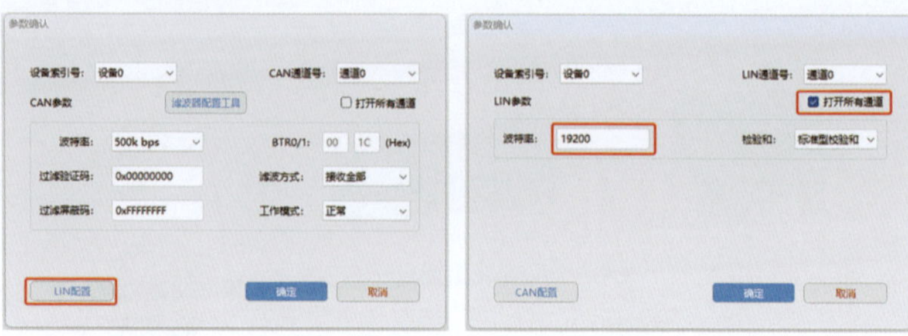

图 23-4　LIN 上位机连接

2. LIN报文保存方法

在驱动LIN总线设备时必须要有LIN报文方可驱动，获取驱动报文可使用LIN上位机的监听功能来实现。

在监听界面可选择【静态显示】和【动态显示】。一般截取报文选择【动态显示】（图 23-6），在这个界面中可滚动显示数据。在做数据分析时可用【静态显示】（图 23-7）。例如，LIN 卡接在压缩机的 LIN 线上，那么在显示的报文 ID 中就有一个是压缩机反馈的 ID，另一个是主机发送的 ID，这时只需要启动压缩机观察报文的变化，即可分辨出哪一个 ID 是主机发送的。当然在后面讲到的开发者模式中也有办法分辨从机和主机的 ID。

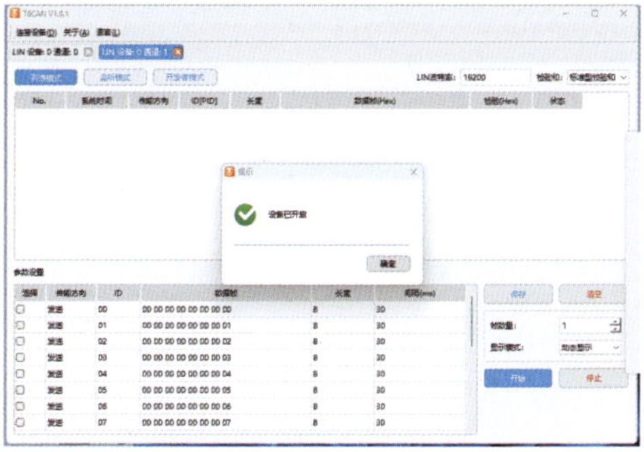

图 23-5　LIN 上位机界面

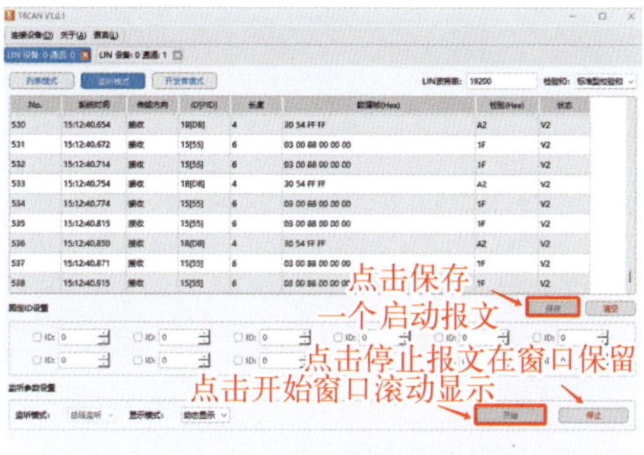

图 23-6　动态显示报文

在【监听模式】点击【开始】，窗口上就会滚动显示报文，此时按下 A/C 开关（对于其他部件，只要按开关启动部件即可）。启动后，点击【清空】，清空报文，等新报文运行一段时间后点击【停止】，此时在窗口中就会有一个完整的启动报文。当然也可以在【静态显示】下分析具体的启动报文是哪一个。

3. LIN 唤醒部件

在维修某些由 LIN 总线唤醒的部件时，需要让部件唤醒至工作状态，才可以测量部件来判断故障。此时就需要使用到 LIN 卡的【开发者模式】。

如图 23-8 所示，点击【自动识别从机】后，CAN 卡为主机模式，开始识别从机，当进度条走完后就会在【列表模式】下显示识别出来的从机 ID，在图 23-9 中可以看到识别的从机 ID 为 18。

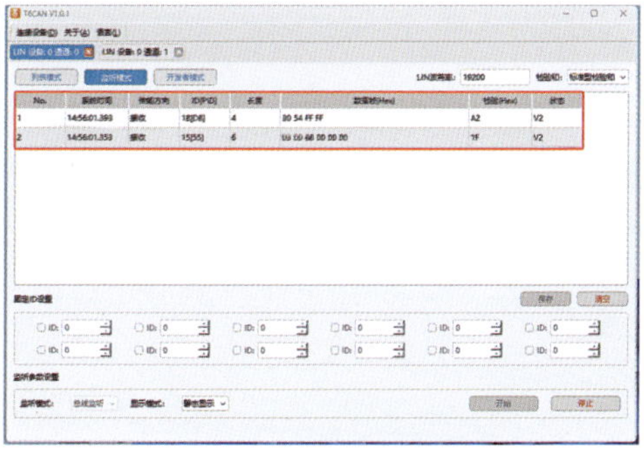

图 23-7　静态显示报文

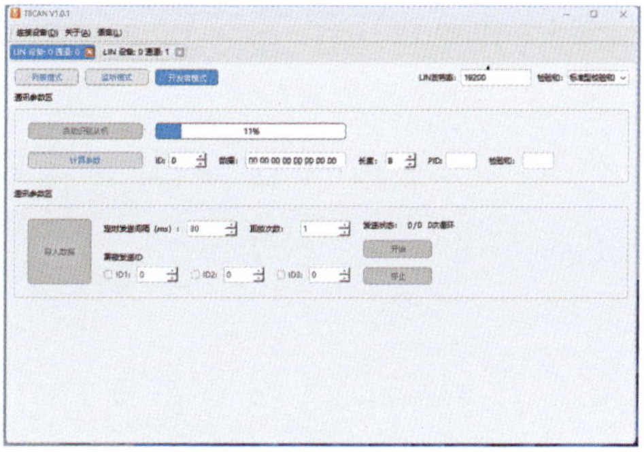

图 23-8　自动识别从机

在【列表模式】下（图 23-10），在【参数设置】中将第一条打勾，传输方向改为接收，ID 改为 18，帧数量改为 10000，点击【开始】，此时设备就会连续识别从机 ID，这样从机就处于持续被唤醒状态，以便于进行维修测试。

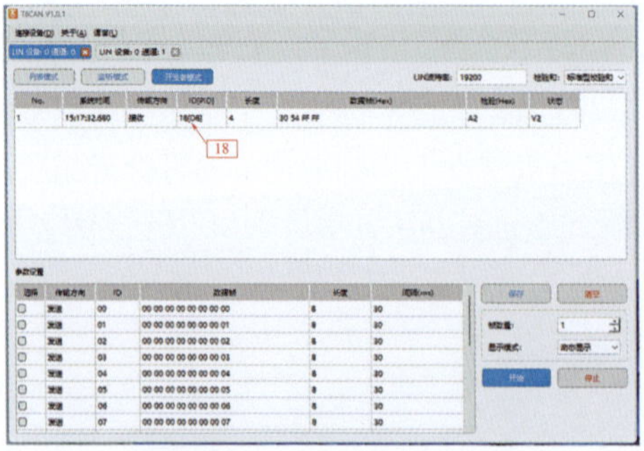

图 23-9　显示从机 ID

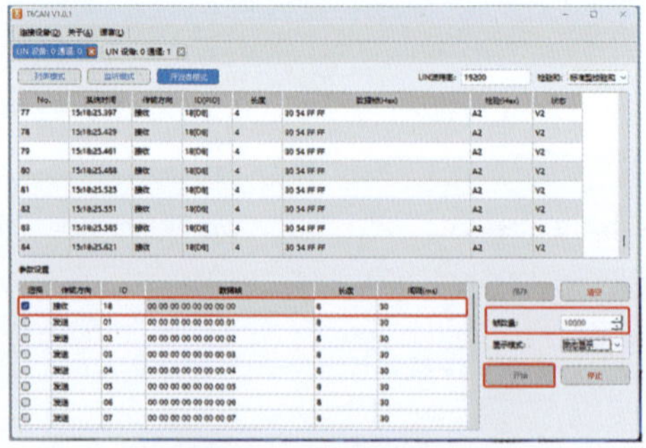

图 23-10　持续唤醒从机

4. 报文分析

LIN 总线的报文比较简约，因此分析出其作用也是相对来说较为简单的，这里以大众车型左后车窗为例来分析报文的含义。分析报文的含义是为了以后再次驱动部件时更为简约。

首先将 LIN 卡连接至后车窗电机的 LIN 线上，并打开【监听模式】，在这个模式下选择【静态显示】就会显示 ID 以及报文。首先要知道主驾开关的 5 个信号：开关停止、点动上升、点动下降、一键上升、一键下降（图 23-11），在报文分析时实际就是找到这个 5 个开关信号对应的报文是什么。当然在前面的学习中大家一定有办法分辨 ID 的含义，这里不再赘述。

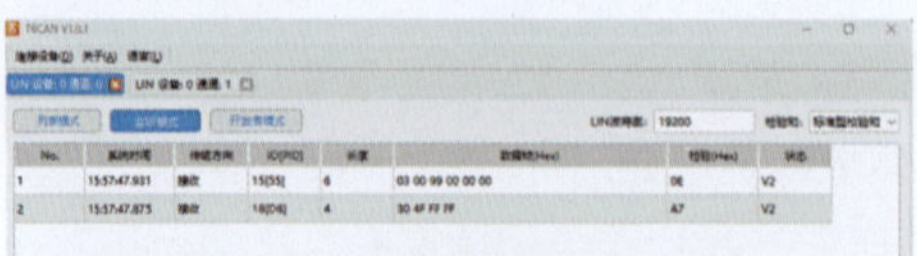

(a) 开关停止

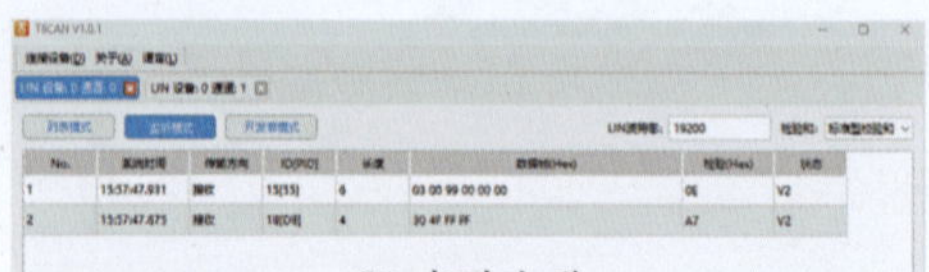

(b) 点动上升

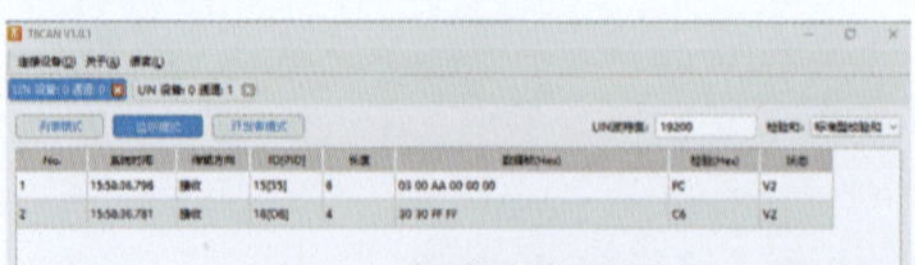

(c) 点动下降

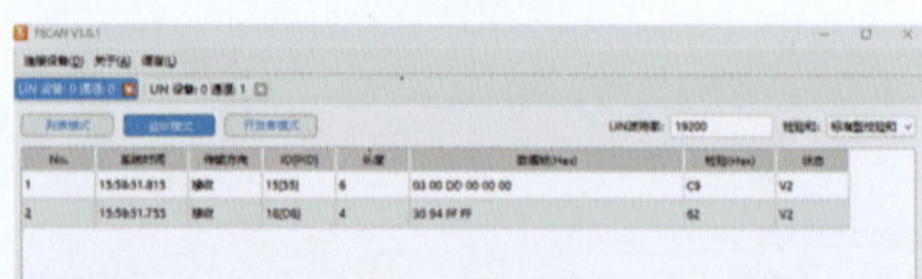

(d) 一键上升

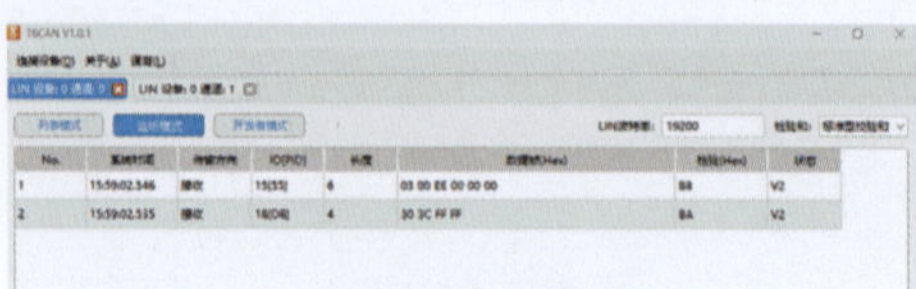

(e) 一键下降

图 23-11　报文分析

通过【静态显示】下的报文，在操作左前开关控制左后车窗动作时，可以发现 ID 为 18 的报文是跟随车窗升降实时变化的，同时从在前面的分析中可知该报文是电机反馈的报文，因此可以推导出该报文是电机反馈的车窗玻璃位置信息。

在不同状态按下左前开关时，可以看出报文 ID 为 15 的是主机发送的控制报文。

在按下左前开关时观察报文变化可得出：

车窗点动升 ID 15 03 00 99 00 00 00
车窗点动降 ID 15 03 00 AA 00 00 00
车窗一键升 ID 15 03 00 DD 00 00 00
车窗一键降 ID 15 03 00 EE 00 00 00
车窗不动作 ID 15 03 00 88 00 00 00

通过以上动态显示保存报文以及静态显示分析报文，都可以获取部件驱动报文。

5.发送报文驱动部件

在前面的分析中，获得了可以驱动部件的报文。接下来将介绍使用两种方式来驱动部件。

（1）整包发送　在【开发者模式】选择【导入数据】，在弹出的窗口中选择需要发送的报文，点击打开，接着在上位机中点击【开始】，这样上位机就把保存的报文依次发送给部件，以此达到驱动部件的目的（图 23-12 ～图 23-14）。

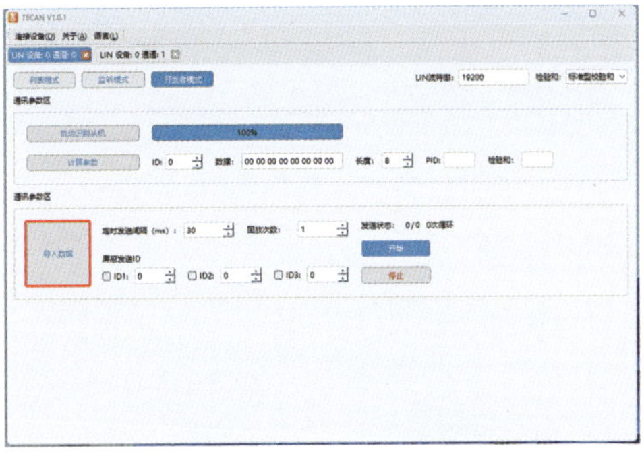

图 23-12　导入数据

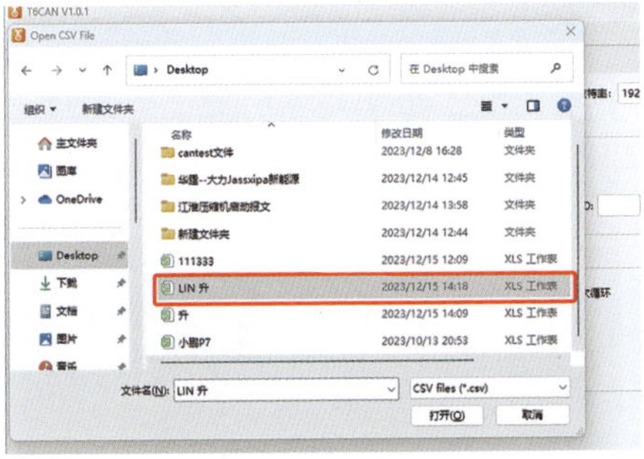

图 23-13　加载报文

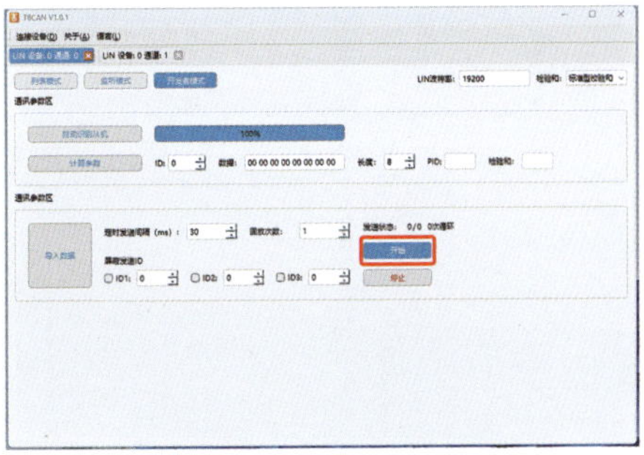

图 23-14　发送报文

（2）列表模式逐帧发送　已知不同状态的报文格式，则可以使用列表模式以逐帧发送的方式来驱动部件。在列表模式下的【参数设置】中第一条传输方向改为接收，ID 改为 18、长度改为 4；第二条传输方向改为发送，ID 改为 15，输入需要驱动结果的报文，长度改为 6，在帧数量中改为较大，这样即可以持续发送驱动报文。

注意这里驱动时需要将部件的 LIN 总线与车上的主模块断开，如果是独立驱动部件则无须操作。长度为截取报文的长度，间隔时间一般 30ms 左右（图 23-15）。

一切调整好后点击开始，即可驱动部件。

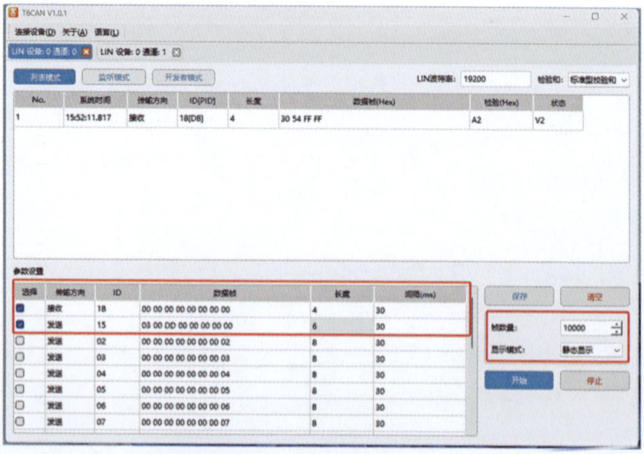

图 23-15　逐帧发送驱动

三、LIN 总线电路结构

1. 吉利 PTC 模块 LIN 线

如图 23-16 ~ 图 23-18 是吉利 PTC 模块的 LIN 总线原理、实物及芯片引脚定义。

由图 23-16 可知，LIN 总线进入电路板后先是通过一个双向稳压二极管对 LIN 线电压做钳位，同时通过一个电容滤除 LIN 线上的高频干扰，然后 LIN 总线通过 0Ω 电阻直接与单片机 1 号引脚连接，通过对单片机的引脚定义查询得知该单片机的 1 号脚本身就是一个 LIN 通信接口，内部集成 LIN 通信模块。

根据其电路原理，该模块如果 LIN 总线不通信，则在 LIN 总线本身的电路中故障率较低。其中只要保证二极管没有击穿、电容没有短路、电阻没有开路、元器件没有虚焊，那么故障点大概是在单片机或者单片机的程序上。

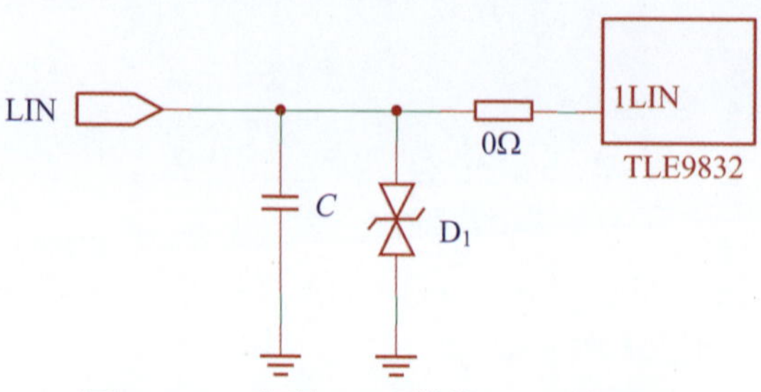

图 23-16　吉利 PTC 模块 LIN 线原理

图 23-17　吉利 PTC 模块 LIN 线实物

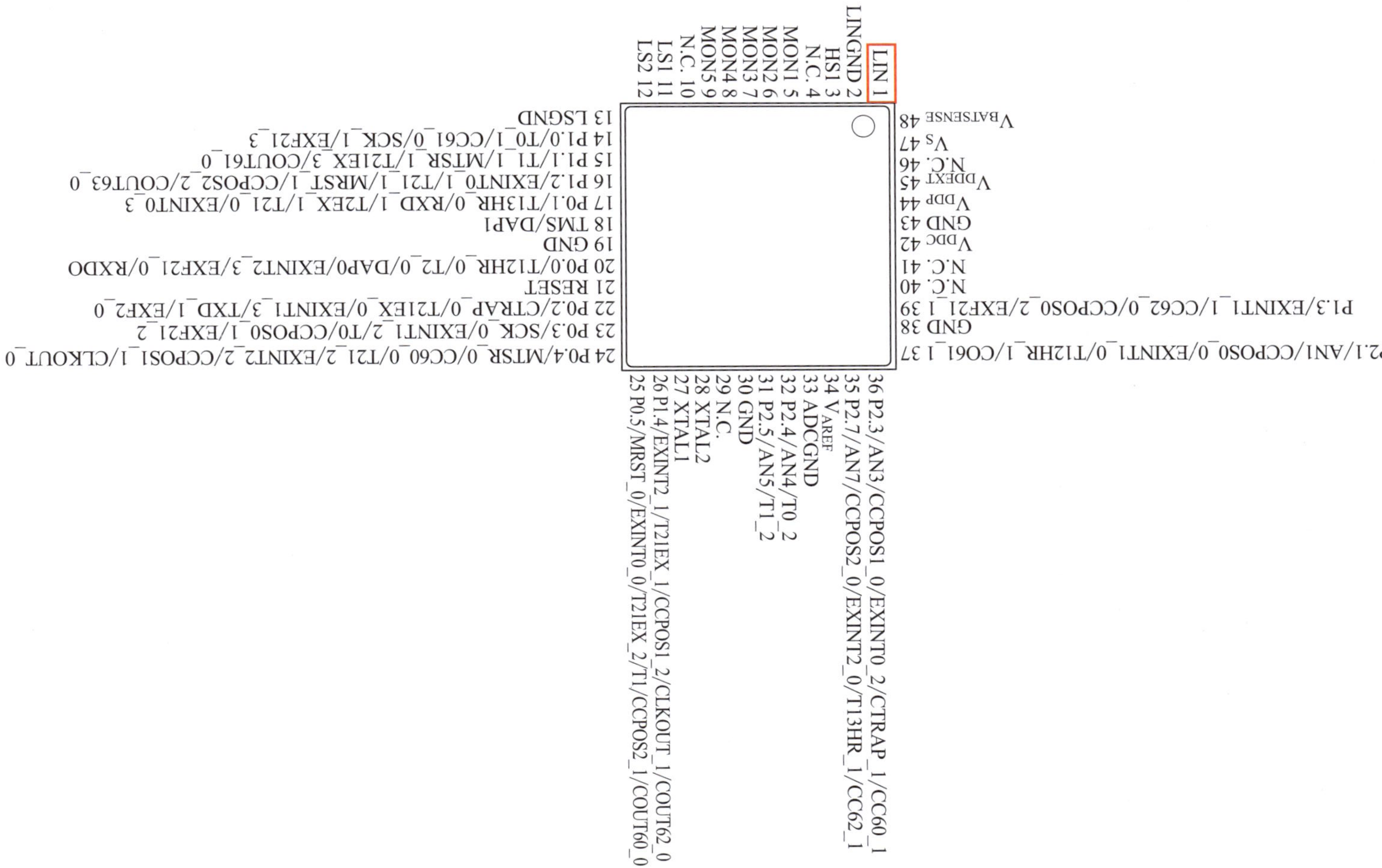

图 23-18　吉利 PTC 模块 TLE 9832 芯片

2. 三菱压缩机 LIN 线

三菱压缩机 LIN 线原理及电路结构如图 23-19 ~ 图 23-22 所示。

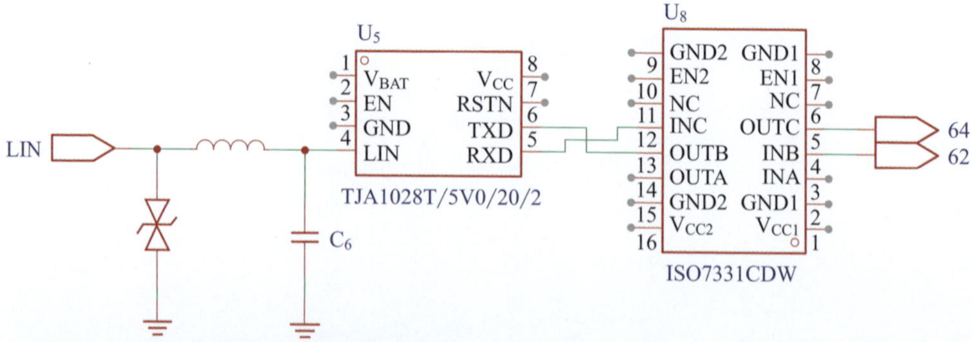

图 23-19　三菱压缩机 LIN 线原理

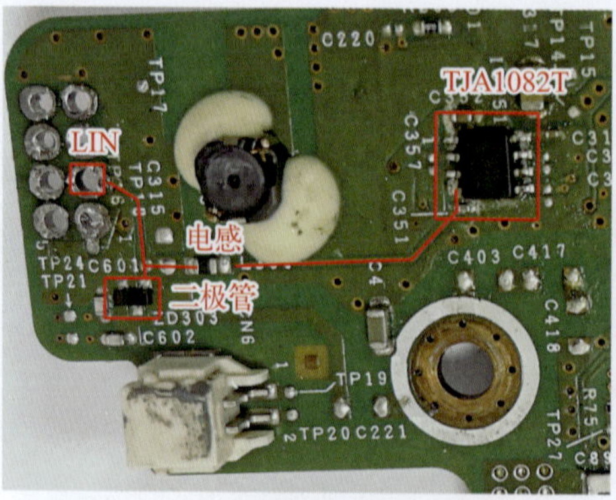

图 23-20　三菱压缩机 LIN 线电路结构（一）

图 23-21　三菱压缩机 LIN 线电路结构（二）

图 23-22　三菱压缩机 LIN 线电路结构（三）

三菱压缩机使用的 LIN 总线通信模式，LIN 总线进电路板后先经过一个稳压二极管钳位电压，再经过电感与电容组成的滤波电路来滤除高频干扰后进入 LIN 通信芯片 TJA1082T 的 4 号脚，通信芯片的收发引脚 TXD、RXD 接到芯片 ISO7331，ISO7331 是一个隔离芯片，12 号脚INC为输入引脚（对应5号脚RXD），13 号脚OUTB输出（接通信芯片 6 号脚 TXD），这样 TJA1082T 芯片收发引脚经过隔离芯片 ISO7331 隔离后与单片机 64 号脚和 62 号脚通信。

在压缩机 LIN 总线发生故障时，应先检查通信接口至 TJA1082T 的 4 脚是否有开路、稳压二极管是否短路、电感是否开路、电容是否短路。排查故障后检查 TJA1082T 的供电是否正常，使用示波器检测 TXD、RXD 是否有波形。若没有波形则继续检测隔离芯片 INB、OUTC 是否有波形，并且检查隔离芯片的两组供电是否正常，V_{CC2}、GND2 为低压接口的供电，V_{CC1}、GND1 为经过隔离变压器输出的电源，与 V_{CC2}、GND2 不为一套电源（图 23-23 和图 23-24）。

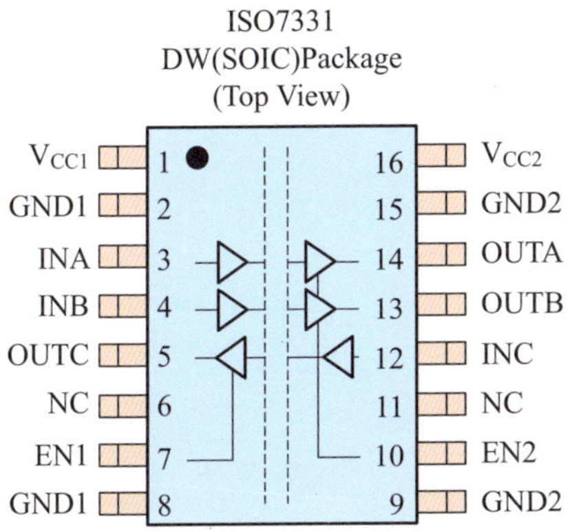

图 23-23 ISO7331 芯片引脚定义

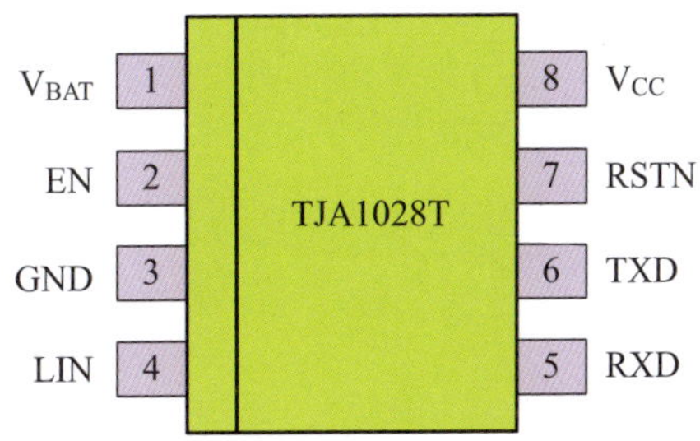

图 23-24 TJA1082 芯片引脚定义

第二十四课时 EMC 电路

一、EMC 电路的作用

EMC（电磁兼容性）电路是很多电路接口必备的电路，如 CAN 总线接口电路、220V 电源电路、12V 电源电路等都会应用到 EMC 电路。EMC 电路包含 EMI 电磁干扰、EMS 电磁敏感性。本课时主要介绍电源电路中 EMC 电路设计的作用以及电路结构。

以交流充电机为例，交流输入端有来自电网的电磁干扰，主要分为差模干扰和共模干扰，针对这两种不同的干扰，分别采用不同的电路来解决。

差模干扰一般采用差模电容进行滤除（X 电容），共模干扰一般采用共模电感与共模电容（Y 电容）滤除。

如图 24-1 所示，蓝色电流在零火线之间形成电流回路，称为差模干扰信号；橙色电流是零火线共同流向保护接地的，称为共模干扰信号。

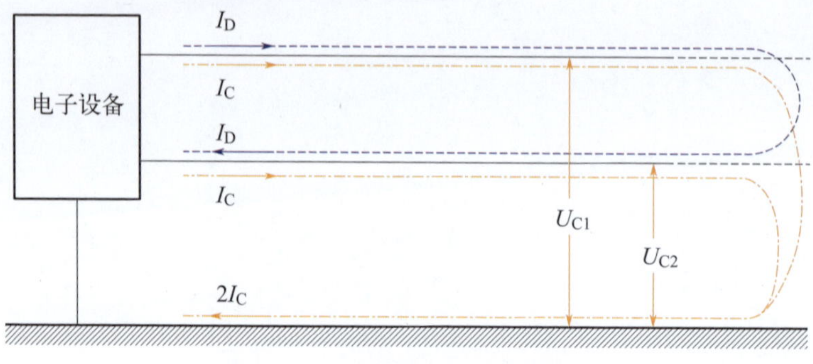

图 **24-1** 差模、共模干扰电流

1. 共模干扰

一般在输入交流电源中共模干扰指的是交流电源受雷电、附近的电弧或者附近的大功率辐射装置对其产生的干扰。共模干扰会导致干扰电流同时经 L 线和 N 线流入大地。

共模干扰的电流大小不一定相等，但是方向（相位）相同，电气设备对外的干扰多为共模干扰，一般共模干扰不会对电气设备产生影响，但是如果共模干扰转变为差模干扰则会对设备产生危害。

一般会采用共模电感与 Y 电容来滤除电路中的共模干扰。在电路中接入共模电感后，当有共模干扰电流流经线圈时，由于共模电流的同向性，使线圈表现出高阻抗，产生阻尼效果，以衰减共模干扰电流（图 24-2）。在零火线之间串联两个安规电容，并在串联点接入保护接地（PE）。当零火线出现共模干扰时，由于电容两端电压不能突变，因此共模电流会通过安规电容流入 PE，从而衰减共模干扰电流，这种电容接法叫作 Y 电容。

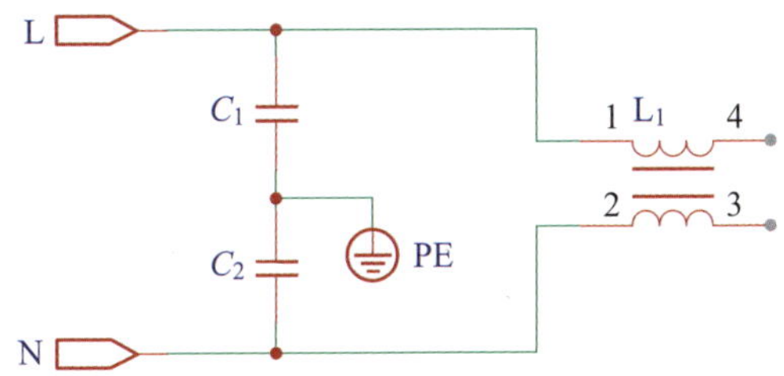

图 24-2 共模干扰滤除电路

2. 差模干扰

差模干扰是指零火线之间存在干扰，电流在零火线之间流动。

解决差模干扰的方法一般是在零火线之间接安规电容，根据电容两端电压不同突变的原理，零火线之间出现高于信号的差模干扰就会被差模电容吸收，这个电容称为 X 电容。

二、小鹏 G3 充电机 EMC 电路

小鹏 G3 使用的是欣锐充电机，该充电机在新能源汽车上应用广泛。装在其他车型上外观与电路板结构基本一致。

如图 24-3 ～图 24-5 所示，该充电机的交流电经充电机后，先经过两个保险 F1、

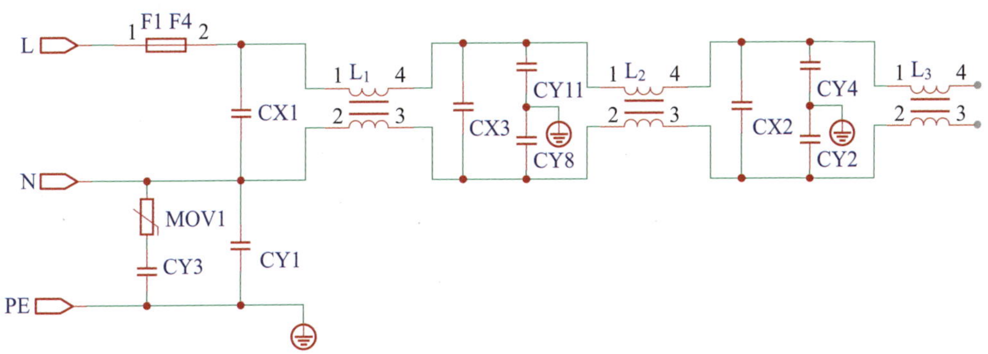

图 24-3 小鹏 G3 充电机 EMC 电路

F4 并联后进入 EMC 电路。该 EMC 电路由 3 个 X 电容、6 个 Y 电容、3 个共模电感构成。在 EMC 电路检修中一般直接使用万用表测量输入零火线间是否有短路，如果无短路表明 EMC 电路基本无故障，如果有短路应检查 X 电容与 Y 电容。

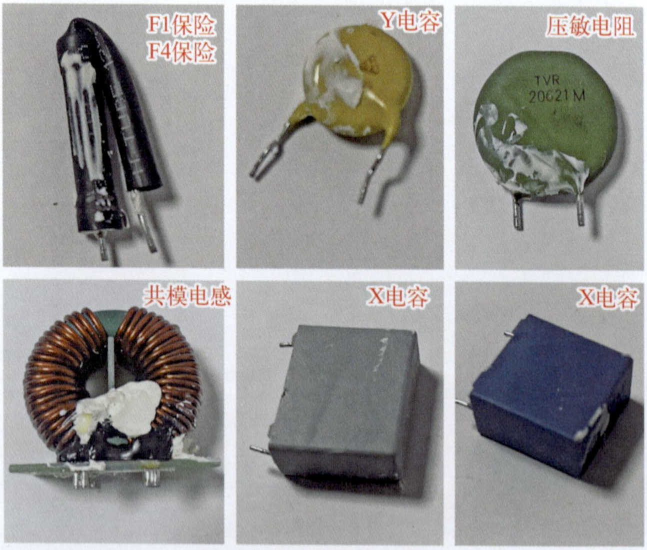

图 24-4　小鹏 G3 充电机 EMC 电路元件

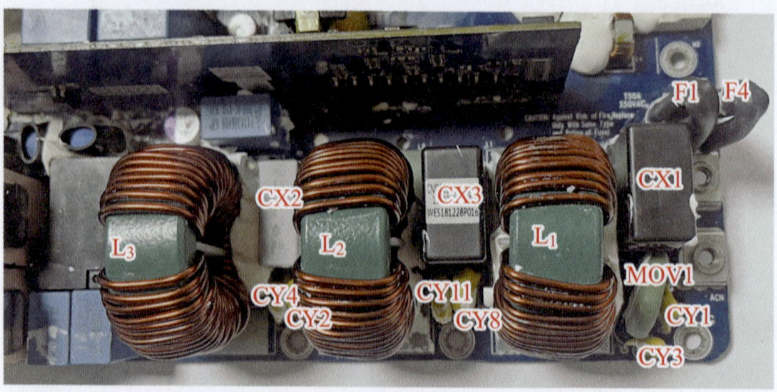

图 24-5　小鹏 G3 充电机 EMC 电路实物

三、比亚迪双向 OBC EMC 电路

比亚迪双向 OBC 支持交流放电，因此与交流输出口的 EMC 电路略有区别。交流电进入 OBC 后先经过 Y 电容 CY111、CY112 滤除共模干扰后，在零火线之间串联两个压敏电阻，串联点接一个气体放电管 D_1。该电路是防止雷击对设备产生损坏，当雷击发生后高电压击穿压敏电阻并经过气体放电管与 PE 线形成回路，以此保护后级电路（图 24-6）。

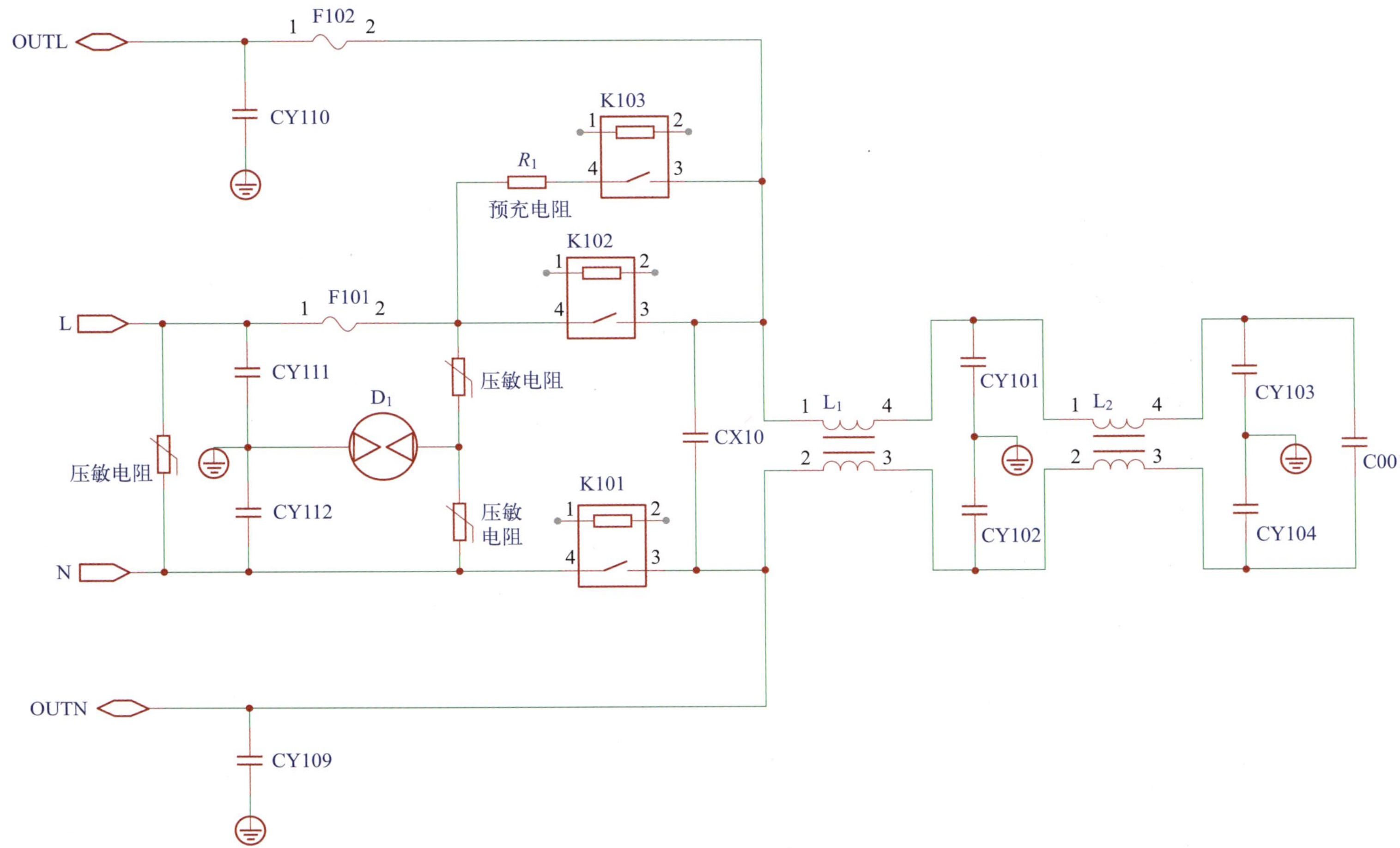

图 24-6 比亚迪双向 OBC 原理

再经预充继电器 K103 与主正继电器 K102、主负继电器 K101 到后级，在继电器后面装有两个共模电感，并装有两套 Y 电容用来滤除共模干扰，和一个 X 电容（CX10）用来滤除差模干扰（图 24-7）。

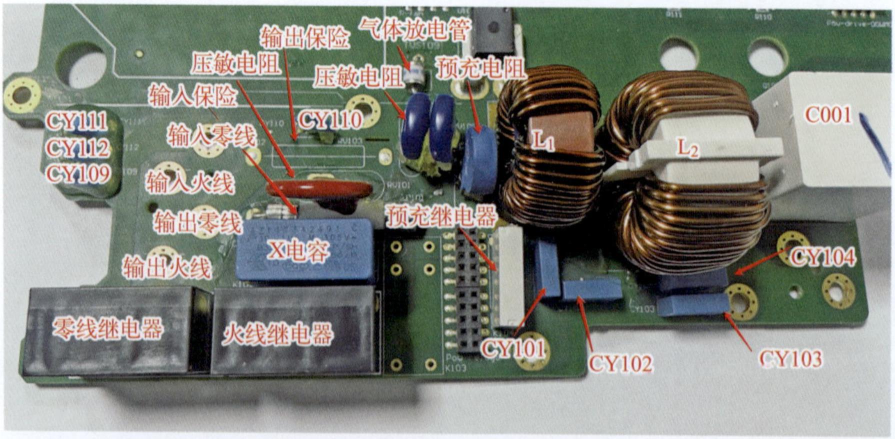

图 24-7　比亚迪双向 OBC 实物

第二十五课时
BUCK 降压电路

一、BUCK 降压电路原理

BUCK 降压电路是一种基于电感储能原理的 DC/DC 变换器，在 BUCK 电路中，主要通过控制开关管的导通占空比来控制输出电源电压，从而满足不同电路的供电需求。

电路工作原理如下（图 25-1）。

当开关管导通时，电流流经电感，电感储存电能，并给电容充电，电容电压上升。

当开关管断开时，电容的能量会继续传递到负载上，此时电感储存的磁能会转换成电能，方向为左负右正，给负载供电，D_2 二极管导通，电流回到电感左边。

在这个电路中，开关管的频率决定了电感的大小，开关管的占空比决定了输出电压的高低。输出电压与占空比之间的关系为

$$输出电压 = 输入电压 \times 占空比 \times \eta$$

式中，η 为功率因子，一般 η 为 0.8 ~ 0.95。

如图 25-1 所示为一个非同步 BUCK 降压电路拓扑，在这个电路中开关管断开时，是由二极管被动打开为电感电流提供回路的。因为二极管有管压降，会导致非同步 BUCK 降压电路在二极管上的消耗能量较大，所以非同步 BUCK 电路效率较低，但是其电路特点是不需要复杂的控制电路，成本相对来说较低。

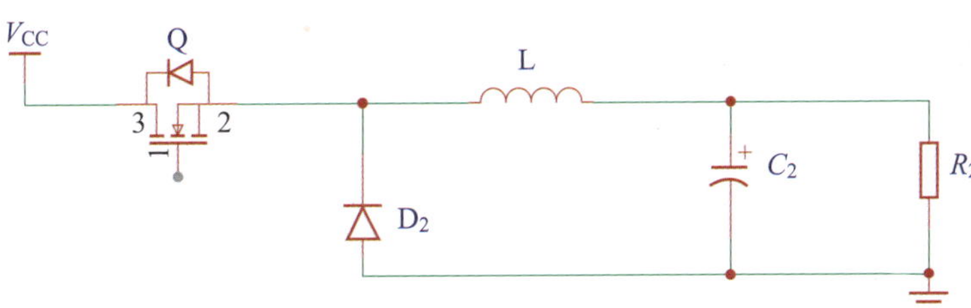

图 25-1　BUCK 降压电路拓扑（一）

如图 25-2 所示为一个同步 BUCK 降压电路拓扑，这个电路中将二极管换成了 MOS 管，这样电路中就有两个 MOS 管，其中 Q 为上管、Q_1 为下管。上管导通时电流经电感给电容充电并且给负载供电，上管断开时下管导通，为电感提供回路，继续给电容充电，并为负载提供能量。

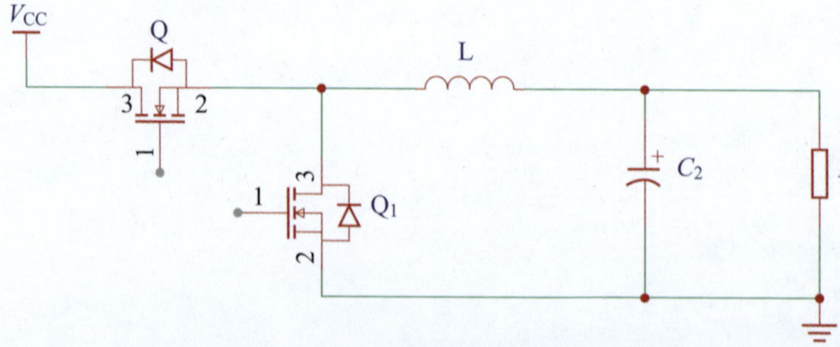

图 25-2　BUCK 降压电路拓扑（二）

这里因为 MOS 管导通后无管压降，因此少了一个管压降上的消耗电能，使电路的效率更高，但是控制电路相对来说更复杂。

二、三端稳压芯片

新能源汽车电路板维修中，单独使用 BUCK 降压电路较少。毕竟 BUCK 降压不是隔离电路，一旦电路出现故障后就有可能出现输入电压直接加载到输出设备上，导致用电设备直接烧毁的问题。

因此在电路板中一般常用三端稳压芯片来做降压电路使用，下面介绍几个常见的三端稳压芯片。

图 25-3　7805 稳压芯片

7805 稳压芯片（图 25-3）应用非常广泛，只需要搭配简单的外围电路即可获取稳定的 5V 稳压输出。

如图 25-4 所示为 7805 稳压芯片的电路结构，IN 为输入电源，不同厂家的 7805 输入电压有区别，输出电流也有区别。OUT 为输出，为标准 5V 电压。输入端和输出端各配备两个电容，一个电容容量大，一个电容容量小，大电容滤除低频干扰，小电容滤除高频干扰，这样就可以获得纹波较小的直流电给设备供电。

78 系列稳压芯片型号非常多，78L05 的含义：78 为产品系列，L 代表输出电流为 0.1A（M 代表 0.5A，无字母代表 1.5A），05 代表输出电压为 5V（还有 6V、7V、8V、9V、10V、12V、15V、18V、24V 等型号）。

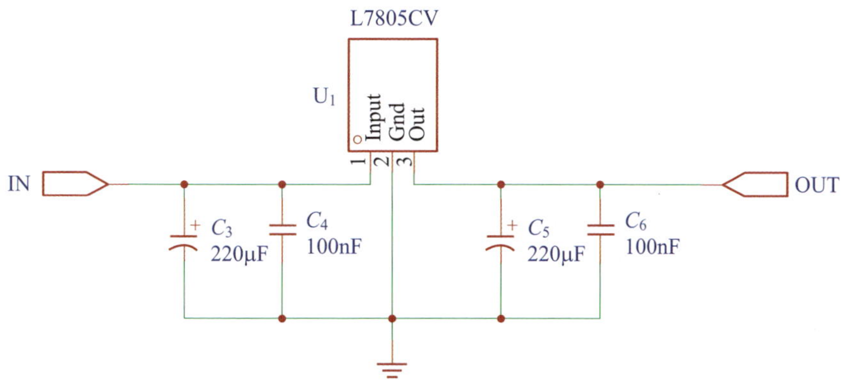

图 25-4　7805 稳压芯片的电路结构

79 系列稳压芯片型号一般是负电压稳压芯片，一般输入负电压，输出也是负电压。

三、LDO 低压差线性稳压器

在单片机供电电路中，常用到 5V 转 3.3V 这种低压差电路来为单片机提供稳定的 3.3V 电源。常用到的稳压芯片有 LM1117 芯片、SPX1117 芯片等（图 25-5 和图 25-6），这类芯片也属于三端稳压芯片，外围电路结构简单，输出电压稳定。

图 25-5　LM1117 芯片

图 25-6　SPX1117 芯片

下面以 LM1117 为例介绍三端稳压芯片的使用及应用电路。LM1117 是一款低压差线性稳压芯片，在 1A 输出电流下压降为 1.2V。LM1117 分为两个版本：固定电压输出版本、可调电压输出版本。固定输出电压为 1.5V、1.8V、2.5V、3.3V、5.0V。可调版本的电压精度为 1%，固定电压产品输出电压精度为 2%。

下面以两种电路分别分析该芯片在电路中的应用。

如图 25-7 所示为 LM1117 固定输出电路，该电路非常简单，只需要在输入端输入一个直流电压，并入一个 10μF 电容为芯片供电。接地为输入和输出公共接地，输出引脚并联一个 100μF 电容滤除输出电源纹波。在实际应用电路中可能会根据需要增加滤波电容数量。

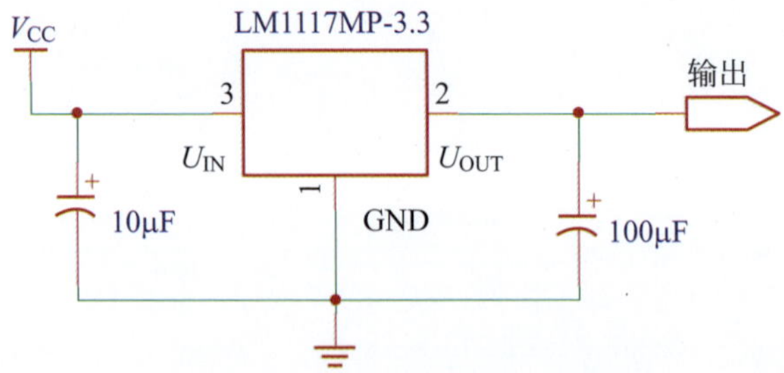

图 25-7 LM1117 固定输出电路

当输出电容器连接到稳压器并且输入端对地短路时，输出电容器将放电到稳压器的输出端。放电电流取决于电容器的电容值、稳压器的输出电压和 VIN 的下降速率。在 LM1117 稳压器中，输出引脚和输入引脚之间的内部二极管可以承受 10 ~ 20A 的微秒级浪涌电流。如果使用极大的输出电容器（≥ 1000μF）并且输入瞬时对地短路，稳压器可能会损坏。这种情况下，会在输出引脚和输入引脚之间使用外部二极管来保护稳压器。

如图 25-8 所示为 LM1117 可调输出电路，该电路在固定输出电路的基础上将输入和输出接地隔离，并将 1 号脚电位通过 R_3 和 R_4 串联分压来抬高，因芯片内部结构关系，输出电压 3.3V 指的是 GND 与输出电位差为 3.3V，所以将 GND 电位抬高后输出电压就会变高。

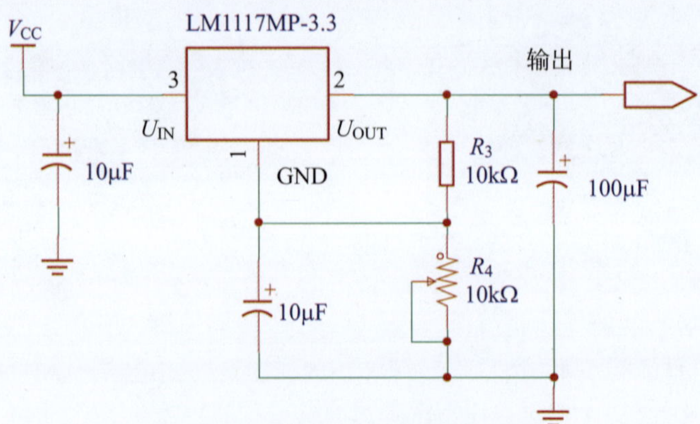

图 25-8 LM1117 可调输出电路

第二十六课时 BOOST 升压电路

一、BOOST 升压电路原理

BOOST 升压电路是一种直流升压电路，它可以使输出电压比输入电压高，主要应用在直流电机传动、单相功率因数校正（PFC）电路与其他交直流电源中，在新能源汽车的充电机中非常常见（图 26-1）。

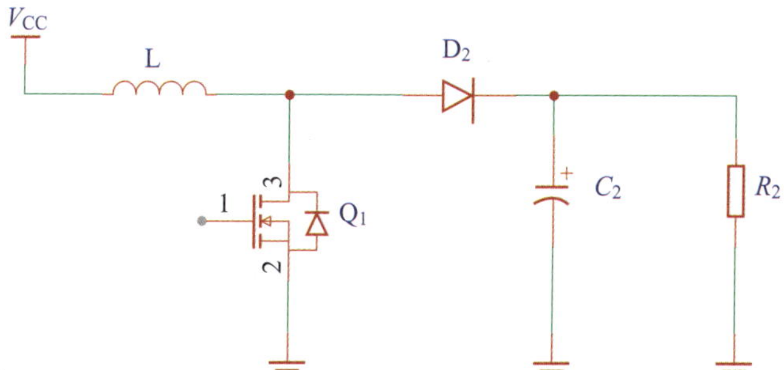

图 26-1　BOOST 升压电路拓扑

工作原理：在电路上电后，电源经电感与二极管给电容 C_2 充电，此时并没有升压效果。当控制电路控制 Q_1 导通后，电流经电感和 Q_1 入地，二极管的作用是防止电容经 Q_1 对地短路。此时电感上的电流以一定的比率线性增加，这个比率与电感量大小有关，且电感将电能以磁能的形式储存在电感的周围，电感极性为左正右负。

当 Q_1 截止时，电感的大电流突然消失，电感将储存的磁能立刻转换为电能，极性为左负右正。此时可以将电感当作一个电源看，因此电感与电源串联经二极管给电容充电，电容电压高于供电电压。

二、BOOST 升压电路套件

BOOST 升压电路套件原理如图 26-2 所示。

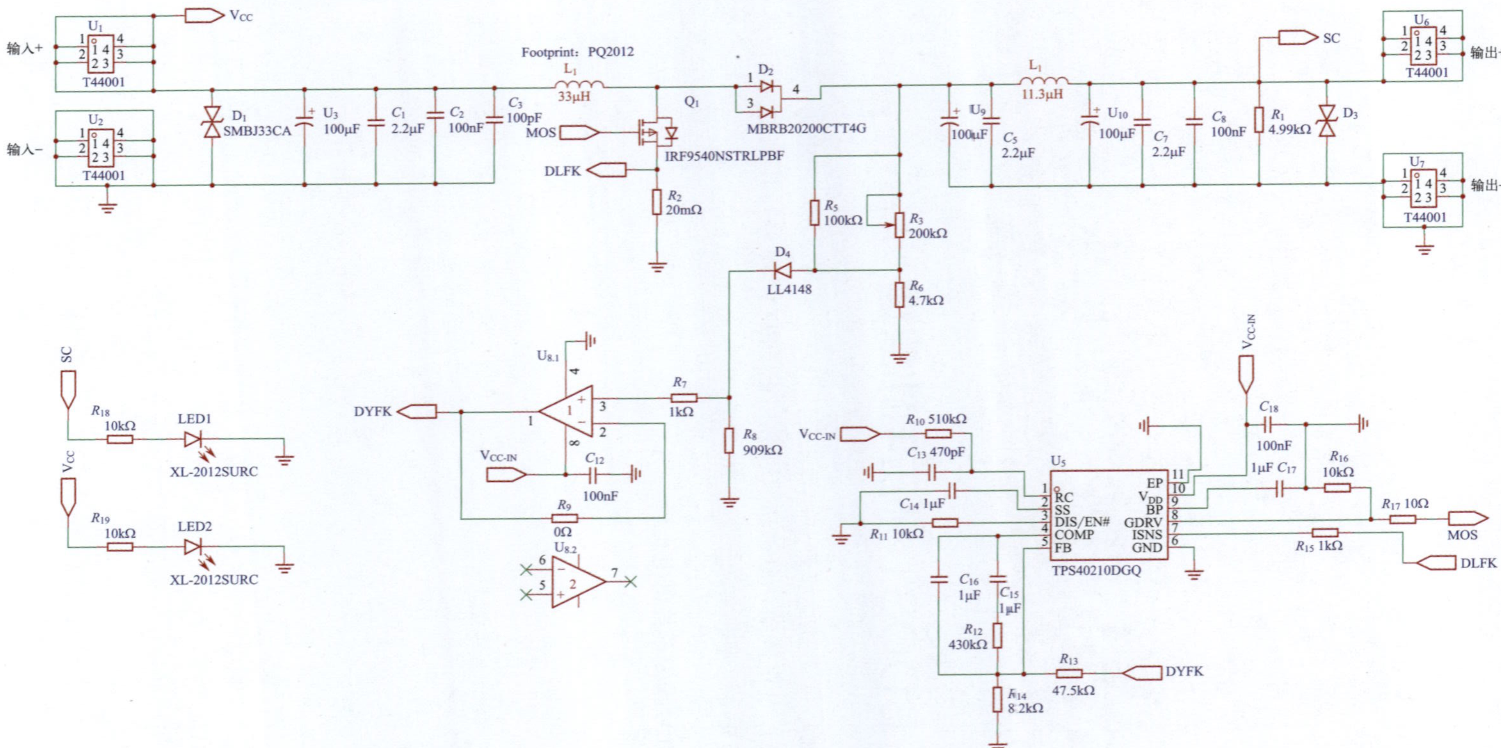

图 26-2 BOOST 升压电路套件原理

电路工作原理分析如下。

1. 主电流回路

输入电源经输入端子后，使用二极管 D_1 做保护，防止浪涌电压损坏电路；四个电容（U_3、C_1、C_2、C_3）并联在电路中做滤波使用；电感 L_1 为升压电感，由 Q_1 控制；D_2 为肖特基二极管，用于防止 Q_1 导通后升压电容对地短路。由电容（U_9、C_5、U_{10}、C_7）和 11.3μH 电感构成 π 型滤波电路对输出电源进行滤波。电阻 R_1 为电容泄放电阻，在电路停止工作后泄放掉电容中的电压，D_3 为输出电压钳位二极管，保证输出电压稳定。

2. 主控芯片 TPS4021（图 26-3）

1 号脚为芯片开关频率设置引脚，通过 RC 参数来确定芯片的输出频率。

2 号脚为软启动时间，通过调整电容容量来确定芯片启动时间。

3 号脚为禁用引脚，高电位为停机模式。

4 号脚为误差放大器输出，在 COMP 引脚与 FB 引脚之间连接控制回路补充网络，参照图 26-3 连接阻容器件。

5 号脚为放大器反相输入，将分压器从输出端连接至此引脚设置输出电压。

6 号脚为芯片接地。

7 号脚为 MOS 管电流检测引脚，该引脚上的电压用于控制回路中提供电流反馈，当引脚电压超过电流阈值电压时，关闭 MOS 管控制。

8 号脚为 MOS 管控制引脚。

9 号脚为芯片输出引脚，一般将 0.1μF 旁路电容从该脚接地。

10 号脚为芯片供电正极。

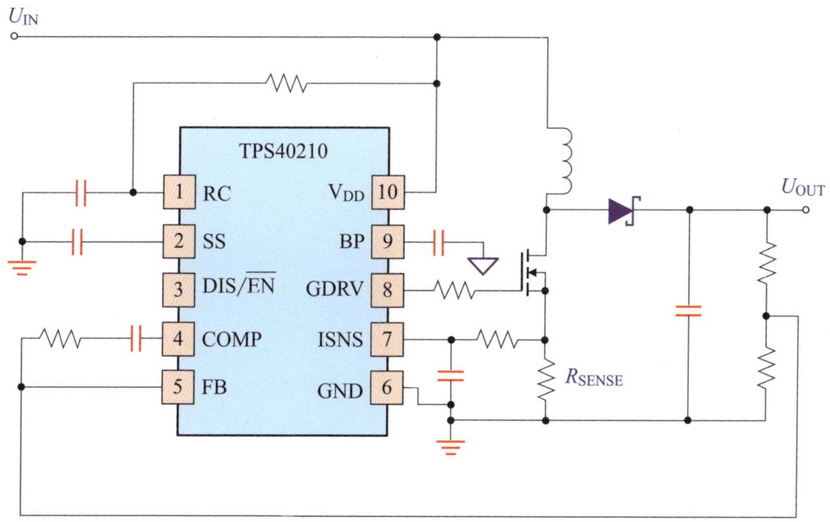

图 26-3

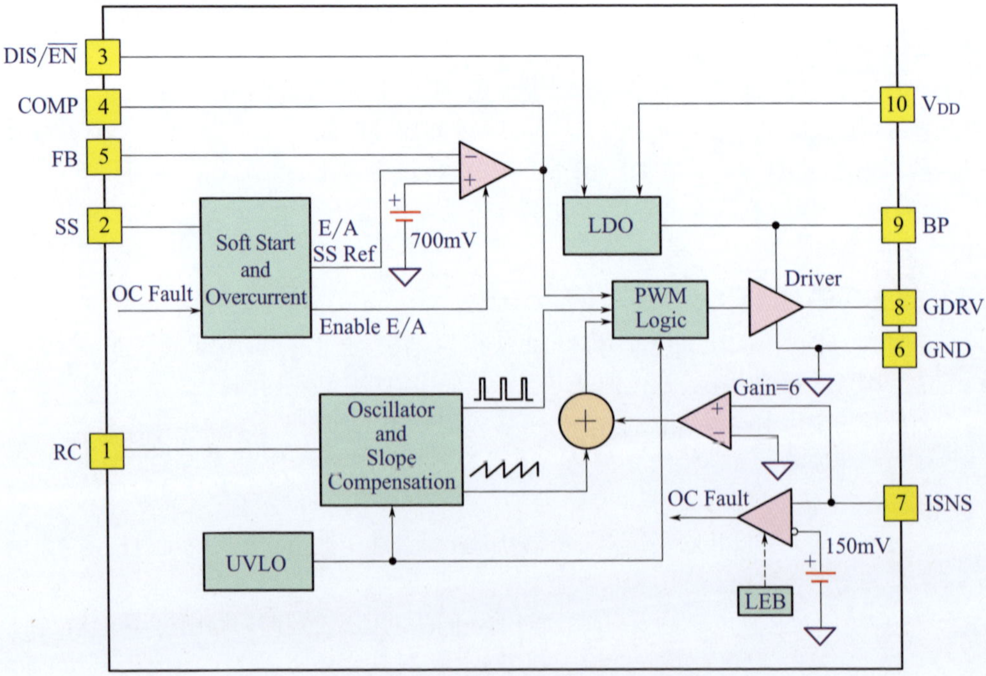

图 26-3　TPS4021 芯片内部原理

3. MOS管控制

MOS 管 G 极引脚通过电阻 R_{17} 由芯片 8 号脚通过 PWM 信号控制，R_{16} 为 MOS 管 G 极关断电阻。

4. MOS管S极电流检测

在 MOS 管 S 极串联电流取样电阻 R_2，在串联点将分压电压通过 R_{15} 送入芯片 7 号脚实现电流检测。

5. 输出电压取样

电阻 R_5 与电位计 R_3 并联后再与电阻 R_6 串联，串联点分压为取样电压，为了实现输出电压可调，在 R_5、R_3 并联后可调整 R_3 电阻值用以调整分压电压。

分压后的取样电压经二极管 D_4，经电阻 R_8 再次入地，在 R_8 上方通过 R_7 将取样电压送入运算放大器，此时运算放大器工作状态为电压跟随器，信号电压经输出脚通过电阻 R_{13} 送入芯片 FB 引脚做电压采样。

因为新能源汽车充电机里面都有 BOOST 升压电路，为了让大家更好地理解该电路的工作原理，所以笔者做了一个实习电路套件，用以学习 BOOST 升压电路，该实习套件的原理、印制电路板（PCB）及实物成品如图 26-4 ~ 图 26-6 所示。

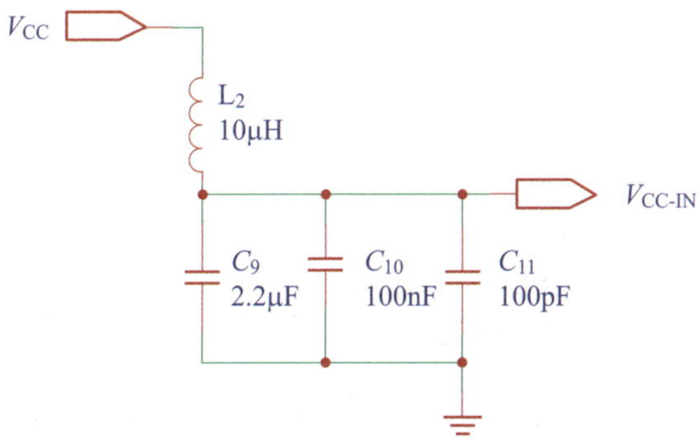

图 26-4 BOOST 升压电路套件原理

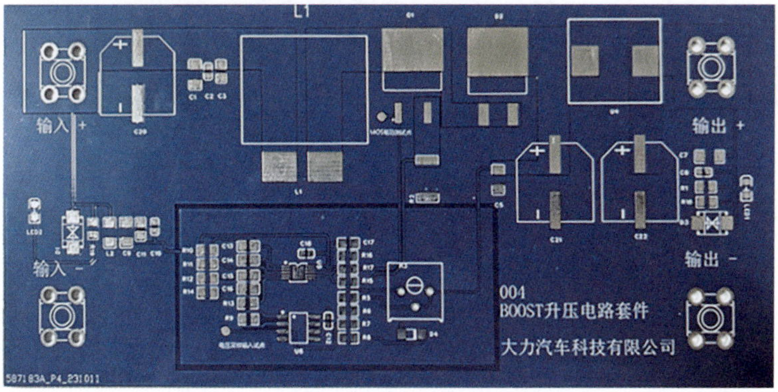

图 26-5 BOOST 升压电路套件 PCB

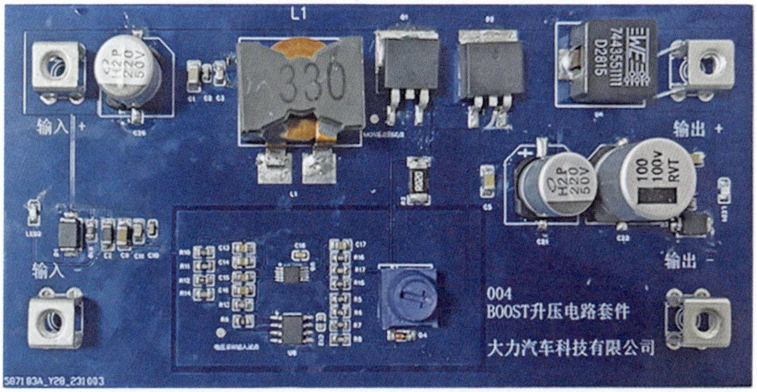

图 26-6 BOOST 升压电路套件成品

第二十七课时 有桥 PFC 电路

一、PFC 电路的作用

在一般小功率电源电路中常见的二极管桥式整流电路如图 27-1 所示，由 4 个二极管构成了桥式整流电路，将输入的 AC220V 50Hz 交流电整流后成为直流电。

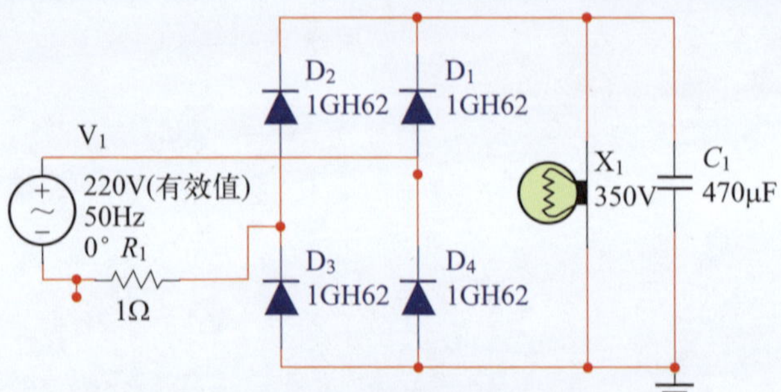

图 27-1　普通整流桥电路

如果在整流桥后级不加入电容进行滤波，那么输入与输出电压波形如图 27-2 所示，输入为正弦波，输出为脉冲电压。如果需要平滑的直流电，那么需要在后级加入一个电容进行滤波。

在加入滤波电容后，输入与输出电压之间的关系如图 27-3 所示，输入为标准的正弦波，输出则为平滑的直流电。

在这里电路中有一个致命的缺点，即在负载特别大时（一般指大于 85W ）会对输入端造成较大的冲击。

在电路中输入电压为正弦波，使用整流桥整流，再经电容滤波后成直流电为负载供电。在电路工作时，电容充满电后负载端电压为 310V，输入端交流电压最高值为 310V。如果在负载端没有电流消耗，那么二极管的阳极与阴极之间的电压为 0，此时二极管截止。

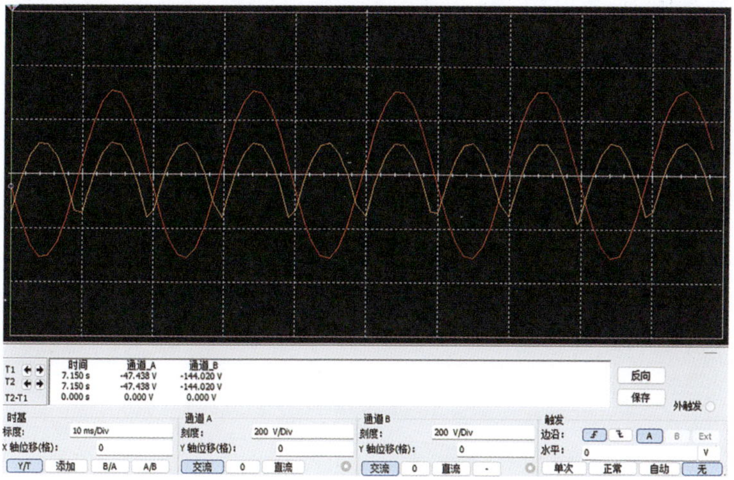

图 27-2　无滤波电容整流桥输出

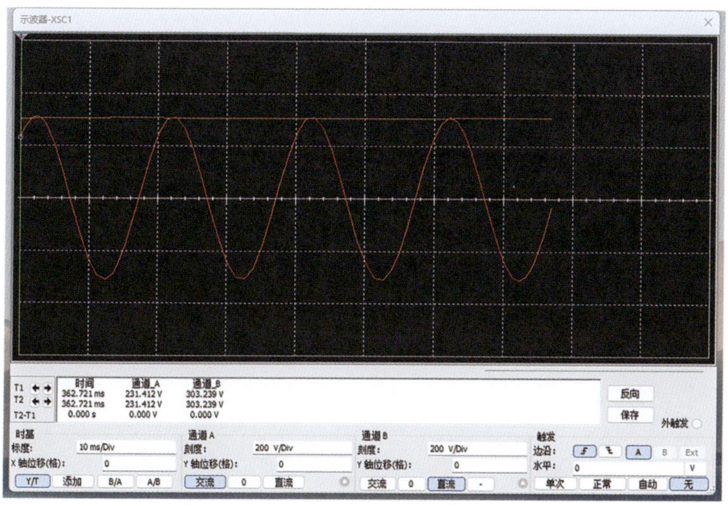

图 27-3　有滤波电容整流桥输出

如果在负载端有电流消耗，那么当负载端电压低于输入端峰值时，二极管会瞬间导通。此时在供电端，在波峰 / 波谷时会有一个瞬时电流（非常大），其波形如图 27-4 所示。

此时会导致输入电压与电流相位不相同，输入电流呈强脉冲状，进而引起电磁干扰（EMI）与电磁兼容（EMC）问题。同时导致电源的有功功率低，因此 3C 认证中规定超过 75W 的开关电源必须加功率因数校正电路。

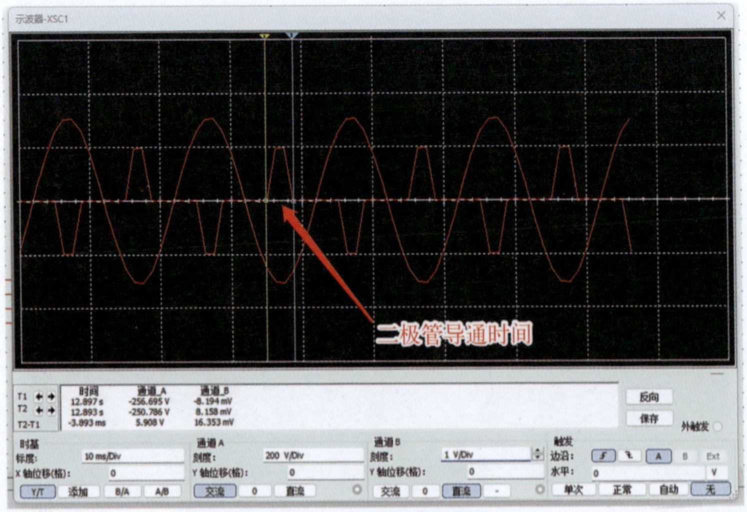

图 27-4　二极管导通波形

因此在大功率电源电路中，需要改进该电路迫使输入端电流追踪电压波形变化瞬时轨迹，并使电流与电压保持同相位，即功率因数校正电路（PFC）。

二、有桥 PFC 电路原理

在图 27-5 中，二极管 D_3 ~ D_6 为交流电的整流二极管，电感 L 为升压电感，Q_1 为电路中的开关二极管，D_2 为续流二极管，C_2 为输出电容。

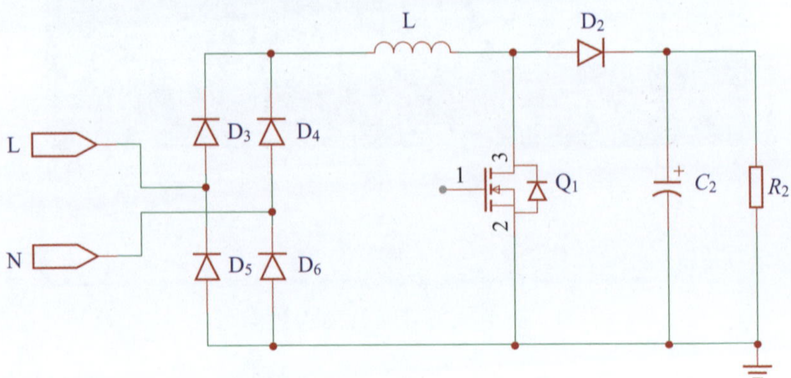

图 27-5　有桥 PFC 电路原理

有桥 PFC 电路的优点在于电路拓扑简单。整流二极管仅工作在工频中，因此使用普通整流桥即可，整个电路中仅有一个开关二极管 Q_1。

电感充磁阶段：Q_1 导通，电流经升压电感 L 和 Q_1 回到电源负极。此时负载由 C_2

储能电容供电。

电感放电阶段：Q_1 关闭，电感 L 续流电流为左负右正，与原电源形成串联升压后通过二极管 D_2 给负载供电和电容充电。

经 PFC 电路后，输入电压与输入电流相位相同，解决了 EMC 问题。同时提高了电源的有功功率，即 PF（功率因数）值提高到 0.95 以上，如图 27-6 所示。

一般有桥 PFC 拓扑结构的电路在小功率（3.3kW）车载充电机中应用广泛，其故障率较高的为开关管和整流桥。

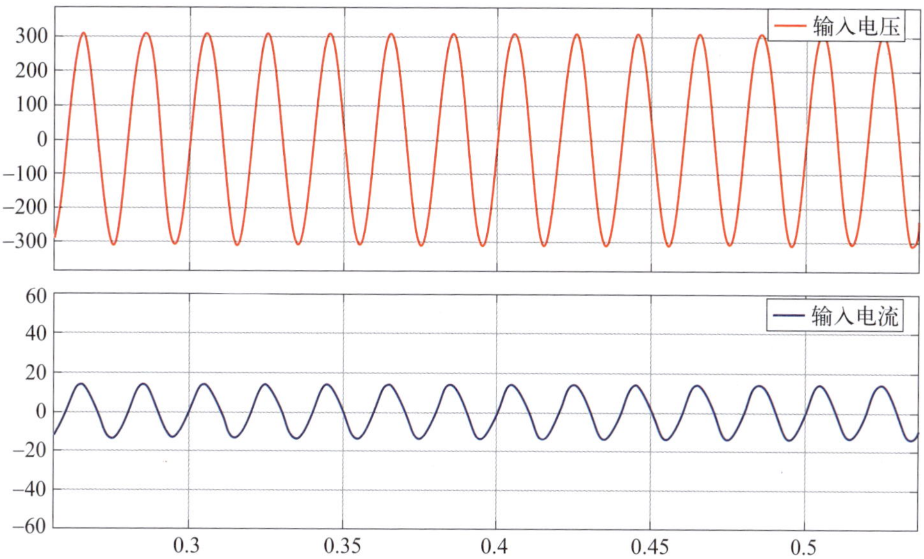

图 27-6 有桥 PFC 电路输入电压与电流波形

在图 27-5 的 PFC 电路中，由于有一个升压电感，因此也称为单向 PFC 升压电路。但是随着输出功率的增加，整流桥的导通损耗增加，电感体积增加，输出电容上的纹波电流也会增大，系统效率就会降低，因此就出现了交错并联式 PFC 电路。

如图 27-7 所示为交错并联式 PFC 电路， 该电路是在前面的电路中又加了一套 PFC

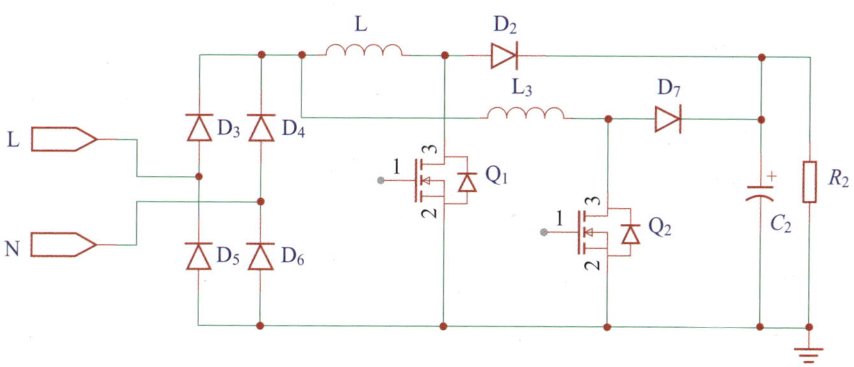

图 27-7 交错并联式 PFC 电路

升压电路（L_3、D_7、Q_2）。在这个电路中，两套PFC升压电路交替工作，这样相同的功率就可以在两套PFC中分担，因此这种电路可以大大提高效率，同时减小了电感的体积。

三、东风瑞驰充电机PFC电路

如图27-8所示为东风瑞驰充电机电路板，从图中标注元器件作用以及图27-9可知，该充电机是一个带整流桥的单相PFC前级电路。

220V交流电进入充电机，先经过EMC电路，后进入整流桥，交流电经整流桥整流为脉冲直流电，在整流桥后面装有容量较小的滤波电阻。整流后的直流电进入PFC升压电路，升压电路的开关管为两个MOS管并联，续流二极管也是两个并联。从图27-8中可以看出，因为使用了单向PFC，所以升压电感体积非常大。

经PFC升压后直流电压可达410V左右，并给储能电容充电，储能电容为大容量电解电容，因此在继电器输入和输出处并联预充电阻以减小继电器触点闭合时的大电流，防止烧毁继电器触点。

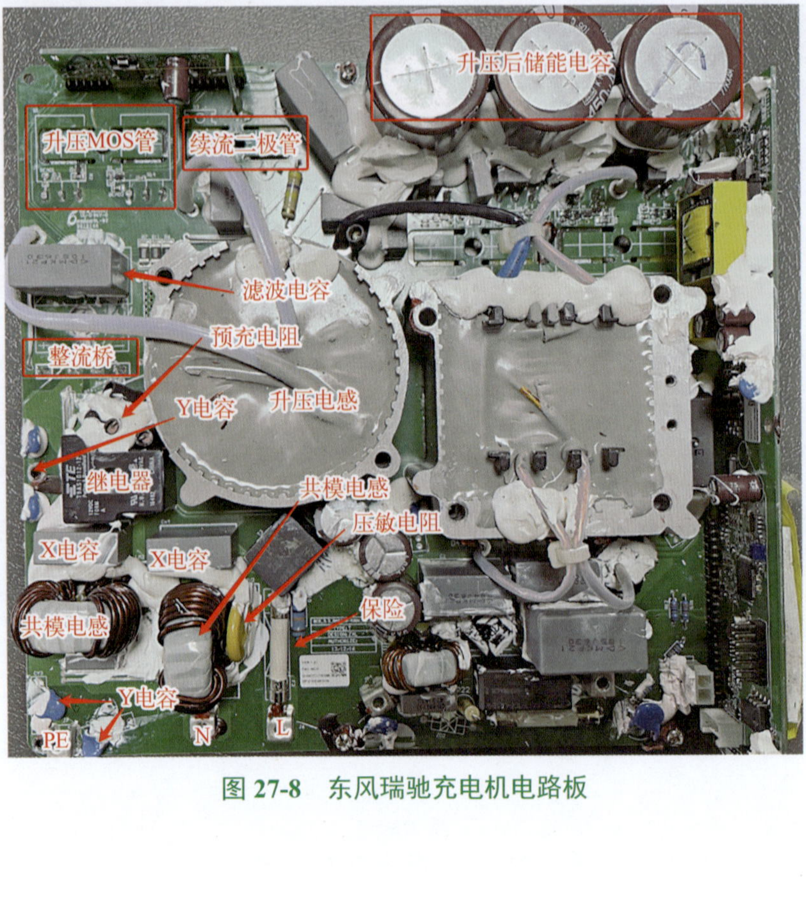

图27-8　东风瑞驰充电机电路板

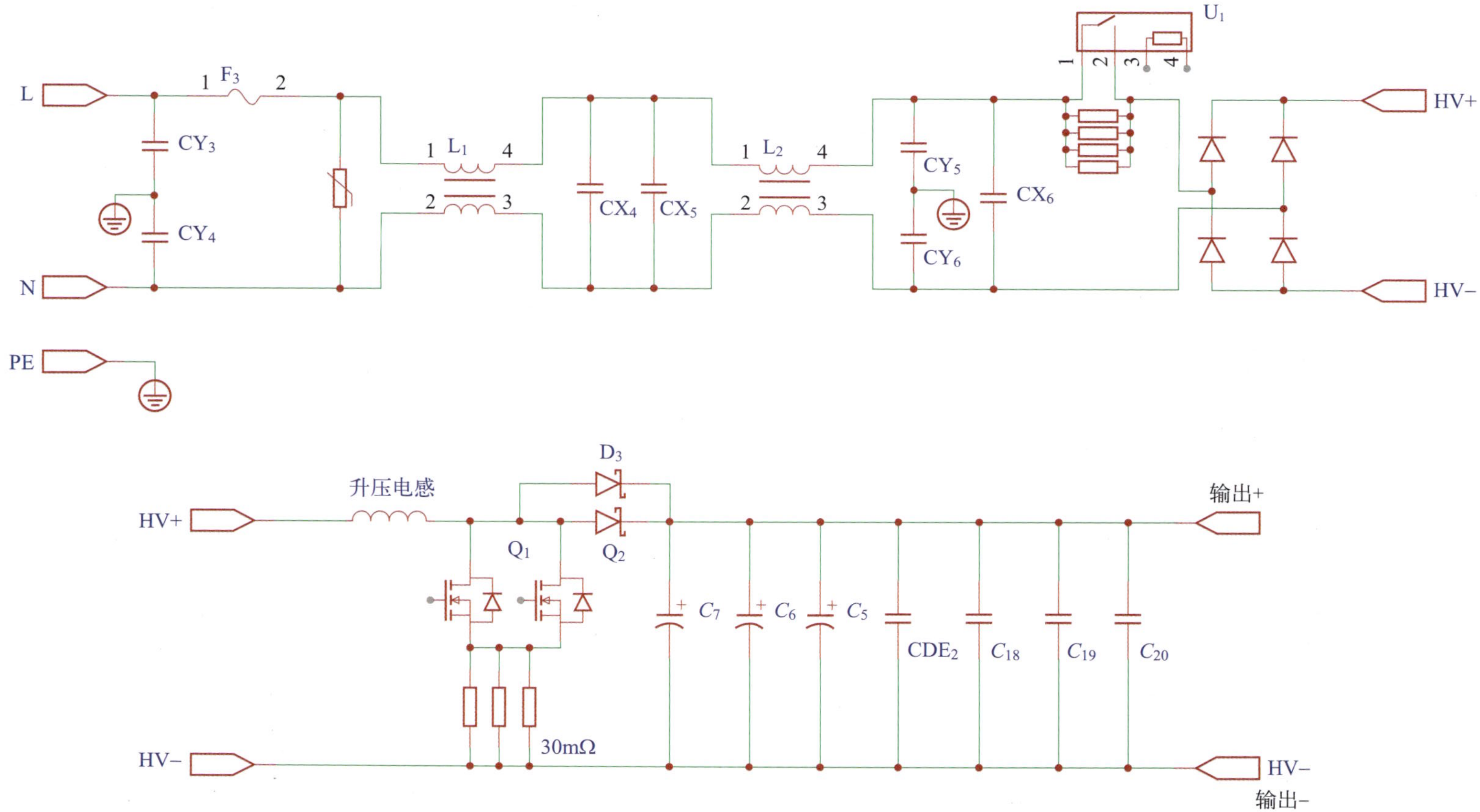

图 27-9 瑞驰充电机 PFC 电路原理

第二十八课时
无桥 PFC 电路

一、标准无桥 PFC 电路

如图 28-1 所示是标准无桥 PFC 电路，与有桥 PFC 电路相比少了一个整流桥，因此电路损耗更小，可以提高开关电源的功率。

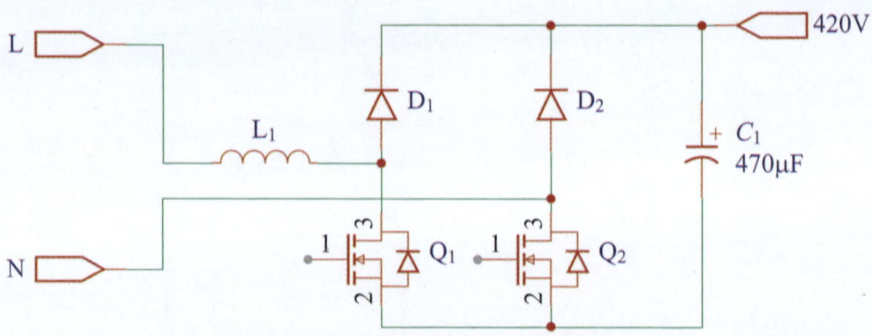

图 28-1　标准无桥 PFC 电路

下面来看下 PFC 电路的工作电流走向。

（1）正半周 L_1 充磁阶段　L_1 充磁阶段时电流经 L 端子→ L_1 → Q_1（导通）→ Q_2（寄生二极管）→ N 端子。此时电感电流方向为从左往右，电感的电压为左正右负，负载由电容供电（稳态时）。

（2）正半周 L_1 放电阶段　在 Q_1 断开后，电感 L_1 的续流电流方向为从左往右，但是这个电流是电感的自感电流，因此电感的电压为左负右正，电感此时与交流电源串联。所以电流方向为：L 端子→ L_1（放电）→ D_1 →负载→ Q_2（寄生二极管）→ N 端子。

（3）负半周 L_1 充磁阶段　当交流电进入负半周时，电感 L_1 的充磁电流方向为：N

端子→ Q_2（导通）→ Q_1（寄生二极管）→ L_1 →端子 L。此时电感 L_1 的电流方向为从右往左，负载由电容 C_1 供电。

（4）负半周 L_1 放电阶段 当 Q_2 截止时，电感 L_1 续流电路方向为从右往左，此时电感的电流是自感电流，因此电感的电压为左正右负，电感与原电源串联。电流方向为：N 端子→ D_2 →负载→ Q_1（寄生二极管）→电感 L_1 → L 端子。

从以上交流电正负半周分析电流走向可知，正半周时 Q_1 工作在高频 PWM 状态下，Q_2 工作在续流状态下（Q_2 可以通过内部寄生二极管续流，也可以通过 MOS 管续流，取决于其控制方式）。在负半周时 Q_1 工作在续流状态下，Q_2 工作在高频 PWM 状态下。这样就可以实现无桥 PFC 功能。

这种 PFC 电路存在几个问题，电流流向复杂而且不共地，电流采样困难，有较大的共模干扰。

二、双 BOOST 升压无桥 PFC 电路

如图 28-2 所示为双 BOOST 升压无桥 PFC 电路拓扑，这种拓扑由标准无桥 PFC 电路改良而来，增加了 D_3 和 D_4 作为低频续流二极管。下面来看下交流电正负半周的电流走向。

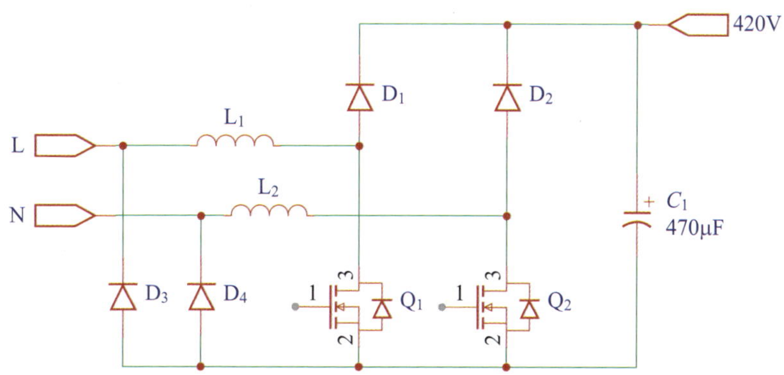

图 28-2 双 BOOST 升压无桥 PFC 电路拓扑

（1）交流电正半周电感 L_1 充磁过程 在交流电正半周时，电流经 L 端子→电感 L_1 → Q_1（导通）→ D_4 → N 端子。此时电感 L_1 电流方向为从左往右，负载由电容 C_1 供电。

（2）交流电正半周时 L_1 放电过程 当 Q_1 截止时，由于电感电流不能突变，因此 L_1 需要保存原电流从左往右。电感电压为左负右正，与原电源串联为负载供电，电流方向为：L 端子→电感 L_1 → D_1 →负载→ D_4 → N 端子。

（3）交流电负半周时 L_2 充磁过程 在交流电进入负半周时，电流经 N 端子→电感 L_2 → Q_2（导通）→ D_3 → L 端子，此时电感 L_2 的电流方向为从左往右，负载由电容 C_2 供电。

（4）交流电负半周时 L_2 放电过程 当 Q_2 截止时，因电感的电流不能突变，因此 L_2 需要保持原电流从左往右。电感的电压为左负右正，与原电源串联为负载供电，电

流方向为：N 端子→电感 L_2 → D_2 →负载→ L 端子。

由以上电流走向分析可知，在交流电正半周时 Q_1 作为高频开关二极管工作，负半周时 Q_2 作为高频开关二极管工作。

同标准无桥 PFC，Q_1 和 Q_2 能同时驱动，而在两个低频二极管 D_3 和 D_4 之后插入取样电阻，又可以像普通 PFC 简单地传感电流，同时这种拓扑具有更低的共模电流，但是这种拓扑必须使用两个电感，电流流向有不确定性，低频二极管和 MOS 的体二极管可能同时导通，增加了不稳定因素。

三、图腾柱式无桥 PFC 电路

如图 28-3 所示是图腾柱式 PFC 电路拓扑，它由标准无桥 PFC 演化而来，但是原理稍微有些变化。下面来看这种电路拓扑工作的电流走向。

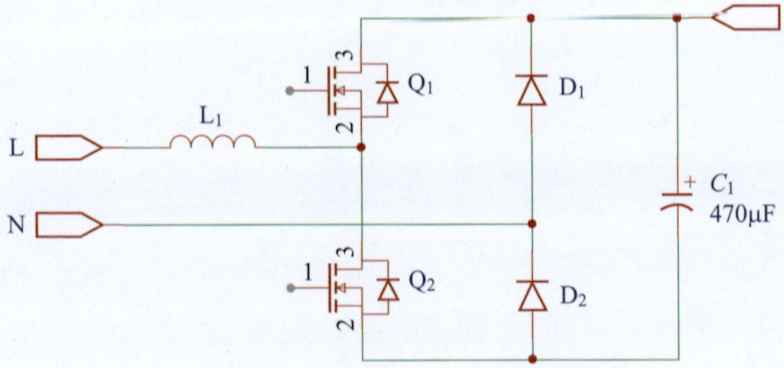

图 28-3　图腾柱式 PFC 电路拓扑

（1）交流电正半周电感充磁阶段　在交流电正半周时，电流经 L 端子→ L_1 → Q_2（导通）→ D_2 → N 端子。电感电流方向为从左往右，此时由电容为负载供电。

（2）交流电正半周电感放电阶段　在 Q_2 截止时，电感 L_1 因电流不能突变的原因从而产生自感电流，电流方向与原电流相同。因此电感上的电压为右正左负，与原电流串联为负载供电。电流方向为 L 端子→电感 L_1 → Q_1 →负载→ D_2 → N 端子。

（3）交流电负半周电感充磁阶段　在交流电负半周时，电流经 N 端子→ D_1 → Q_1（导通）→电感 L_1 → L 端子，此时电感电流方向为从右往左，负载由电容供电。

（4）交流电负半周电感放电阶段　当 Q_1 截止以后，电感因电流不能突变原因形成续流电流，电流方向与原电流方向一样从右往左，因此此时电感电压为左正右负，与原电流串联为负载供电。电流方向为 N 端子→ D_1 →负载→ Q_2 → L_1 → L 端子。

四、双向可逆变无桥 PFC 电路

双向可逆变 PFC 电路不仅可以完成交流电整流升压至 420V，也可以将动力电池的高压直流电逆变成220V工频交流电输出，为车主提供便携式交流电源（图28-4）。

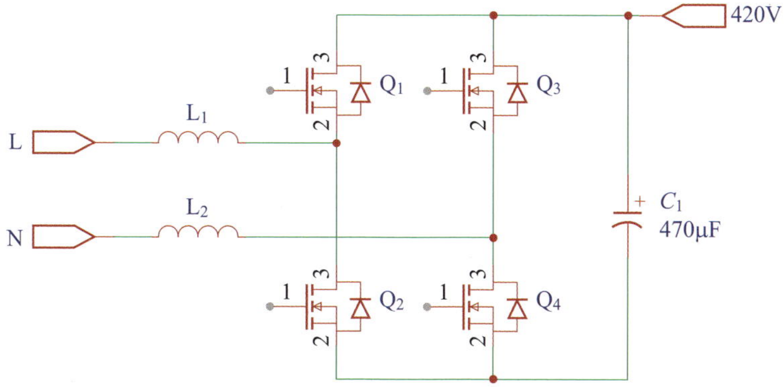

图 28-4　双向可逆变 PFC 电路拓扑

首先看 PFC 的工作原理，同样还是把交流电分为正半周与负半周去分析电路电流走向。

（1）正半周电感充磁阶段　交流电经 L 端子→ L_1 电感→ Q_2（导通）→ Q_4（导通）→ L_2 电感→ N 端子，此时 L_1 电感电流方向为从左往右，L_2 电感电流方向为从右往左。

（2）正半周电感放电阶段　L_1、L_2 放电阶段时 Q_2、Q_4 截止，L_1 电感的自感电压为左负右正，与原电流串联，L_2 电感的自感电压为左正右负，与原电流串联。此时电流走向为 L → L_1（电源左负右正）→ Q_1 →负载→ Q_4 → L_2（电源左正右负）→ N 端子。这里等于交流电源与 L_1 和 L_2 串联为负载供电。

（3）交流电负半周电感充磁阶段　交流电经 N 端子→ L_2 电感→ Q_4（导通）→ Q_2（导通）→ L_1 电感→ N 端子，此时 L_1 电感电流方向为从右往左，L_2 电感电流方向为从左往右。

（4）交流负半周电感放电阶段　L_1、L_2 放电阶段时 Q_2、Q_4 截止，L_1 电感的自感电压为左正右负，与原电流串联，L_2 电感的自感电压为左负右正，与原电流串联。此时电流走向为 N → L_2（电源左负右正）→ Q_3 →负载→ Q_2 → L_1（电源左正右负）→ L 端子。这里等于交流电源与 L_1 和 L_2 串联为负载供电。

小结

在开关电源领域，PFC 电路拓扑结构种类繁多，每种 PFC 电路的工作方式都不一样，这里不仅要考虑 PFC 电路中的电流走向，还要考虑其各种元器件的参数与电路控制方式。

但是在维修新能源汽车车载充电机时，目前接触到的 PFC 电路种类并不多。因此本书只简单介绍了几种常见的 PFC 电路拓扑结构，并根据电感充磁放电的电流路径对 PFC 电路的电流流向做了简单分析，便于大家理解 PFC 电路。而实际的 PFC 电路电流流向并不是那么的简单，会比分析的复杂得多。

五、欣锐充电机 PFC 电路

欣锐充电机是目前新能源汽车装机量很大的一款，其结构经典。如图 28-5 ~ 图 28-7 所示为应用在吉利 EV450 车型上的欣锐充电机。

该充电机中的 PFC 电路使用无桥 PFC 电路，现在根据交流电的正半周与负半周来介绍电流走向与升压原理。

交流电正半周时，电流经 L_1 后经 Q_2 给电容充电，由 Q_5 形成回路，在这个阶段 Q_2 和 Q_5 做开关使用，Q_4 为高频开关管，通过 L_1 升压使电容充电，电压在 410V。

交流电负半周时，电流经 L_2 后再经 Q_3 给电容充电，由 Q_4 形成回路，在这个阶段 Q_3 和 Q_4 做开关使用，Q_5 为高频开关管，通过 L_2 升压使电容充电，电压在 410V。

这里开关使用的是艾赛斯公司生产的 IXFH80N65X2 型号 MOS 管。

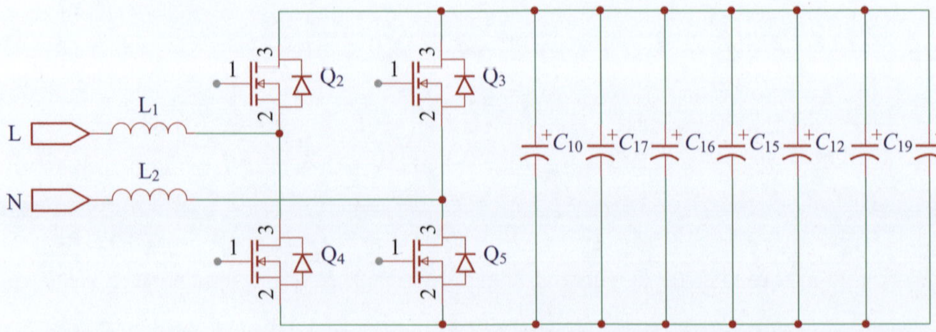

图 28-5　欣锐充电机 PFC 原理

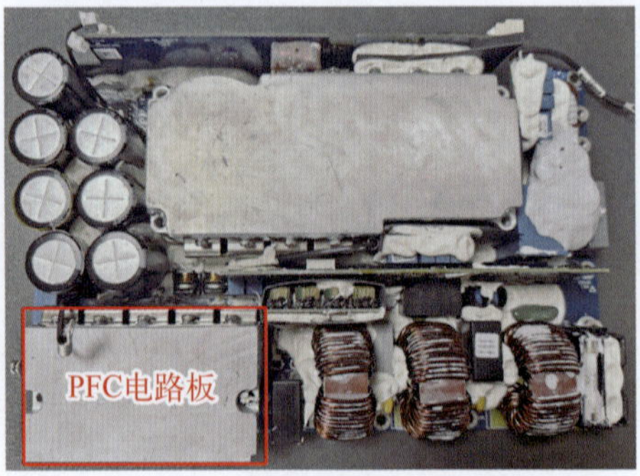

图 28-6　欣锐充电机电路板

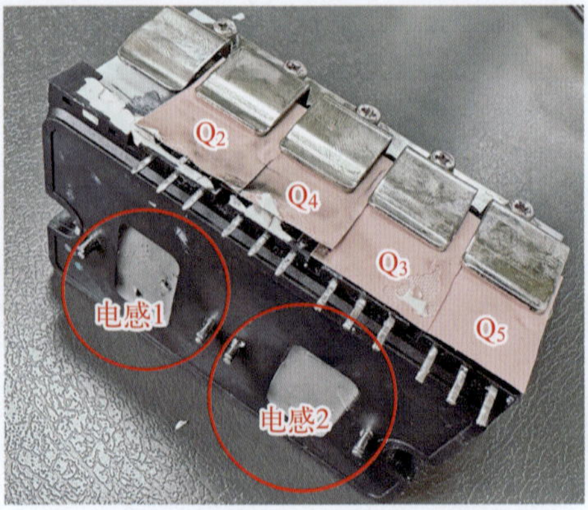

图 28-7　欣锐充电机 PFC 模块

第二十九课时 MOS 管驱动电路

一、MOS 管驱动逻辑

根据前面学习到的知识，MOS 管的结构为栅极与源极和漏极之间是绝缘的，且栅极与源极和漏极之间存在寄生电容。因此 MOS 管的导通原理是：当栅极施加高电位时电容充电，MOS 管随之导通；施加低电位时 MOS 管截止，但需关注如何给这个电容放电才能快速关断。另外 PCB 布线有寄生电感，因此在栅极控制关断时还会出现 LC 振荡，为此还要解决栅极的振荡问题（图 29-1）。

为了解决这个问题，一般在 MOS 管的栅极会加一个 30 ~ 100Ω 的电阻，让输入信号有一定的阻尼，这样就可以有效避免上述问题。

在 MOS 管的栅极与负极之间装一个 10kΩ 电阻是为了在栅极关闭时给 MOS 管栅极一个放电回路，同时也是为了防止栅极没有驱动信号时因外界干扰导致 MOS 管误开启（图 29-2）。

MOS 管的驱动电路基本都是围绕这两个点来设计的。

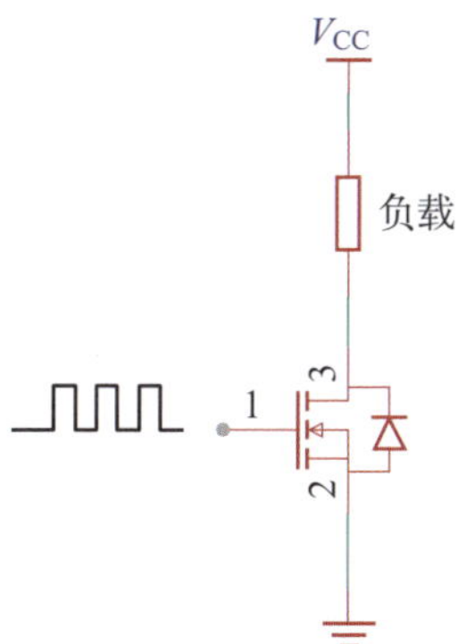

图 29-1　MOS 管驱动电路（一）

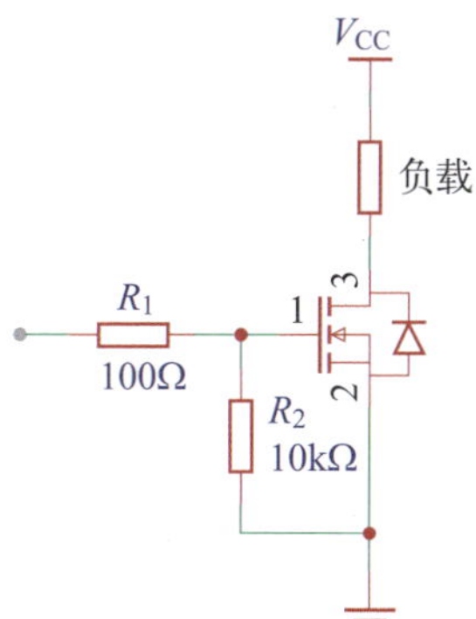

图 29-2　MOS 管驱动电路（二）

二、图腾柱式 MOS 管驱动电路

如图 29-3 所示是图腾柱式 MOS 管驱动电路，图中由 Q_1 和 Q_2 两个三极管构成了推挽电路，Q_1 是 NPN 三极管，Q_2 是 PNP 三极管。R_1 是栅极驱动阻尼电阻。为了防止驱动电路振荡，D_1 用于在 MOS 管截止时加速 MOS 管关断。稳压二极管的作用是防止 MOS 管栅极因高压电损坏 MOS 管，R_2 是栅极下拉电阻，作用是防止 MOS 误导通。

两个三极管的基极并联在一起后接入驱动信号，当驱动信号为高电位时 Q_1 导通，驱动电源 V_{SS} 经 Q_1 和 R_1 驱动 MOS 管快速导通。

当驱动信号为低电位时，Q_2 导通，MOS 管栅极储存的电荷经 D_1 和 Q_2 形成放电回路使 MOS 管快速关闭。

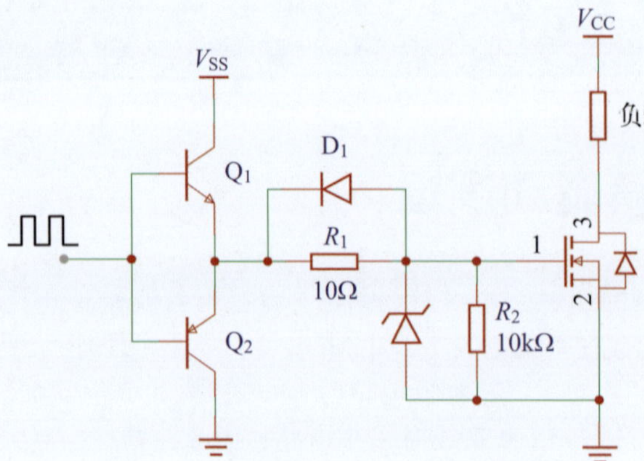

图 29-3　图腾柱式 MOS 管驱动电路

三、逆变桥 MOS 管驱动电路

如图 29-4 所示是经常在新能源汽车的控制器中见到的逆变桥 MOS 管驱动电路。在逆变桥驱动中，上桥与下桥驱动是完全不一样的，下桥用前面讲的方式是可以驱动的，但是上桥则不行。MOS 管开启的条件是栅极电压高于源极电压，而一般的驱动电压在 15V 左右，给栅极一个 15V 电压，MOS 管打开瞬间，源极电压就会变成高压且高于栅极电位，因此无法驱动。为了解决这个问题，一般采用驱动芯片加自举电容或者隔离变压器驱动，这种常称为高端驱动。

如图 29-5 所示是专用逆变桥驱动芯片组成的驱动电路，如图 29-6 所示是其推荐应用电路。

驱动高端管时，驱动芯片通过 7 号脚输出高电位驱动 Q_1 导通，同时 C_1 作为自举电容，在未驱动时电容 C_1 通过 D_1 充电，充电回路经芯片 6 号脚回。当驱动时 7 号脚输出使用的是 8 号脚电源，因此 C_1 负极与 Q_1 的源极接在一起（浮地）。又因为电容两端电压不能突变，因此 C_1 电压就为 $V_{CC}+V_{SS}$。所以利用电容的自举效应就可以驱动 Q_1。

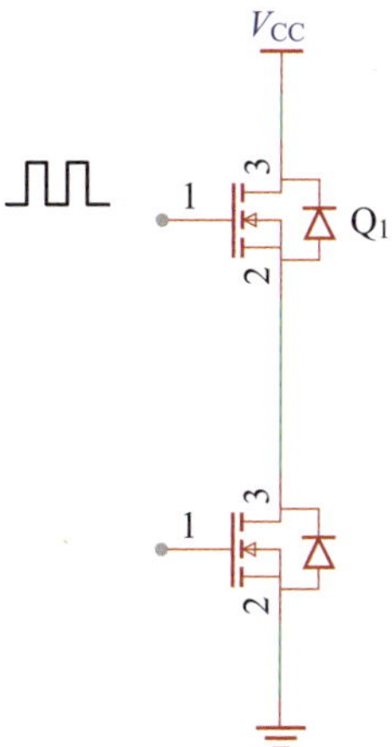

图 29-4　逆变桥 MOS 管驱动电路

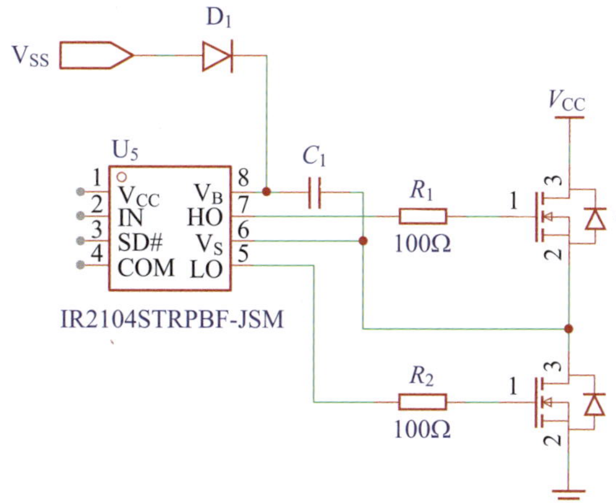

图 29-5　逆变桥驱动芯片组成的驱动电路

驱动低端管时，直接由芯片的 5 号脚驱动即可。

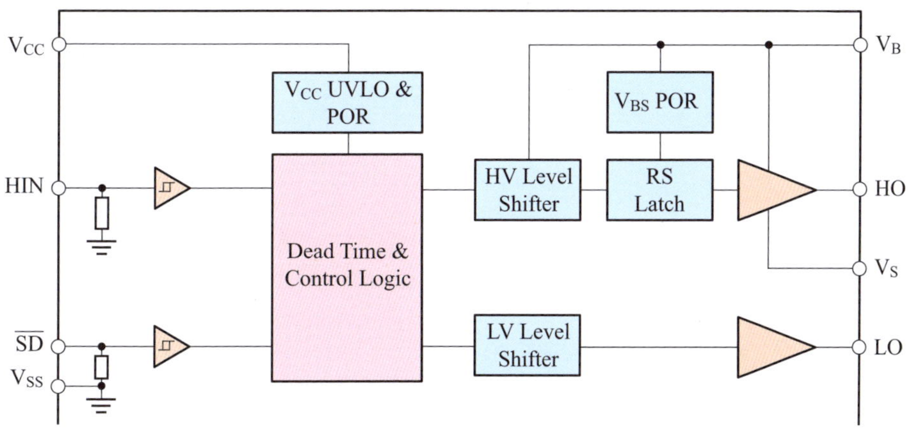

图 29-6　推荐应用电路

在新能源汽车充电机、电机控制器、压缩机驱动板等电路板中都会应用到类似的芯片来驱动逆变桥。在维修时可先查阅芯片功能与引脚定义，以精确排查故障。

四、变压器隔离驱动电路

变压器隔离驱动在实际应用中不多，这种电路使用变压器的电气隔离特性来驱动 MOS 管，同时变压器的副边绕组也可以理解为一个电源，MOS 管栅极电压也比源极高（图 29-7）。同时即便是 MOS 管炸管，也不影响驱动芯片。在驱动时，变压器原边绕组控制电路给原边绕组充磁，副边绕组感应电动势为上正下负，直接驱动 MOS 管且不用考虑源极电压。在关断时放电电流直接经变压器副边绕组放电。

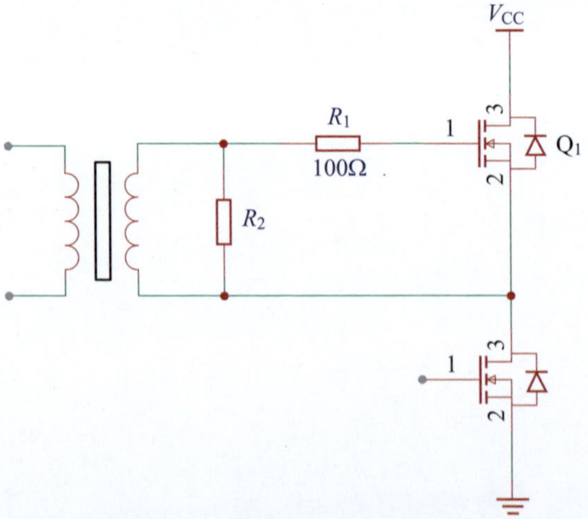

图 29-7　变压器隔离驱动电路

在实际电路中使用变压器的一般多为隔离电源，很少使用变压器为 MOS 管提供独立的驱动，大部分使用图腾柱或者驱动芯片来驱动 MOS 管。

五、吉利 PTC MOS 管驱动电路

在新能源汽车的充电机、电机控制器、压缩机等控制设备中常使用的是专用的 MOS 管驱动芯片，下面介绍几款常见的 MOS 管专用驱动芯片。

如图 29-8 所示是吉利 PTC 的 MOS 管驱动电路，MOS 管的驱动为一个专用的 MOS 管栅极驱动芯片 AUIRS2123S（图 29-9 ~ 图 29-11）。该芯片可用于驱动 MOS 管高边，也可以作为普通 MOS 管驱动芯片。

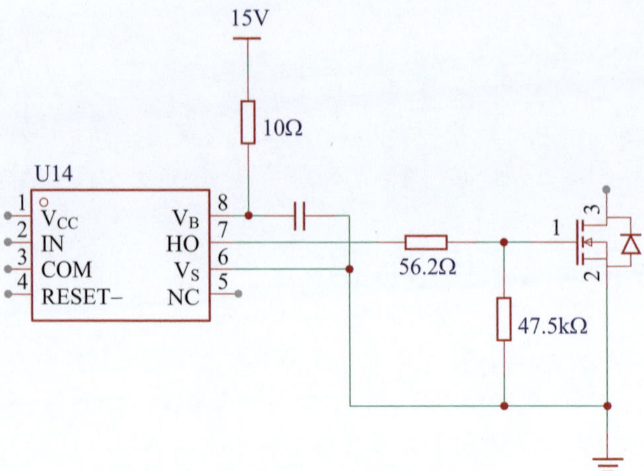

图 29-8　吉利 PTC 的 MOS 管驱动电路

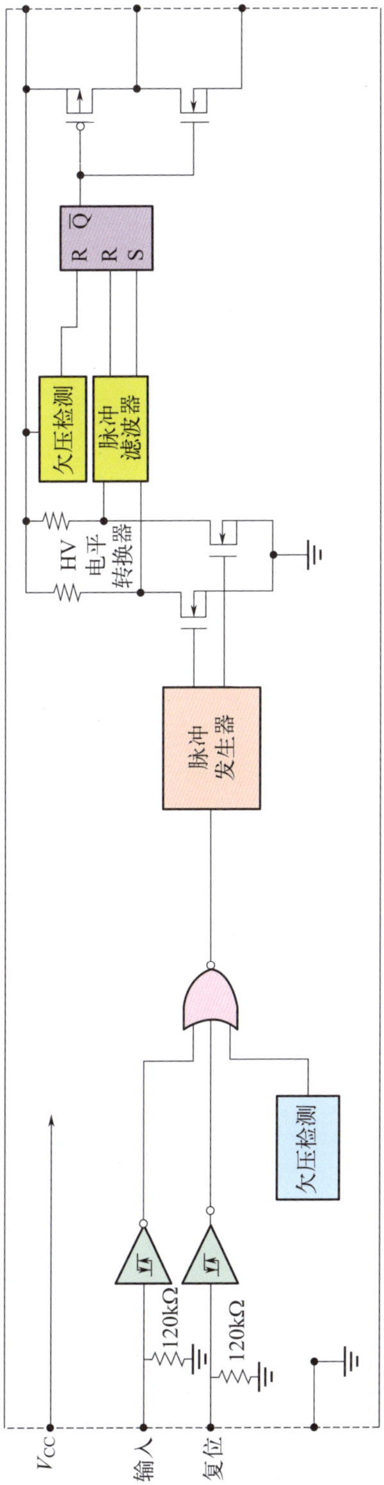

图 29-9 芯片 AUIRS2123S 内部功能框图

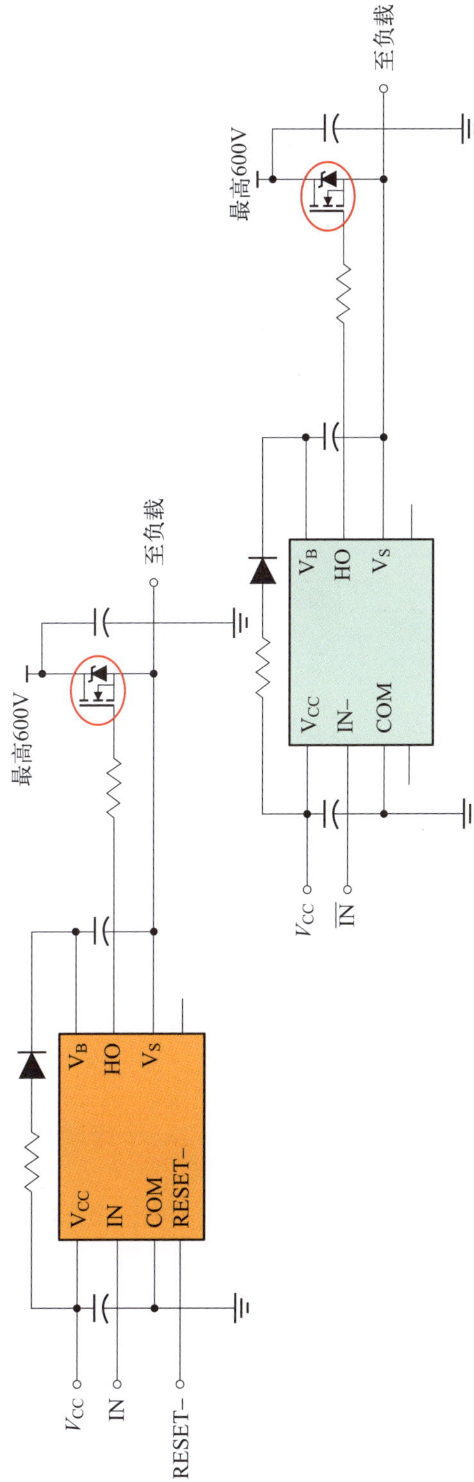

图 29-10 芯片 AUIRS2123S 厂家推荐电路

芯片 7 号脚为 MOS 管栅极驱动，6 号脚为浮地，8 号脚为栅极驱动电源，来自隔离变压器输出的 15V 电源。

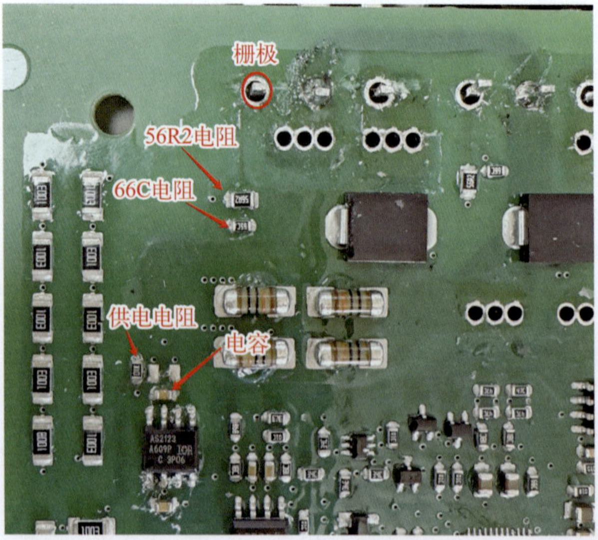

图 29-11　电路板实物

六、比亚迪 C4 充电机 MOS 管驱动电路

比亚迪 C4 充电机使用的是无桥双向可逆变 PFC 拓扑电路，如图 29-12 所示。下面看一下 PFC 的 MOS 管驱动电路结构以及使用到的芯片型号。

如图 29-13 所示，PFC 上桥驱动由芯片 IXDN604SI 进行控制，该芯片是 MOS 管栅极专用驱动芯片，其引脚定义如图 29-14 所示。位号 U307 用于驱动 Q105 和 Q106 两个 MOS 管。U307 的 7 号脚与 5 号脚为 MOS 管驱动引脚，R359、R358 为驱动阻尼电阻，二极管 D303 与 R357、D304 与 R360 为 MOS 管快速关断电路。

芯片 U307 采用正负电源供电，V_{CC} 为 +15V，GND 为 −15V，这样设计的好处是无须自举电容即可完成 PFC 上下管的驱动。MOS 管的源极接至芯片的 9 号脚（背面散热），同时是正负电源的负极。

U307 的驱动信号来自非门逻辑芯片 SN74LVC1，该芯片的引脚定义如图 29-15 所示。U310 的驱动信号来自隔离光耦，U311 的信号来自单片机。逻辑芯片与光耦的电源为 U312（7805）输出的 5V 电源。

驱动信号来自单片机 SM61T，该芯片的引脚定义如图 29-16 所示。信号被送至光耦 U311，经光耦隔离后，方波信号相位与原信号相反，因此再经过 U310 非门芯片倒相后送入芯片 IXDN604SI，经芯片的 5/7 号脚输出直接驱动 MOS 管。驱动电路中光耦与非门逻辑芯片的供电来自 U312（7805）三端稳压芯片。

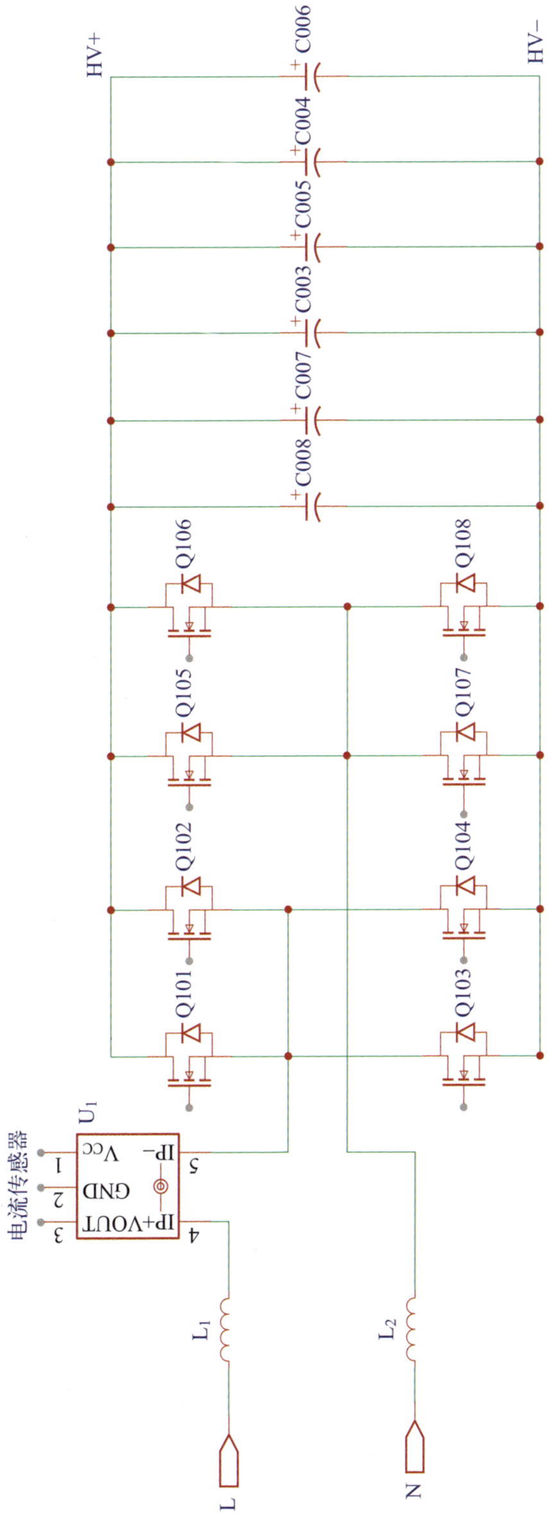

图 29-12 PFC电路拓扑结构

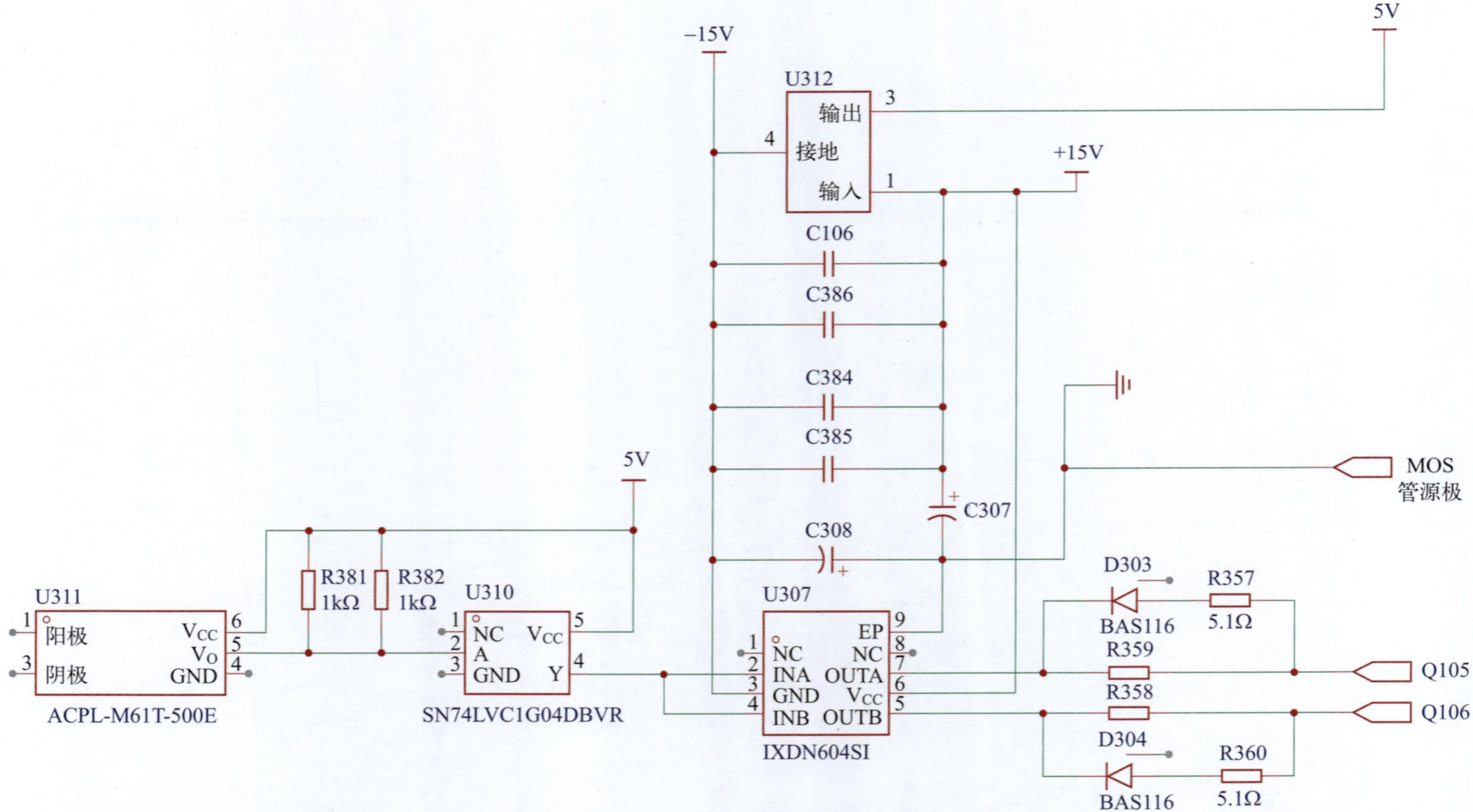

图 29-13 PFC 上桥驱动

比亚迪 C4 充电机 MOS 管驱动电路板实物如图 29-17 和图 29-18 所示。

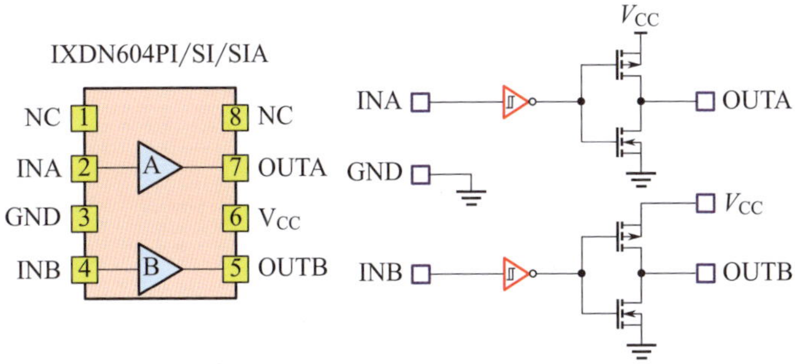

输入X	输出X
0	0
1	1

图 29-14 IXDN604SI 芯片引脚定义

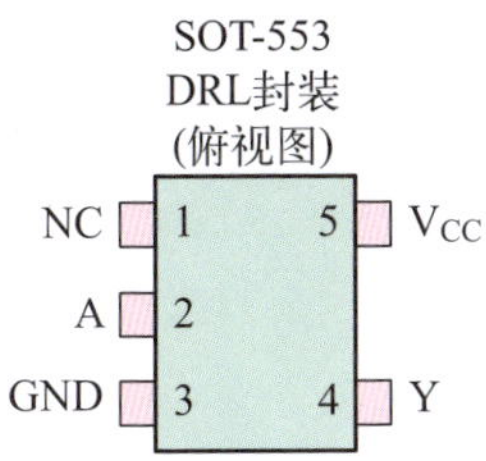

■真值表

输入s	输出t
A	Y
L	H
H	L

图 29-15 SN74LVC1 芯片引脚定义

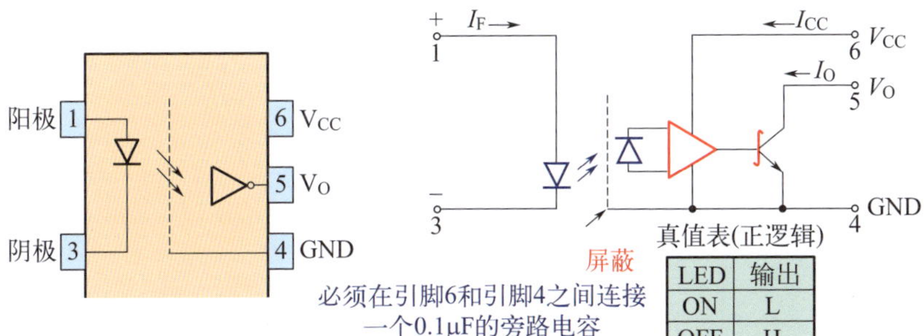

LED	输出
ON	L
OFF	H

图 29-16 SM61T 芯片引脚定义

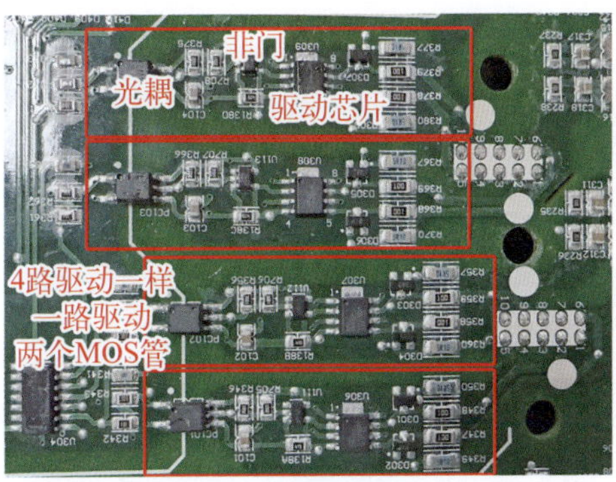

图 29-17 电路板实物（一）

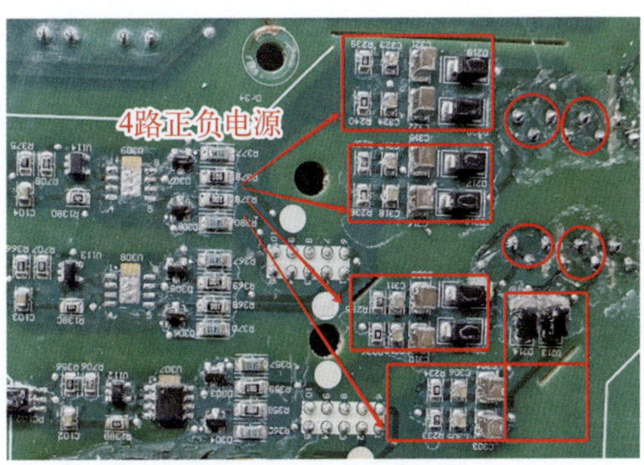

图 29-18 电路板实物（二）

第三十课时
DC/DC 电力变换电路

DC/DC 电力变换电路是指直流电与直流电变换的电路，在新能源汽车中应用广泛。一般车载充电机内部都会有 DC/DC 电力变换电路，在充电机内部交流电进来后，先经 EMC 电路，后经整流桥（部分没有），经 PFC 功率因数校正电路后就变成了 420V 的直流电。这时候一般都会使用 DC/DC 电力变换电路将 420V 直流电，变压成动力电池需要的直流电。其中一个部件名称就是 DC/DC，它的作用是将动力电池的高压直流电转换成低压直流电，给蓄电池充电以及车辆的低压电网供电。

一、全桥 DC/DC 变换拓扑

如图 30-1 所示是全桥 DC/DC 变换电路拓扑，该电路使用了 4 个开关管将直流电变换成交流电，并通过一个变压器耦合到副边绕组，在副边绕组使用两个肖特基二极管进行整流后得到直流电输出。

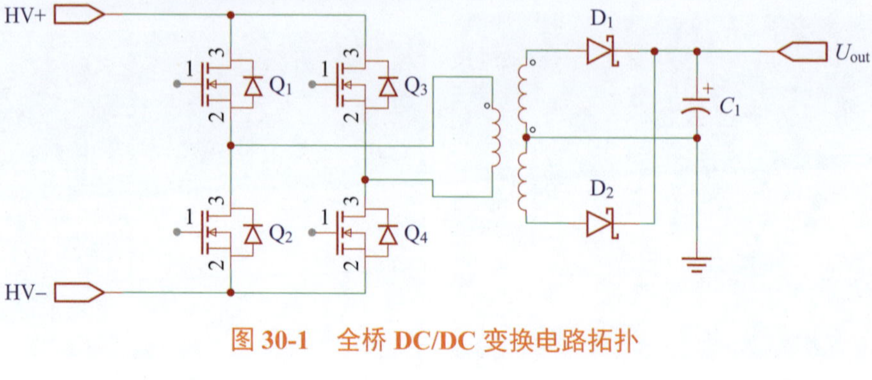

图 30-1　全桥 DC/DC 变换电路拓扑

电路工作时，Q_1 和 Q_4 导通，电流经 Q_1 流经变压器原边绕组后经 Q_4 回到负极，此时变压器原边绕组上正下负，根据变压器同名端位置 D_1 导通给负载供电；当 Q_3 和 Q_2 导通时，电流经 Q_3 至变压器原边绕组，经 Q_2 回到负极，此时变压器原边绕组上负下正，副边绕组 D_2 导通给负载供电。

实际这个电路在新能源汽车的各种控制器中并不常用，其原因是 MOS 管的导通和截止有损耗，而新能源汽车高压控制器基本都是大功率，因此不得不考虑该损耗。

如图 30-2 所示是 MOS 管控制负载示意，在理想的情况下认为 MOS 管的 G 极给高电平时应该瞬间导通，给低电平时应该瞬间截止。

而实际情况则是给高电平时 MOS 管的开启是需要时间的，给低电平时 MOS 管的截止也是需要时间的。而在 MOS 管从截止到开启时其 DS 之间是存在电压 U_{DS}，由于 MOS 管不能瞬间开启，因此 U_{DS} 不能突变为 0。同时由于 MOS 管的 U_{DS} 不能突变为 0，那么流过 MOS 管的电流 I_{DS} 也不能瞬间最大。如图 30-3 所示，在 MOS 管开启的瞬间，电压与电流有一个交叠，一旦电压与电流交叠，就会产生功耗。根据 $P=UI$，在 MOS 管开启瞬间就会有一个开通损耗；同理在 MOS 管关闭时也不能瞬间关断，因此 I_{DS} 不会瞬间为 0，而 U_{DS} 也不会瞬间达到 V_{CC} 电压。这里也会产生一个交叠，因此在 MOS 管关断时会产生一个关断损耗。

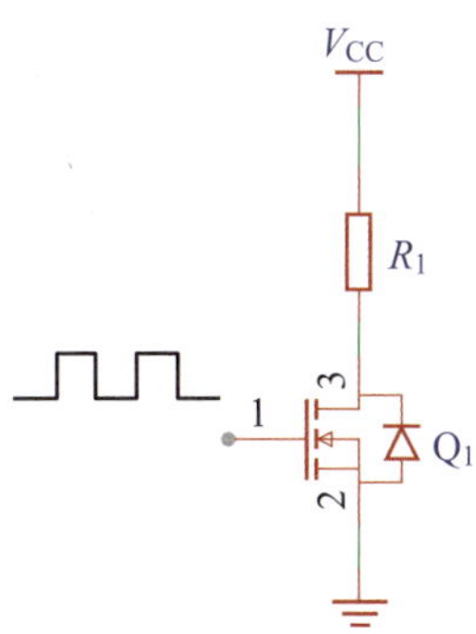

图 30-2 MOS 管控制负载示意

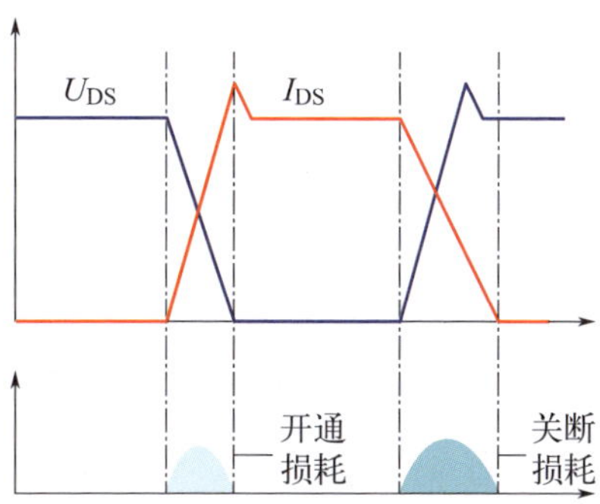

图 30-3 MOS 开通与关断损耗

为了解决这个问题，工程师们就想出一个能让 MOS 管在零电压时开启 ZVS（零电压开关），在零电流时关闭 ZCS（零电流开关）。一般在新能源汽车的 DC/DC 变换中解决零电压开启的 ZVS 与零电流关断 ZCS 的方案是 LC 谐振电路。

二、LC 谐振电路

LC 谐振电路涉及的内容很多，由于在这里介绍主要是为本书后面的相关内容做铺垫，因此只讲解串联 LC 谐振电路基础知识，关于并联 LC 谐振电路的内容不再赘述，感兴趣的读者可自行查阅相关资料。

首先要知道，谐振是指当输入频率与物体固有频率一致时发生的共振现象，在电学中称为谐振。

如图 30-4 所示是串联谐振电路，输入信号 U_{in} 为交流信号，在负载上串联了电感 L_1 与电容 C_1，电感有感抗，电容有容抗。

现在单独分析电感在电路中的表现，在前面的学习中知道感抗的计算公式为 $L_z = 2\pi fl$，式中，f 表示输入信号频率（Hz），l 表示电感的电感量。通过公式计算可知，随着频率的增加，那么加载在负载上的电压随之下降（图 30-5）。

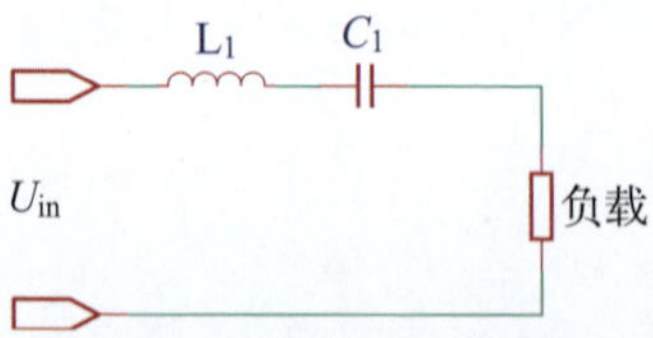

图 30-4　串联谐振电路

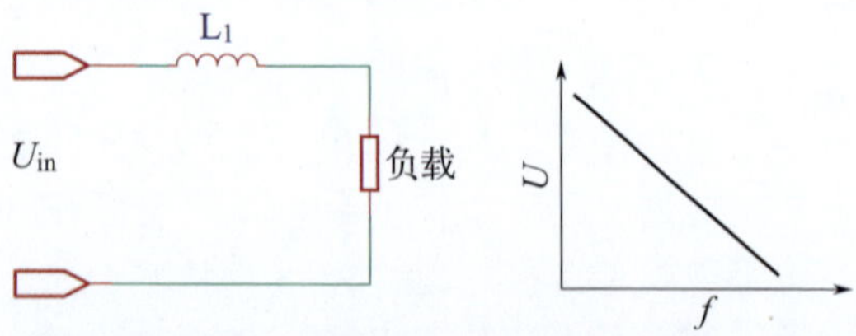

图 30-5　感抗与频率之间的关系

单独分析电容在电路中的表现是一样的，在前面的学习中知道容抗的计算公式为 $C_z = \dfrac{1}{2\pi fC}$，式中，f 表示输入信号的频率（Hz），C 表示电容容量。通过公式可知，随着频率的增加，那么加载在负载上的电压随之上升（图 30-6）。

根据前面分析可知，当电路中的容抗等于感抗时，相互抵消，电路就处于谐振状态（图 30-7）；如果输入信号频率低于谐振频率，那么电路呈感性；当输入信号频率高于谐振频率时，电路呈容性。

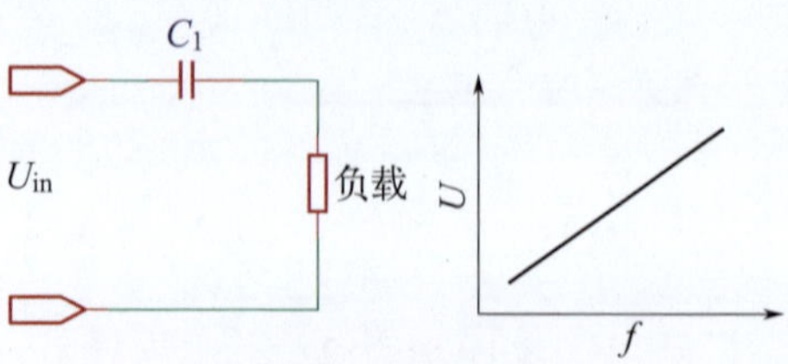

图 30-6　容抗与频率之间的关系

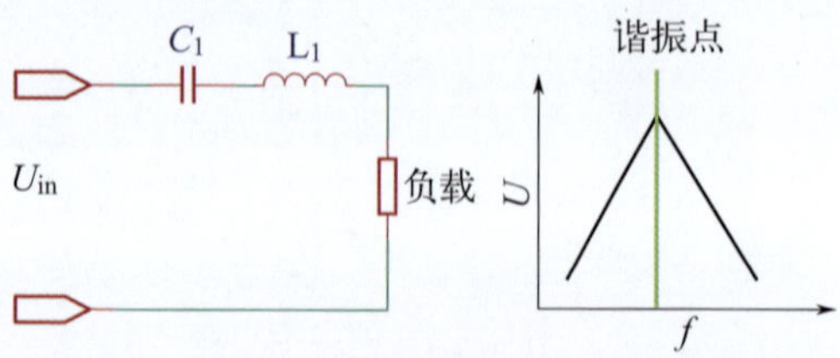

图 30-7　LC 谐振

当输入信号频率等于谐振频率时，电路对输入信号没有阻碍作用，也可以理解为电路工作在增益最高时为 1。如果输入信号频率不等于谐振频率，那么电路增益则小于 1。

本书目的是学习新能源汽车高压电子维修，因此涉及 LC 谐振频率的复杂计算则忽略，只为各位读者了解 LC 谐振电路的特性。

三、LLC 变换器

在前面学习了 DC/DC 变换电路大体结构，并分析了在大功率开关电源中开关管的导通截止损耗问题，同时也简单学习了LC谐振电路。接下来学习新能源汽车车载充电机中一个关键的电路——LLC变换器。新能源汽车充电器一般结构为交流电输入后经EMC滤波电路，再经整流桥后转换为直流电，再经PFC（功率因数校正）电路后变为420V直流电。此时大部分充电机都会使用LLC变换器将420V直流电转换为动力电池需要的高压直流电输出。

如图30-8所示为全桥LLC变换拓扑，其中Q_1～Q_4构成一个逆变桥，用于将输入的直流电逆变成交流方波信号。

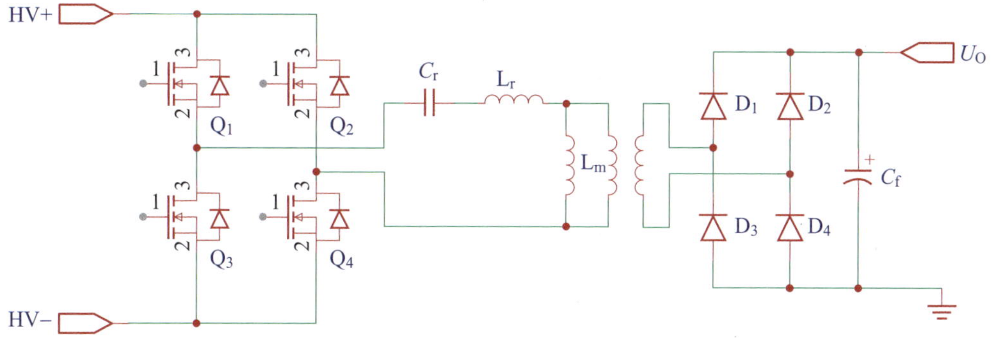

图30-8 全桥LLC变换拓扑

L_m为变压器原边绕组的漏磁电感，所谓漏磁电感并不是真实存在的一个电感器，它是指当变压器原边绕组的磁通没有完全耦合到副边绕组而剩余的电感。现实中的变压器都存在漏感，并且漏感会随着接入变压器原边绕组频率升高而升高。因此评判一个变压器的品质好坏也会考虑到漏感的大小。测量漏感的方法为：使用电桥测量原边绕组的电感量的同时再短接副边绕组，得出的电感量就是变压器的漏感。

图30-8中C_r、L_r、L_m构成了LLC谐振腔，变压器副边绕组经四个整流二极管整流后得到直流电U_O输出。

使用LLC变换器的好处是可以使开关电源的功率做得很大，这得益于LLC谐振腔可以做到让开关管实现ZVS导通与ZCS关断，并且实现输出电压可调，这得益于LLC谐振电路中的LLC谐振频率与开关网络输出的方波频率是一致的，即增益是否为1，如果为1则说明输出电压最高，如果增益小于1则输出电压偏低。

LLC谐振网络的工作非常复杂，其原因在于各种频率的计算与控制。而作为维修者只需要了解其工作原理即可，无须计算LLC在各种频率下的工作状态。

下面简单阐述LLC的工作过程。

LLC变换原理一

LLC变换电路分析起来比较复杂，因此常用的分析方法为稳态分析法，即电路工作在稳定状态下。

如图30-9所示，Q_1和Q_4导通，电流经Q_1流经C_r至L_r及变压器原边，经Q_4回到电源负极。此时副边绕组因为同名端的原因，上正下负，D_1与D_4导通，经整流为负载供电，同时给滤波电容 C_f 充电。

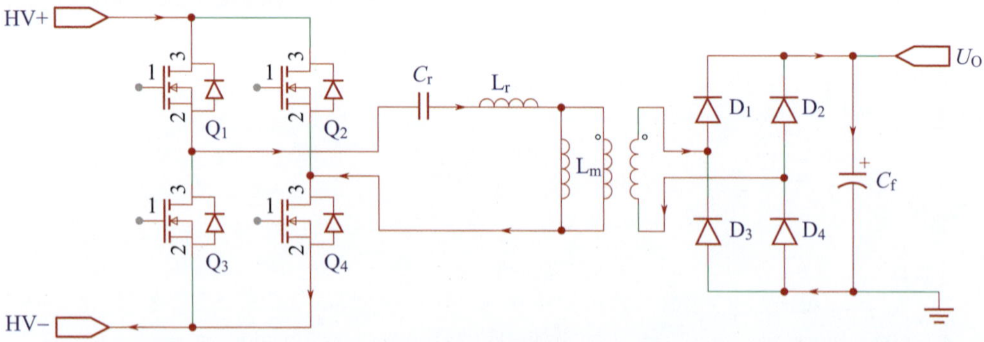

图 30-9　LLC 变换原理一

此时若变压器匝数比为 $N:1$，那么原边绕组上的电压就一定大于 N 倍的 U_O，只有这样整流二极管才会导通。

LLC 变换原理二

如图 30-10 所示，随着电容 C_r 电压慢慢充满，原边绕组上的电流慢慢减小。此时原边绕组上的电压也随之慢慢减小至小于 N 倍的 U_O，那么副边整流二极管会因为副边绕组电压过低，不足以使二极管正向偏置而截止，这里也实现了二极管零电流关断（二极管无损耗）。

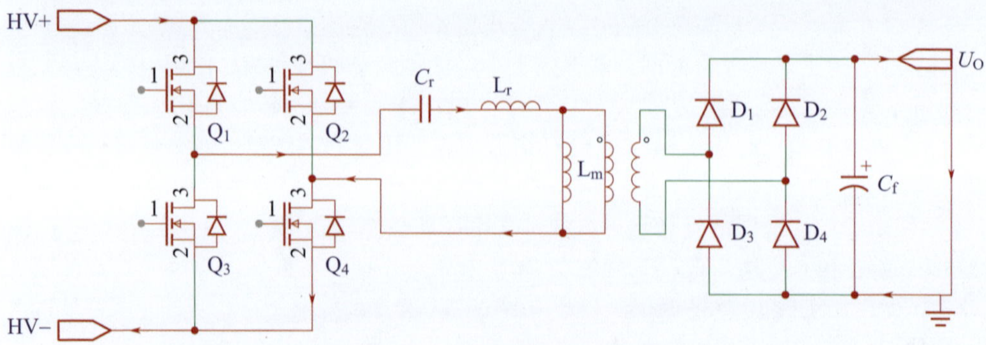

图 30-10　LLC 变换原理二

LLC 变换原理三

如图 30-11 所示，当电容电充满后，此时电容左边电压等于电源电压。也就是说 MOS 管 Q_1 的 DS 之间的压差为 0；电容右边电压为电压负极，即 MOS 管 Q_4 的 DS 之间压差为 0，此时关断 Q_1 和 Q_4 就实现了零电压关断 ZVS。

LLC 变换原理四

电感电流不能突变，在 LLC 变换原理三的过程中整流二极管已经截止，同时开关管网络全部截止。因此原边绕组的漏感 L_m 与谐振电感 L_r 会产生一个反向电动势，该反向电动势电流走向会经过 Q_2 内部的寄生二极管经电源经 Q_3 内部的寄生二极管及 C_r 回到谐振电感 L_r 与漏感 L_m。原边绕组下正上负，副边绕组感应出电压，D_2 和 D_3 导通（图 30-12）。

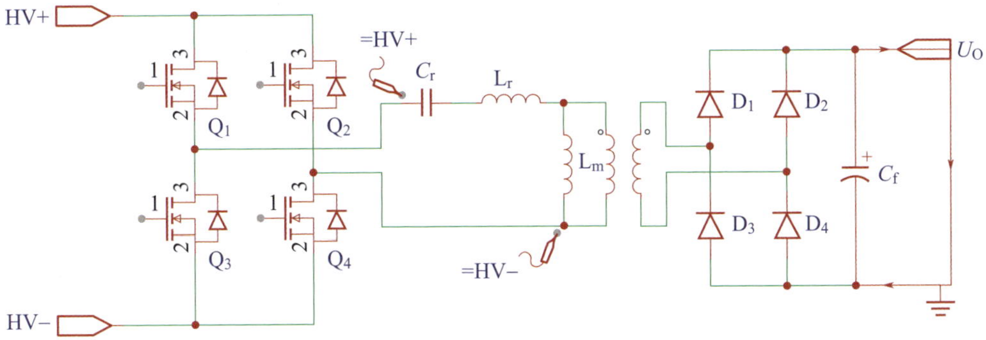

图 30-11　LLC 变换原理三

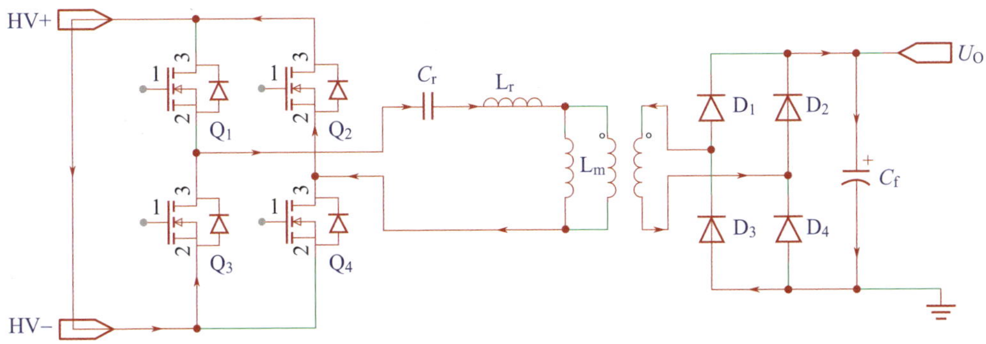

图 30-12　LLC 变换原理四

该电流反向加载在 Q_2 与 Q_3 上面，此时打开 Q_2 与 Q_3 就实现了 ZCS 零电流开启 MOS 管，减小了 MOS 管的导通损耗。

LLC 变换原理五

如图 30-13 所示，当 Q_2 和 Q_4 导通后，电流经 Q_2 流向变压器原边绕组下端，经 L_r 和 C_r 至 MOS 管 Q_3 回到电源负极。此时因为同名端的原因变压器副边绕组下正上负，二极管 D_2 和 D_3 继续保持导通，给负载供电同时给 C_f 充电。

此时加载在变压器原边绕组的电压一定大于 N 倍的 U_O，只有这样副边绕组整流二极管才可以正向偏置导通。

LLC 变换原理六

随着谐振电容 C_r 电压慢慢充满，此时变压器原边绕组的电流慢慢减小，变压器原边绕组上的电压就会小于 N 倍 U_O，那么整流二极管就会截止（图 30-14）。

这里同样也实现了 D_2 和 D_3 零电流截止，减小了二极管的损耗。

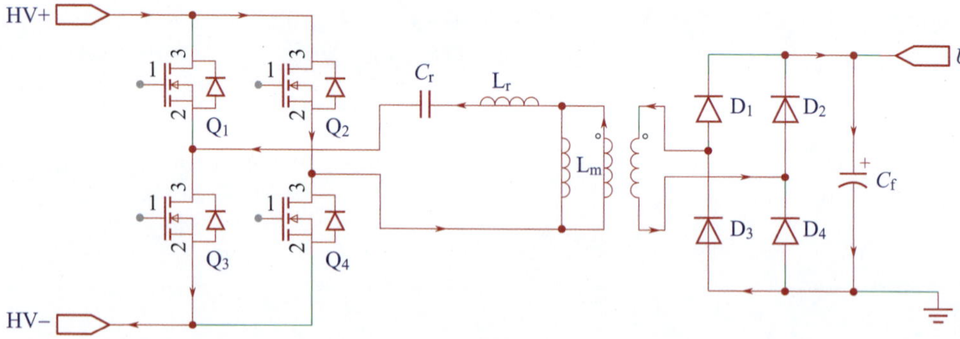

图 30-13 LLC 变换原理五

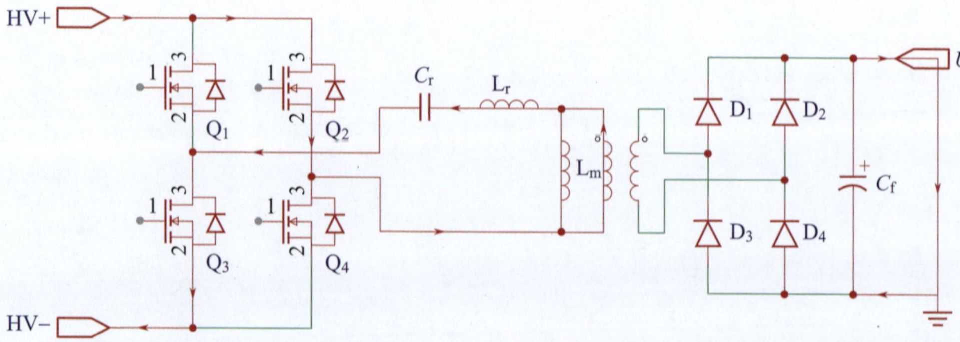

图 30-14 LLC 变换原理六

LLC 变换原理七

当电容电充满后，此时电容左边电压等于电源负极，也就是说 MOS 管 Q_3 的 DS 之间的压差为 0；电容右边电压为电源电压，即 MOS 管 Q_2 的 DS 之间压差为 0，此时关断 Q_3 和 Q_2 就实现了 ZVS 零电压关断（图 30-15）。

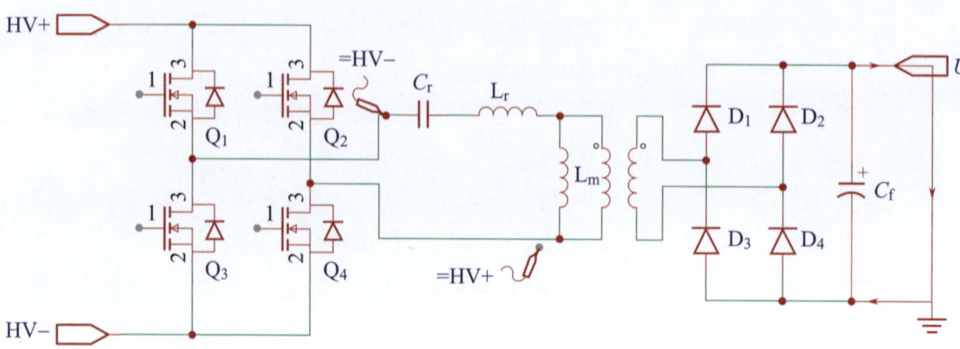

图 30-15 LLC 变换原理七

LLC 变换原理八

电感电流不能突变，在 LLC 变换原理七的过程中，整流二极管已经截止，同时开关管网络全部截止。因此原边绕组的漏感 L_m 与谐振电感 L_r 会产生一个反向电动势，该反向电动势电流走向会经过 C_r 后，经 Q_1 内部的寄生二极管、电源、Q_4 内部的寄生二极管、谐振电感 L_r 与漏感 L_m。原边绕组电压上正下负，因此副边感应出电压，D_1 和 D_4 导通（图 30-16）。

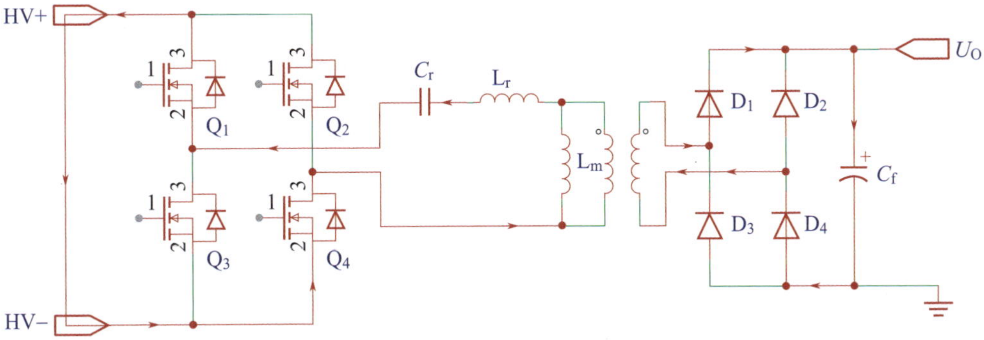

图 30-16 LLC 变换原理八

该电流反向加载在 Q_1 与 Q_4 上面，因此此时打开 Q_1 与 Q_4 就实现了 ZCS 零电流开启 MOS 管，减小了 MOS 管的导通损耗。

当然到这里就是一个完整的循环，同时在第一个变换中实际也是 ZCS 开启 MOS 管的。

小结

通过前面的学习得知，LLC 变换电路可以让开关管网络实现 ZCS 开启与 ZVS 关断，解决开关管的导通损耗与关断损耗，从而实现了车载充电机大功率工作，同时使用开关管网络的调频使输入信号频率与 LLC 谐振腔频率不一致或者一致，又可以显示增益的控制，进而解决了输出电压控制问题。

四、欣锐充电机 LLC 变换器

欣锐充电机在 PFC 升压后使用的 DC/DC 变换电路为 LLC 变换电路，其变换电路如图 30-17 所示。MOS 管 Q_{16} 和 Q_{14} 为开关网络的上桥，Q_{18} 和 Q_{20} 为开关网络的下桥，MOS 管型号为艾赛斯公司生产的 IXFH80N65X2。

C75A 为谐振电容，是由八个电容并联使用，为西门子公司生产的无极性薄膜电容，单个电容容量为 22nF。

L_1 和 L_2 为谐振电感，与变压器统一封装在铁壳内，有效防止高频干扰。

整流桥使用的二极管为艾赛斯公司生产的 DSEC30-06 型号的二极管。在输出正极端再次使用一个由艾赛斯公司生产的 DSI45-12A 整流二极管。

输出滤波部分省略未画。

欣锐充电机 LLC 谐振单元如图 30-18 所示，其中，MOS 管安装位置见图 30-19，整流桥安装位置见图 30-20，PCB 板位号见图 30-21，变压器与电感位置见图 30-22。

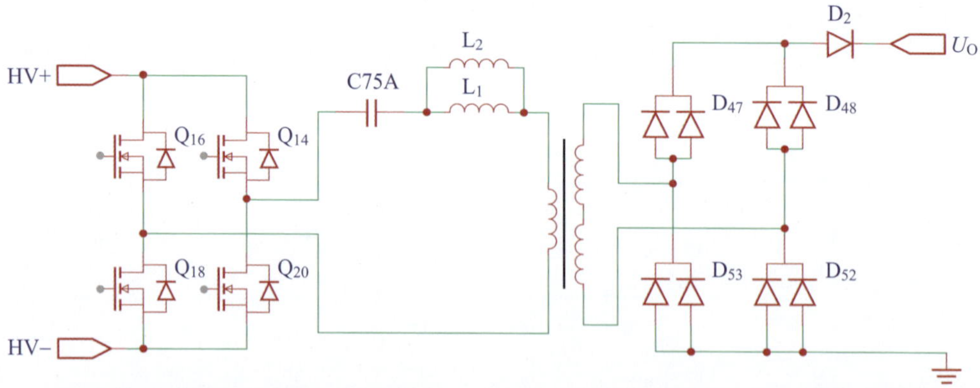

图 30-17　欣锐充电机 LLC 变换电路

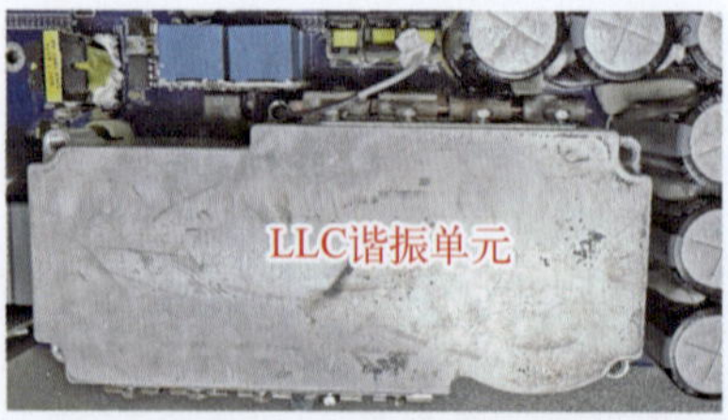

图 30-18　LLC 谐振单元

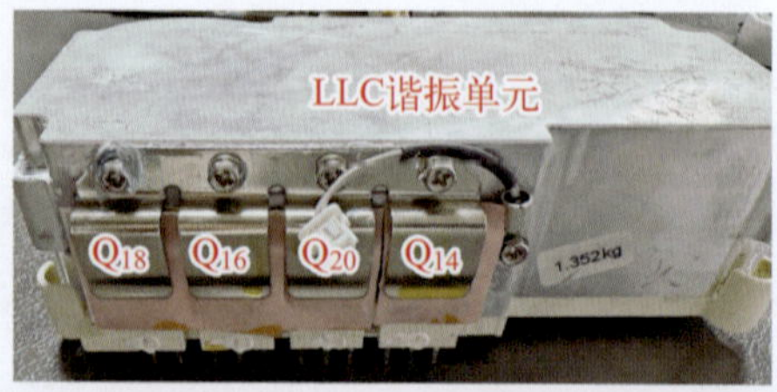

图 30-19　MOS 管安装位置

图 30-20　整流桥安装位置

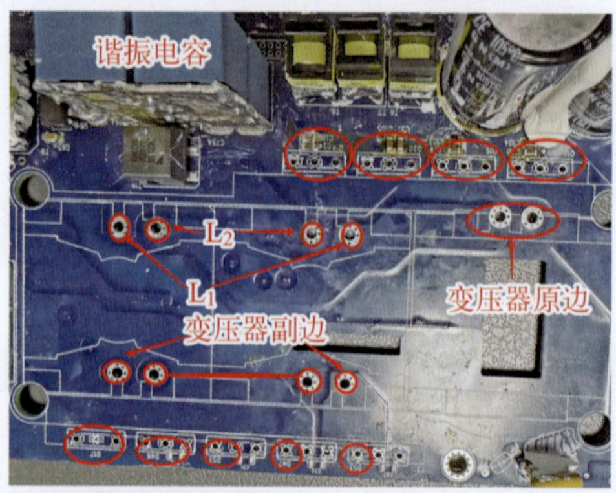

图 30-21　LLC 的 PCB 板位号

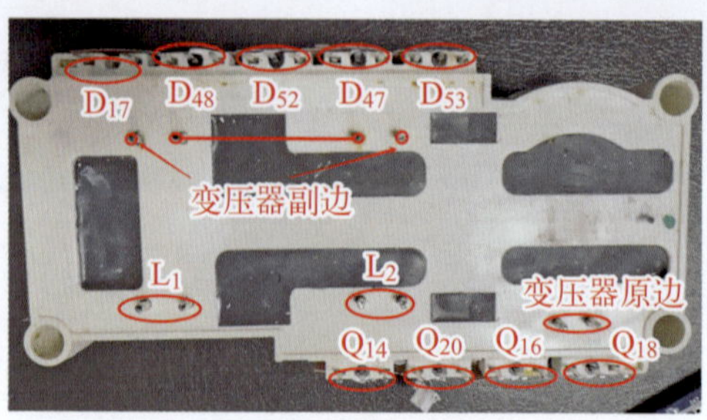

图 30-22　LLC 电感与变压器位置

第三十一课时
反激式开关电源

在新能源汽车的各种高压控制器中，经常能见到各种开关电源，其作用主要是将高压直流电或者交流电转换为低压直流电，给电路板供电。常用的开关电源有正激式开关电源和反激式开关电源，一般常见的都是反激式开关电源。本课时主要以反激式开关电源为例来讲解开关电源的原理与检修方法。

一、开关电源工作原理

在前面学习过 BOOST 升压电路与 BUCK 降压电路，这两种电路都可以实现电源的升降压，但是为非隔离式的电源。而开关电源实际也是由 BOOST 与 BUCK 电路变换而来的。

图 31-1 中两图的区别就是变压器同名端不一样，图 31-1（a）所示的同名端都在变压器的上方；而图 31-1（b）所示的同名端则相反。

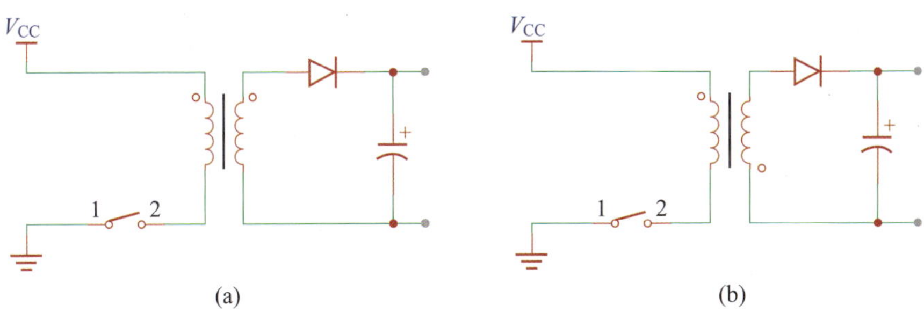

图 31-1　开关电源工作原理

图 31-1（a）中，当开关管闭合时，电流经变压器原边绕组后再经开关管入地，

此时变压器原边绕组上正下负，副边绕组在同名端也感应出上正下负的感应电动势，经整流二极管给负载供电。当开关管断开时，原边绕组会自感出一个下正上负的电动势，同时副边绕组也会感应出一个下正上负的感应电动势，而这个电动势并不能为负载供电。这样一来，原边绕组就需要一个释放能量的回路让变压器的磁通归零。这种开关电源就叫作正激式开关电源。

图 31-1（b）所示的开关电源的同名端与图 31-1（a）所示是反的，因此在分析电流时完全不一样。电流通过原边绕组线圈经开关管入地，这时候原边绕组上正下负，负边绕组会感应出一个下正上负的感应电动势，而这个电流被二极管反向截止，因此变压器中的能量不能被传递出去。此时变压器可以看成电感在储能状态。

当开关管断开时，变压器原边绕组会自感出一个下正上负的电动势，这时副边绕组也会感应出一个上正下负的感应电动势，这个电动势是可以通过二极管传递出去的。

因为变压器漏磁电感的缘故，原边绕组的能量并不能完全耦合到副边去，原边绕组的漏感就会感应出一个很高的反向电动势，因此需要加一个尖峰吸收电路。这种开关电源就叫作反激式开关电源。

二、由 3843 芯片驱动的反激式开关电源分析

如图 31-2 所示为反激式开关电源拓扑。电路输入的是 220V 交流电经整流滤波电路后的 310V 直流电，该直流电经变压器原边绕组后由 MOS 管控制通断。根据变压器同名端位置可以看出该电路为反激式开关电源，当 MOS 管开启时变压器处于储能状态，当 MOS 管断开时变压器副边绕组释放能量，并由二极管整流为负载提供电能。

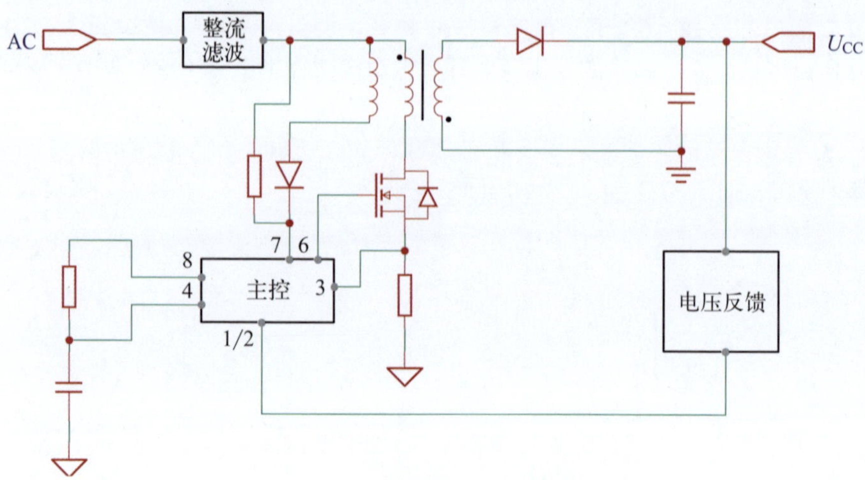

图 31-2　反激式开关电源拓扑

而整个电路需要一个核心的控制芯片，称为主控芯片。主控芯片需要完成以下任务。

❶ 以固定的频率开通和截止 MOS 管，使变压器原边线圈工作，并在副边绕组感

应出合适的电压。

❷ MOS 管开启时，需要时刻监测原边绕组电流，防止电流过大而烧毁 MOS 管。

❸ 需要时刻监测副边绕组输出电压，以适应不用负载下电压稳定输出，因此需要设置电流反馈电路检测输出电压，用以调整 MOS 管的占空比。

❹ 同时还应设计一个冷启动电路，保证芯片在上电时能启动，并在变压器原边绕组再加一个副边绕组，为芯片提供工作电压。

结合反激式开关电源的基本拓扑和对控制电路的要求，这里使用 3843 芯片设计一个反激式开关电源，以此来详细讲解反激式开关电源的工作流程。3848 芯片内部原理如图 31-3 所示，EMC 与整流滤波电路见图 31-4。

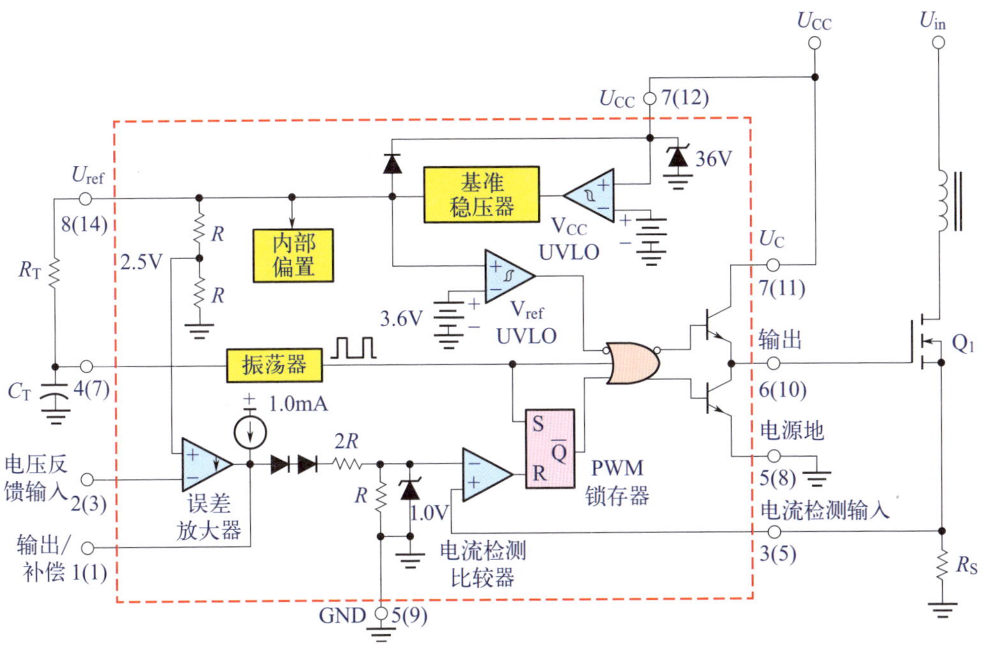

图 31-3　3843 芯片内部原理

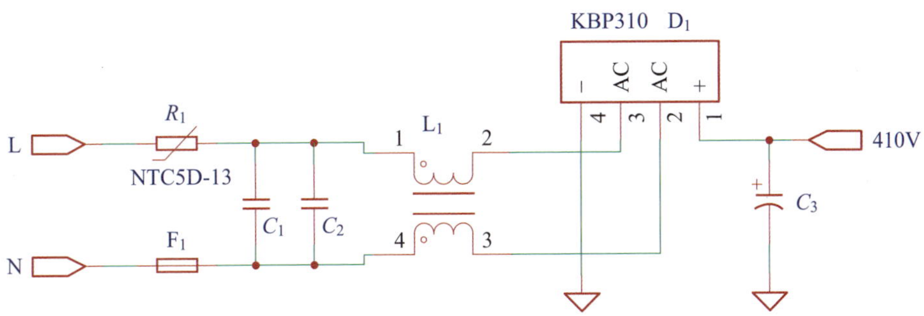

图 31-4　EMC 与整流滤波电路

在图 31-4 中，220V 交流电接入后，L 线先经过一个 NTC 电阻，该电阻的作用是防止浪涌电流。在电路接通瞬间，NTC 处于常温，因此电阻值较大，可有效限制电容充电电流。当电路稳定工作时，持续电流会使 NTC 升温，这样 NTC 的电阻值极低，可以忽略不计。F_1 为电路中的保险，C_1 和 C_2 是安规电容，它的作用是滤除电路中的差模干扰，也称为 X 电容。L_1 为共模电感，用于滤除电路中的共模干扰，这一套电路也称为 EMC 电路。

经过 MEC 电路后交流电进入 KBP310 整流桥，经整流桥后输出为 410V 直流电，并通过电解电容 C_3 滤波为后级供电。

如图 31-5 是反激式开关电源的原边主回路与芯片供电电路。410V 直流电进来后至变压器原边绕组的 1 号脚，原边绕组的 2 号脚接 MOS 管的 D 极，S 极经电流取样电阻 R_{11} 入地。

由于变压器原边绕组存在漏感，因此在 MOS 管断开时原边绕组会产生一个很高的反向电动势，如果不加以处理就会击穿 MOS 管，因此在变压器的 1 号脚和 2 号脚之间接一个续流二极管 D_3，与电阻 R_7 和电容 C_4 构成一个 RCD 尖峰吸收电路。当反向电动势来时经二极管后，再经 C_4 回到变压器 1 号脚，并通过 R_7 消耗电流，用于保护 MOS 管。

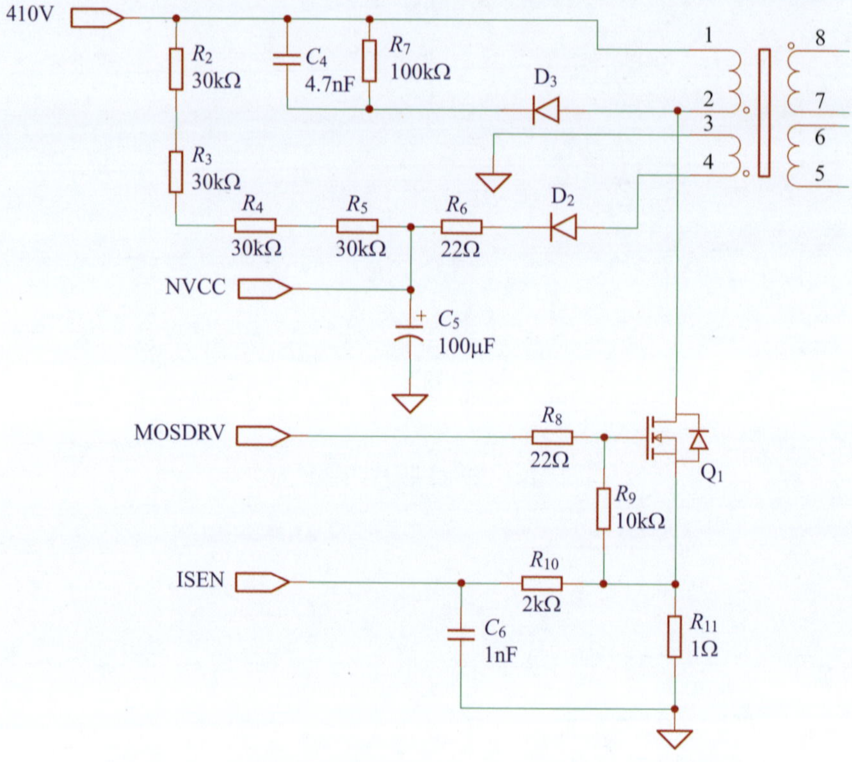

图 31-5　反激式开关电源的原边主回路与芯片供电电路

电路刚上电时，芯片没有供电，不能正常工作。因此在 410V 电压输入时，通过串联 R_2 ~ R_5 限流电阻将 410V 电压接入芯片 7 号脚，芯片内部有一个稳压二极管，稳压电压为 36V。因此 7 号脚电压被钳位在 36V 用以芯片冷启动。当芯片起振后由原边副绕组 3 号脚和 4 号脚，经整流二极管 D_2 和限流电阻 R_6 给芯片供电，C_5 为芯片供电的滤波电容。

MOS 管由芯片的 6 号脚直接驱动，由于芯片 6 号脚到 MOS 管 G 极之间的 PCB 布线存在分布电感和 MOS 管的 G 极寄生电容，因此高频方波驱动 MOS 管 G 极时会发生谐振现象。为了解决这个问题，在 MOS 管栅极加入了阻尼电阻 R_8，取值为 22Ω，R_9 为 MOS 管的 G 极关断电阻。

R_{11} 为 MOS 管的 S 极电流取样电阻，将电流信号转变为电压信号，通过限流电阻 R_{10} 送入芯片 3 号脚，以防止电流过大烧毁 MOS 管和电路。C_6 起到取样电压的滤波作用。

变压器副边绕组为两组输出，两组绕组匝数相同，因此输出电压一致。7 号脚和 8 号脚为一组输出，7 号脚为接地，8 号脚经整流二极管 D_4 后由 C_8 滤波储能。R_{12} 为负载电阻，是在电源没有接负载时起稳定电压的作用，因此如果输出端没有负载，那么原边就会偶尔停止振荡导致电源输出不稳定。同时在 D_4 后级加入一个 7805 降压芯片是为了得到一个稳定的 5V 电源，使用 C_{16} 对 5V 电源起滤波储能作用（图 31-6）。

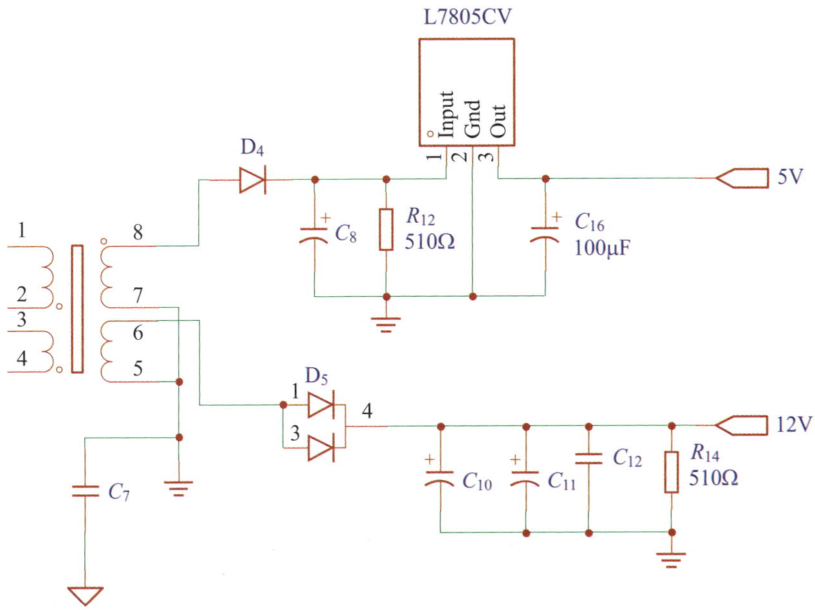

图 31-6　副边绕组整流滤波电路

副边绕组的 5 号脚和 6 号脚为第二组输出，D_5 为输出整流二极管，在输出后面接 C_{10} ~ C_{12} 电容为输出滤波，使用 R_{14} 为负载电阻，与前面所述作用相同。

这里使用到的整流二极管都是肖特基二极管或者快恢复二极管，因为开关电源输出频率高，普通二极管在高频下就失去了单向导通的作用。

如图 31-7 所示为电压反馈电路与芯片外围电路，根据前面的芯片内部电路结构得知芯片引脚定义和使用方法。

芯片 7 号脚为芯片的供电引脚，5 号脚为接地，这两个引脚为芯片提供工作电源。

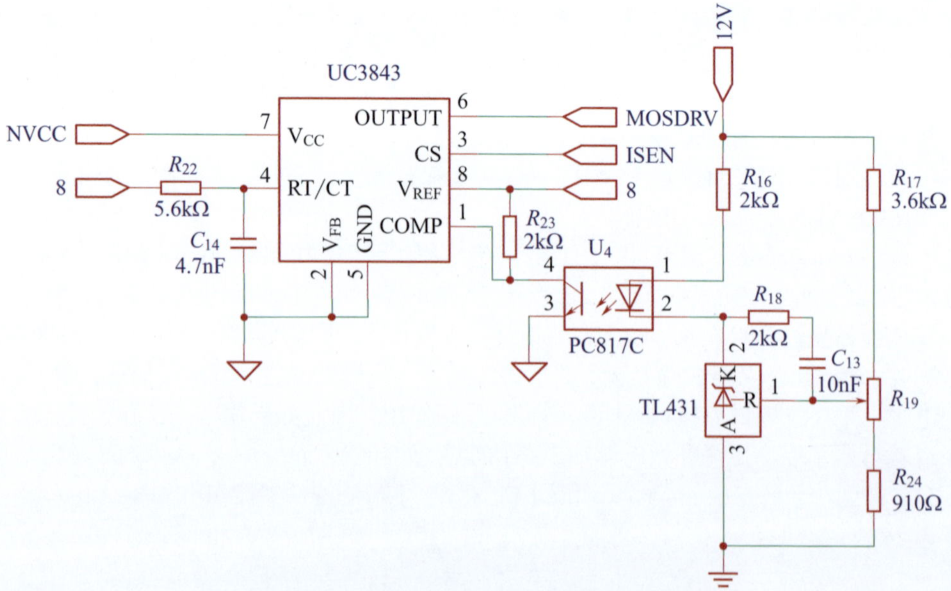

图 31-7　电压反馈电路与芯片外围电路

1 号脚为芯片的内部误差放大器的输出端，通常该引脚与 2 号脚之间连接一个反馈网络，用以确定误差放大器的增益和频率响应。这个电路直接将该脚作为电压反馈引脚使用。

2 号脚为芯片内部的误差放大器输入端，内部连接误差放大器反相端，同相端连接了一个 +2.5V 的参考电压，因此该引脚也可以用作电压反馈引脚，以控制输出脉宽。将该脚直接接地，不用该脚作为电压反馈，这也是大部分使用该芯片作为反激式开关电源时的用法。

3 号脚为芯片的电流检测引脚，根据内部电路可知取样电阻上的分压超过 1V 则芯片停止工作，有效地保护了 MOS 管。

4 号脚为定时器，该引脚外接 RC 用以确定芯片的输出信号频率，RC 由芯片的 8 号脚输出稳定的 5V 供电。4 号脚在正常工作时其波形是一个锯齿波。

6 号脚为芯片的脉冲输出引脚，用于控制 MOS 管。

8 号脚为芯片输出的稳定的 5V 参考电压。

电压反馈电路由光耦 U_4、TL431 为主要部件构成。芯片的一脚连接至光耦的 4 号脚，且由上拉电阻 R_{23} 取芯片 8 号脚的 5V 电，光耦的 3 号脚接地。当输出电压超过 12V 时，光耦导通，4 号脚电压为 0，芯片会加大占空比来调节输出电压。当输出电压小于 12V 时，光耦不导通，芯片 4 号脚电压等于内部误差放大器输出电压。因此芯片在不断地调节输出占空比，使输出电压无限接近 12V。

光耦的 1 号脚通过限流电阻 R_{16} 与 12V 输出端连接，2 号脚与 TL431 的 2 号脚连接，TL431 的 3 号脚接地。因此光耦的 1 号脚与 2 号脚之间是否有电压取决于 TL431 是否导通。

TL431 的参考端连接至电阻 R_{17}、R_{24} 的中间。R_{17} 为 3.6kΩ，R_{24} 为 910Ω，因此供电电压等于 12V 时，分压电压等于 2.4V。如果输出电压大于 12V，则分压一定大于 2.4V，当分压超过 2.5V 时，TL431 导通。

因电路中所有元器件都存在误差，所以在 R_{17} 和 R_{24} 中间串联加入一个 1kΩ 的可调电位计，用于解决元器件误差所导致的输出电压不合格问题。因此在电路组装好后，若输出电压不等于 12V，则调节电位计 R_{19}。

R_{18} 和 C_{13} 的作用是使 TL431 正常工作，即稳压作用，一般在使用 TL431 作为电压反馈的电路中都会采用这种方式进行稳压。

如图 31-8 所示为输出电源指示灯电路。该电路比较简单，使用两个 LED 灯显示，每个 LED 灯使用一个 2kΩ 电阻限流。当电路正常工作时，两路都有输出，则两个 LED 灯全部点亮。

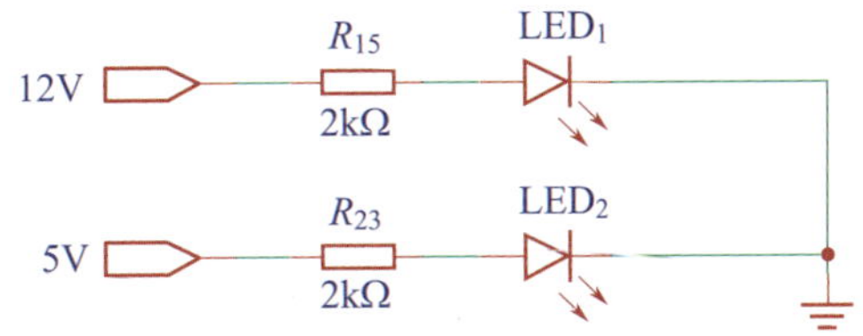

图 31-8　输出电源指示灯电路

反激式开关电源空 PCB 板实物如图 31-9 所示，组装调试好的 PCB 板实物见图 31-10。

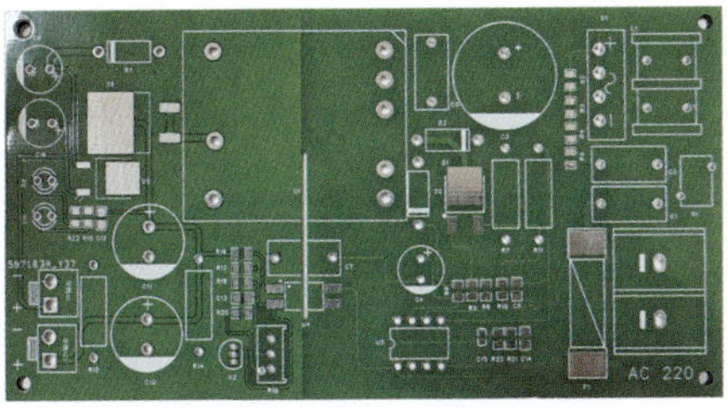

图 31-9　空 PCB 板实物

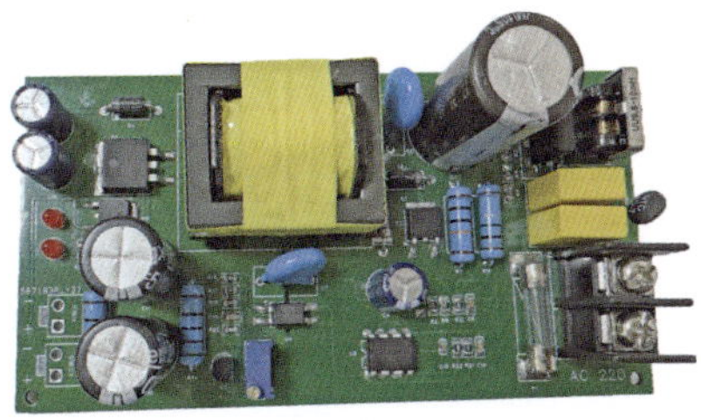

图 31-10　组装调试好的 PCB 板实物

三、欣锐充电机内部开关电源

欣锐充电机内部使用一个反激式开关电源，该电源为充电机内部供电，输入电源为经 PFC 后的直流电源（图 31-11）。该电源使用的主控芯片为英飞凌公司生产的 ICE3BR4765JZ 型号的 AC/DC 芯片（图 31-12 和图 31-13）。

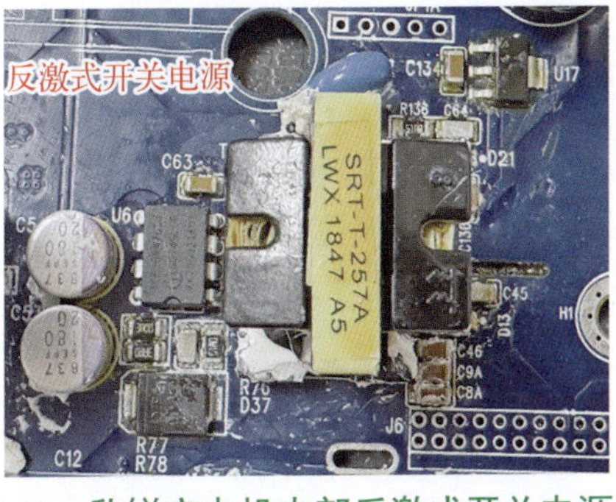

图 31-11　欣锐充电机内部反激式开关电源实物

图 31-12　ICE3BR4765JZ 芯片

变压器有一个原边主绕组和一个原边副绕组为芯片供电，同时作为输出电压采样用，副边绕组有两组输出。

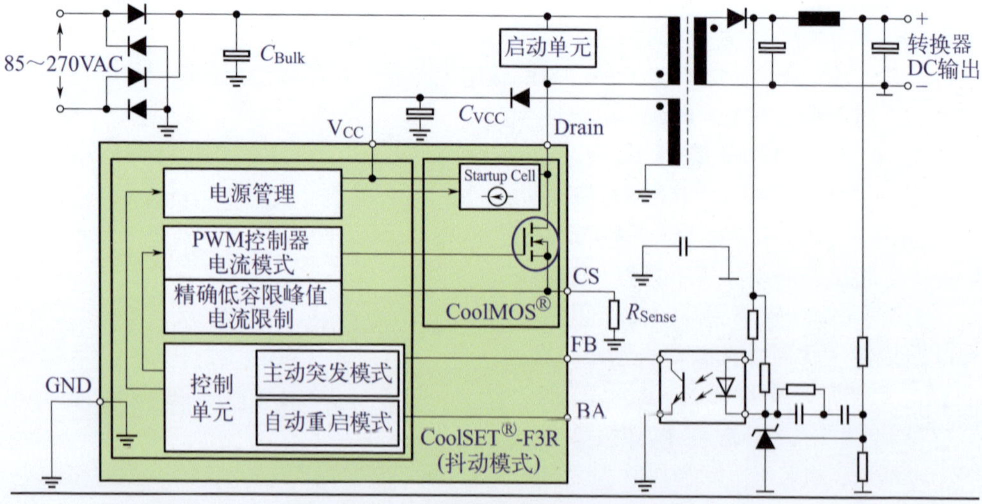

图 31-13　ICE3BR4765JZ 内部框图

开关电源的原边绕组的高压直流电来自 PFC 升压的滤波电容，原边绕组的控制端直接由芯片 4 号脚和 5 号脚控制，芯片内部集成 MOS 管，因此该电路无须外接 MOS 管。

R_{74}、R_{175}、D_{36}、C_{42} 构成了原边主绕组的 RCD 尖峰吸收电路（图 31-14）。

原边副绕组通过 D_{37} 整流和 C_{51}、R_{76} 构成的阻容滤波电路为芯片 7 号脚供电。

该主控芯片的特点是内部自带降压电路，因此在芯片没有工作时，芯片通过 4 号脚连接到变压器原边绕组的高压直流电，经内部降压后由 C_{52}、C_{47}、C_1 滤波用以保证芯片的冷启动（图 31-15）。芯片启动后由原边副绕组提供 12V 电压，经 C_{53} 和 C_{54} 滤波后，再经 D_{35} 二极管给芯片 7 号脚供电。D_{35} 在这里也起隔离作用，防止芯片在冷启动时，7 号脚电压给外部供电。由于内部降压电路输出电流非常小，仅能维持芯片启动，因此要做隔离。

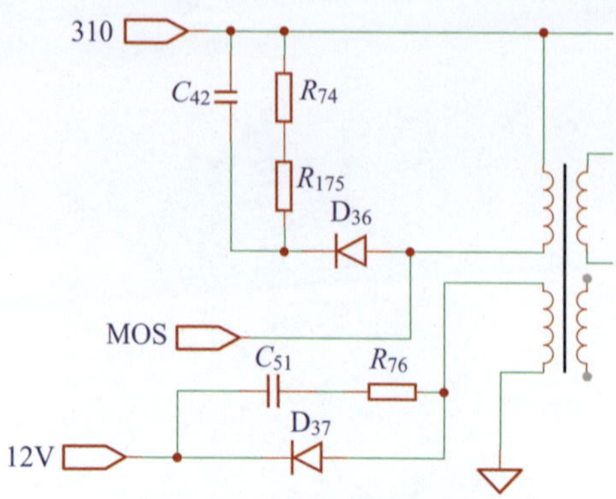

图 31-14　开关电源主回路

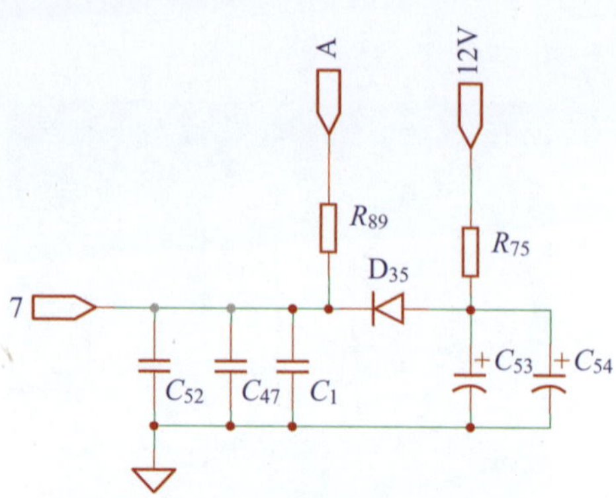

图 31-15　原边副绕组滤波电路

芯片的 1 号脚为芯片的控制引脚，该芯片接受外部 IC 控制。一般无须外部 IC 控制，将该引脚通过合适的电容接地，这样可以延迟芯片启动时间。该引脚电压拉低至 0.33V 以下则芯片停止工作。

2 号脚为芯片的电压反馈引脚。

3 号脚为芯片的电流检测引脚，在电路中通过 R_{77} 和 R_{88} 两个电阻并联作为电流检测用（图 31-16）。

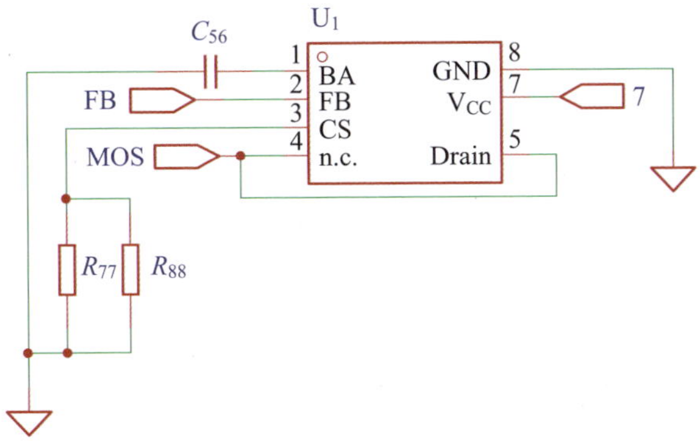

图 31-16　主控芯片外围电路

4 号脚和 5 号脚为内部 MOS 管的 D 极。

7 号脚为芯片的供电引脚正极。

8 号脚为芯片供电引脚负极。

电压反馈电路光耦的 1 号脚和 2 号脚与前面介绍的反激式开关电源反馈电路基本一致，这里不再赘述。

不同之处在于光耦的 4 号脚和 3 号脚，3 号脚直接接地，4 号脚是来自芯片内的 5V 电压，该 5V 电压经内部上拉电阻出来。常见的反馈电路是直接接在光耦的 4 号脚由光耦做拉低控制。

这个电路在 FB 引脚处外接了一套电路。FB 引脚接至电阻 R_{87}（10Ω），该电阻又通过 MOS 管 Q_{11} 接地，如果 Q_{11} 导通则 FB 引脚电压就会被钳位在某个值。Q_{11} 的 G 极通过 R_{89} 受芯片 7 号脚控制（图 31-15），也就是说芯片在刚上电时，Q_{11} 的 G 极电压为来自芯片内部的 12V 电压。Q_{11} 的 G 极又连接至 Q_{12} 的 D 极，Q_{12} 的 S 极直接接地，Q_{12} 的 G 极经 R_{85}、R_{86}、R_{90} 三个大限流电阻接至高压直流（图 31-17）。

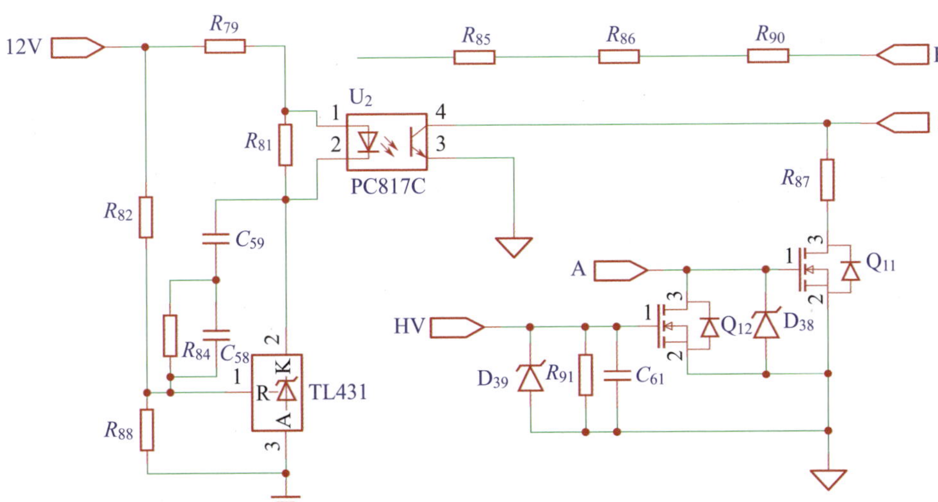

图 31-17　电压反馈电路

因此在上电瞬间，Q_{12} 的 G 极接高电位给电容 C_{61} 充电。在充电期间 Q_{12} 截止，Q_{11} 导通，因此 FB 引脚电压被钳位得很低。FB 引脚电压很低，就好比光耦的 3 号脚和 4 号脚导通，则意味着输出电压超过设定值，那么芯片则会减小输出占空比。

在 C_{61} 短暂充电后，C_{61} 电压充满，那么 Q_{12} 导通，Q_{11} 截止。此时芯片 FB 引脚正常工作，受光耦控制。

笔者认为这种设计的好处在于芯片冷启动瞬间，如果接收到的 FB 引脚电压不能够拉低，则会快速加大占空比来调整输出电压。这样对电路的冲击还是很大的。有了这套电路，芯片在冷启动瞬间就无须大占空比工作，从而达到软启动的目的。

欣锐充电机内部开关电源芯片改造后的各元器件 PCB 板位号如图 31-18 和图 31-19 所示，副边绕组电路原理如图 31-20 所示，副边绕组电路元件 PCB 板位号见图 31-21。

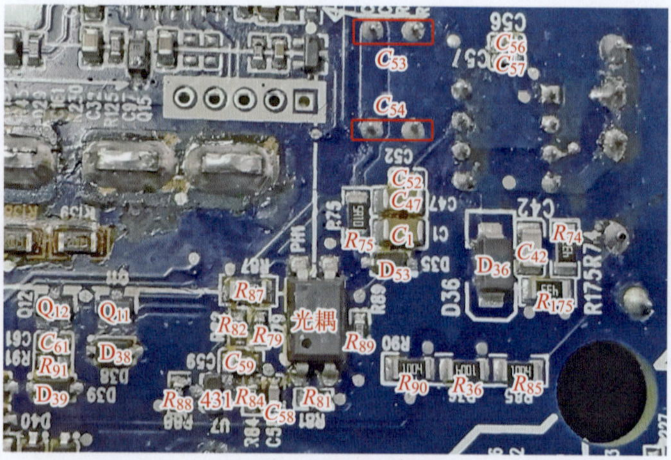

图 31-18　各元器件的 PCB 板位号（反面）

图 31-19　各元器件的 PCB 板位号（正面）

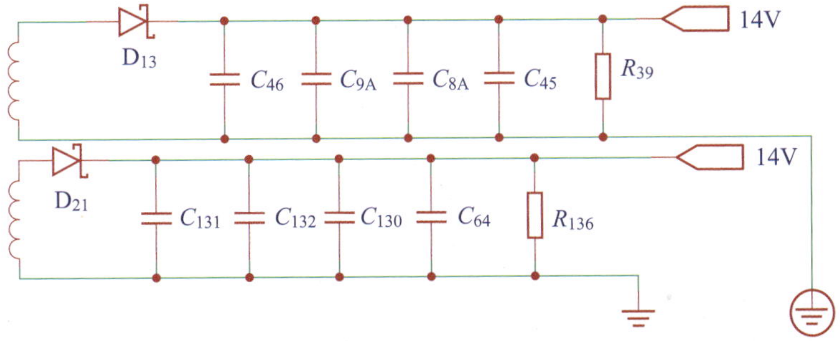

图 31-20　副边绕组电路原理

图 31-21　副边绕组电路元件的 PCB 板位号

第三部分　电动压缩机芯片级维修实战

第三十二课时
特斯拉 Model S 压缩机

一、压缩机介绍

特斯拉 Modes S 使用的压缩机为汉拿公司生产的电动压缩机（图 32-1），该压缩机还应用在宝马 i3、小鹏 G3、红旗 E-SH3、长安 EV460 等车型上。本课时介绍汉拿压缩机的控制电路结构。

图 32-1　汉拿压缩机

汉拿压缩机控制面板如图 32-2 和图 32-3 所示。在维修压缩机之前，先要弄清楚其针脚定义。对于高压针脚，需要分辨正负极，一般常用的方法为查询维修手册或者使用万用表的二极管挡位测量。使用万用表的二极管挡位测量高压正和高压负之间的管压降，一般两次测量结果为，一次有约 0.8V 的管压降，一次没有管压降（图 32-4）。有管压降时，万用表红表笔对应的是高压负，黑表笔对应的是高压正。如果两次都有管压降或者直接导通，则意味着控制电路板内部逆变电路烧毁。

图 32-2　控制板正面

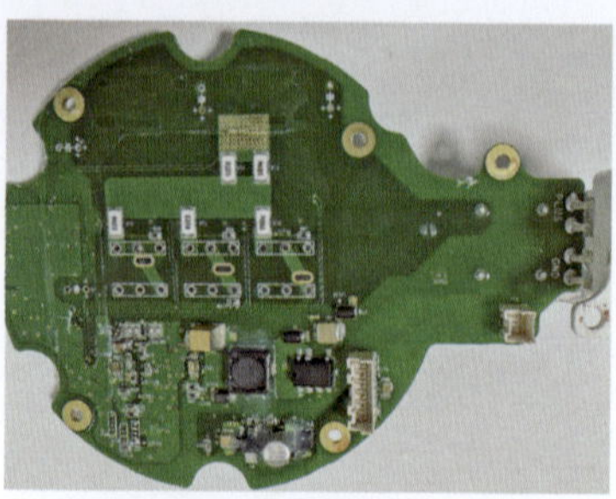

图 32-3　控制板反面

压缩机的低压接口针脚定义可通过车型电路图查阅，也可根据电路板内部电路原理推导。如图 32-5 所示为低压接口端子定义，在维修测试时需要接 12V 低压电源、CAN 线，互锁不用接。

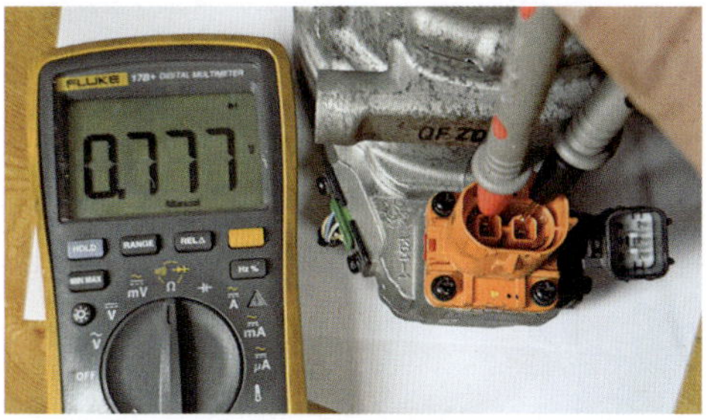

图 32-4　高压接口测量

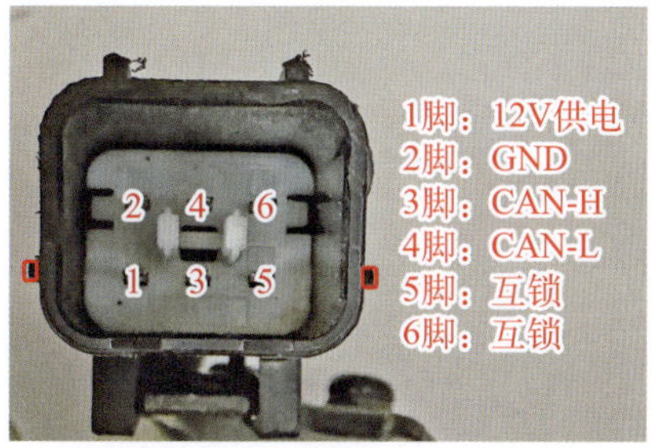

图 32-5　低压接口端子定义

二、逆变桥电路

如图 32-6 所示为汉拿压缩机的逆变桥电路原理，逆变桥电路使用的开关管为 AU4062D 的 IGBT。UH、VH、WH 为逆变桥的上桥，UL、VL、WL 为逆变桥的下桥。在每一对上下桥的 IBGT 之间为输出的 U、V、W 交流电，逆变过程为上下桥交替导通，UH、VL 导通后 VH、WL 导通，最后 WH、UL 导通，这样就完成了直流电逆变成三相交流电。

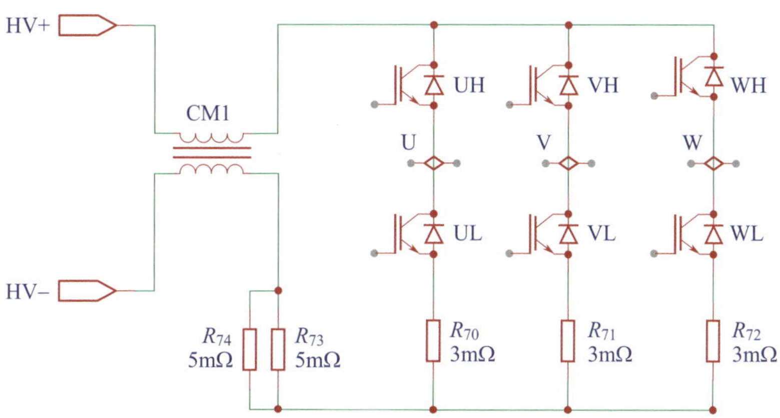

图 32-6　逆变桥电路原理

逆变桥电路 PCB 实物如图 32-7 所示，在每一相上都配备电流取样电阻，总回路上并联两个电流取样电阻，来检测整个逆变桥的电流状况。

三、逆变桥驱动电路

逆变桥驱动电路原理如图 32-8 所示，逆变桥驱动电路 PCB 实物及其各端子的

PCB 板位号如图 32-9 所示。

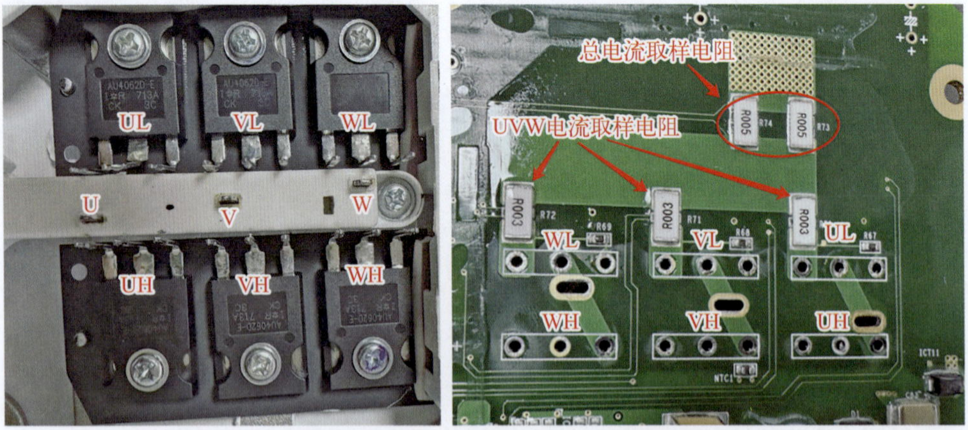

图 32-7　逆变桥电路 PCB 实物

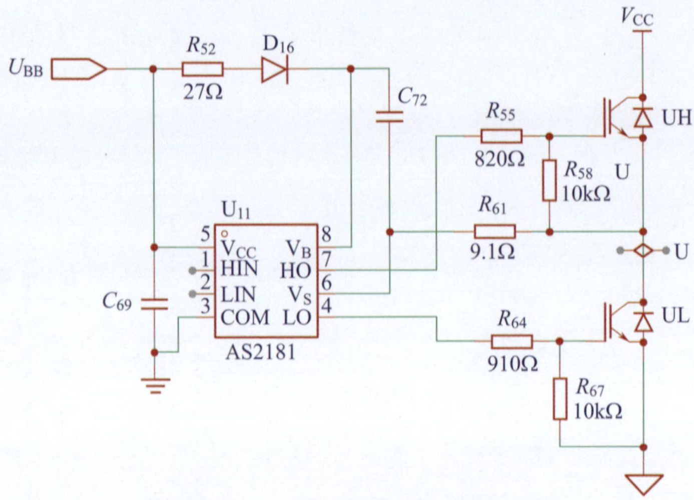

图 32-8　逆变桥驱动电路原理

逆变器的 IGBT 驱动电路为上下管使用同一个驱动芯片驱动，三路驱动电路一样。驱动芯片为英飞凌的 AS2181 专用逆变桥驱动芯片，芯片的 5 号脚和 3 号脚为供电引脚，1 号脚和 2 号脚为驱动信号，输入来自微芯单片机 33FJ128MC。高边驱动使用自举电容 C_{72}，自举电容供电由 R_{52} 限流、D_{16} 隔离。IGBT 的 G 极使用阻尼电阻 R_{55} 和 R_{64}。为了使 IGBT 快速关断，使用了电阻 R_{58} 和 R_{67}。

四、电源电路

如图 32-10 所示，压缩机内部供电分为两部分：一部分是由高压直流经 BUCK 降压电路降压后给内部芯片驱动电路供电；另外一部分是由 12V 低压输入转 5V 电给通信电路供电。两路相互隔离，这样就保证了压缩机内部高压系统故障不会波及低压 12V 电路以及通信电路。

图 32-9 逆变桥驱动电路的 PCB 板位号

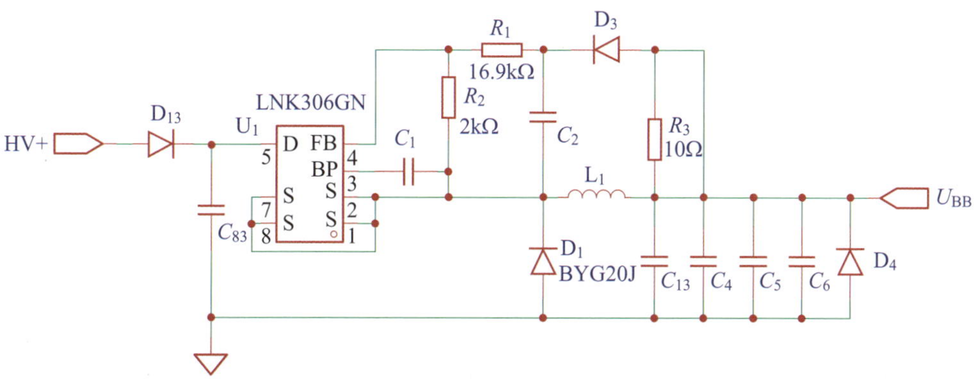

图 32-10 BUCK 降压原理

BUCK 电路由 LNK306GN 芯片控制，该芯片是一款低成本的 BUCK 降压电路控制芯片，控制频率为 66kHz，内部集成耐压值为 700V 的 MOS 管（图 32-11）。

芯片的 1、2、7、8 号引脚为 S 引脚，同时也是芯片内部的 MOS 管的 S 极。芯片的 5 号脚为内部 MOS 管的 D 极。FB 引脚为 MOS 管的开关控制引脚，当电流大于 49μA，被传递到该引脚时，MOS 管被断开。BP 引脚为内部产生的 5.8V 电源提供 0.1mF 的旁路电容连接点。

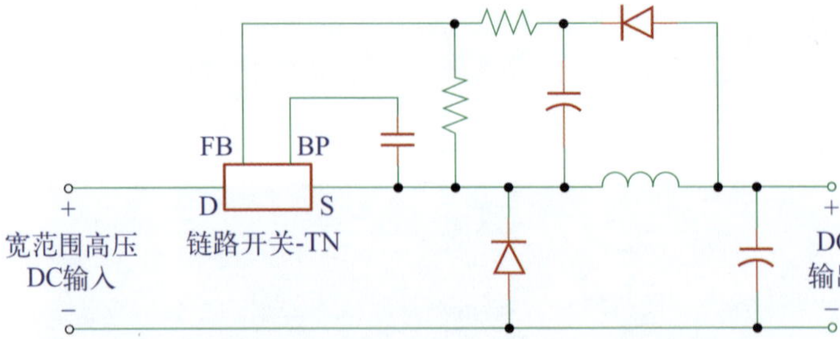

图 32-11　LNK306GN 芯片原理

电源电路 PCB 板正反面位号分别如图 32-12 和图 32-13 所示。

图 32-12　电源电路的 PCB 板位号（正面）

图 32-13　电源电路的 PCB 板位号（反面）

如图 32-14 所示为 12V 转 5V 降压原理。12V 电源进入，经 NCV4266 降压芯片后输出稳定的 5V 电压，给 CAN 通信芯片与光耦供电。其 PCB 板位号见图 32-15。

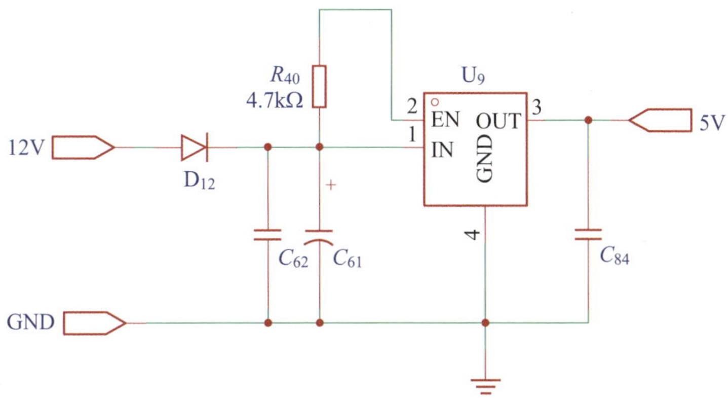

图 32-14　12V 转 5V 降压原理

图 32-15　12V 转 5V 降压电路的 PCB 板位号

五、通信电路

CAN 通信电路原理如图 32-16 所示，压缩机的通信电路使用一个 TLE6250G 芯片，通信芯片的 TXD 和 RXD 使用 M72T 光耦隔离后与单片机的 37 号脚和 36 号脚通信。

CAN 总线通过低压接口进来后，使用两个稳压二极管 D_9 和 D_8 钳位 CAN 总线电压，再进入 TLE6250G 芯片的 6 号脚与 7 号脚。芯片的 5 号脚为芯片控制引脚，可设置 20kΩ 上拉电阻让芯片进入仅接收模式，这里直接接 5V 芯片为正常输入和输出模式。8 号脚为芯片的禁用引脚，通过 20kΩ 上拉电阻后就可以禁用芯片，这里接负极芯片，正常使用。

CAN 通信电路的 PCB 板位号如图 32-17 所示。

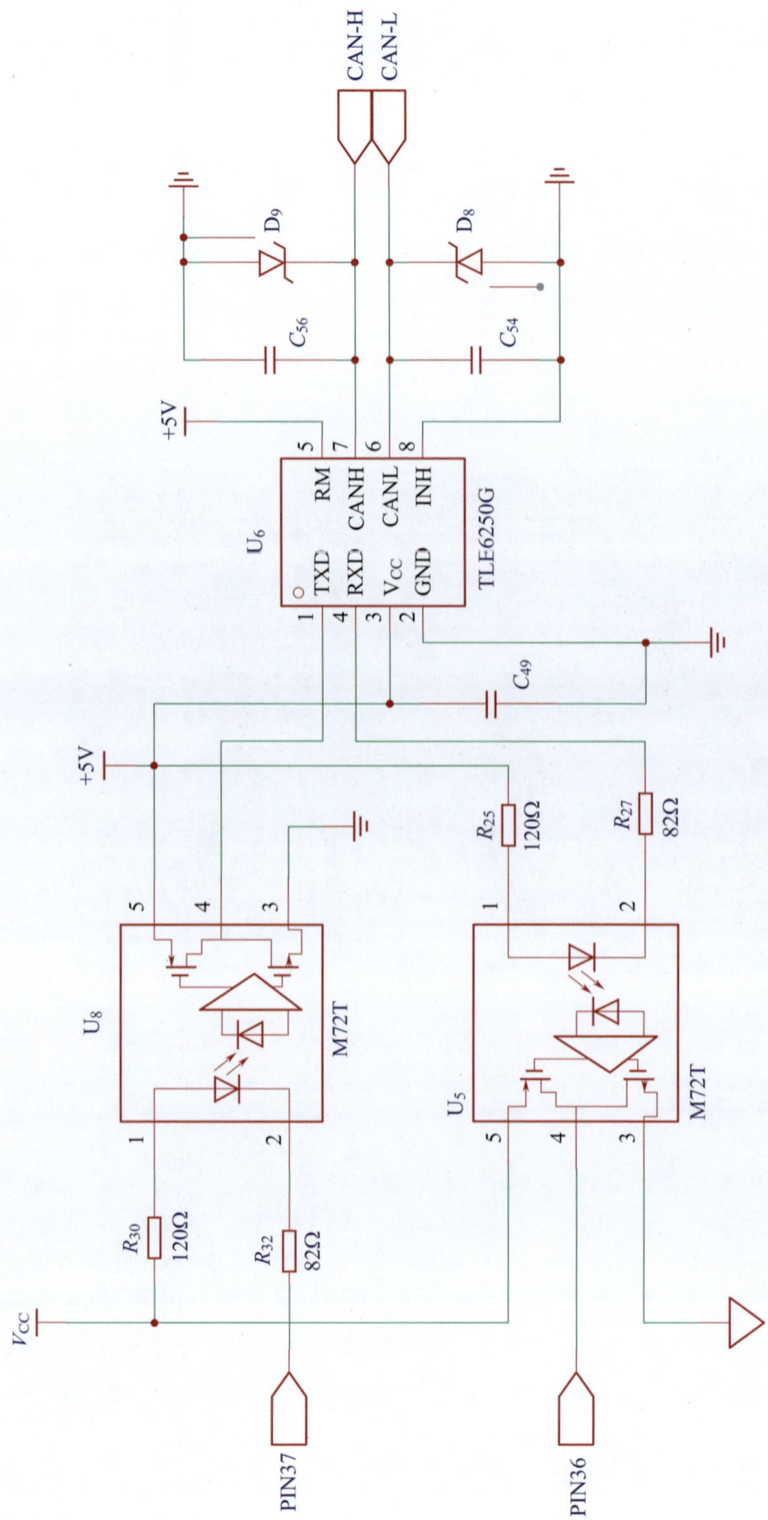

图 32-16 CAN 通信电路原理

图 32-17　CAN 通信电路的 PCB 板位号

六、电流采样电路

总电流检测电路（电流采样电路）是由逆变桥负极回路中串联两个 5mΩ 电阻检测的（图 32-18）。当逆变桥的电流流过电流取样电阻后，在电阻两端产生分压 U_1，该电压经电阻 R_{45}、R_{44}、R_{42} 串联回到高压负极。在 R_{44} 与 R_{42} 串联点取分压电压 U_2 送入运算放大器 U_4 的同相端。U_4 的反向端经电阻 R_{47}、R_{48} 接高压直流负极。U_4 的 7 号脚为运算放大器的输出引脚，在输出引脚接电阻 R_{50} 构成负反馈网络，所以 U_4 的电路结构为电压跟随，在 U_4 的 7 号脚输出就等于 U_2 电压。

U_2 电压经电阻 R_{46} 送入运算放大器的反相端。电压比较器 U_{10} 的同相端电压由 R_{41} 和 R_{51} 串联分压获得，V_{CC} 电压为 3.3V，因此 U_{10} 的同相端电压为 1.1V。U_{10} 内部结构如图 32-19 所示。

在总电流不过流的情况下，U_2 电压一定小于 1.1V，因此电压比较器 U_{10} 有输出。U_{10} 的 4 号脚输出接上拉电阻，因此有输出时电压为 0，0V 电压被单片机实时检测代表了电流未超标。

在总电流超标时，即 U_2 电压大于 1.1V，那么 U_{10} 的同相端电压小于反相端电压，则 U_{10} 不输出。那么内部三极管就是截止状态，所以 U_{10} 输出电压就是经上拉电阻 R_{39} 过来的 3.3V 电压。单片机检测 3.3V 电压则意味着逆变桥电流超标，单片机则因为电流过流停止逆变桥工作。

同时 3.3V 电压经 R_{39}、R_{49}、R_{51} 串联分压，因此 U_{10} 的同相端电压等于 0.299V。此时如果逆变桥电流下降一点，那么取样电压 U_2 即便小于 1.1V，电压比较器 U_{10} 也是不输出，直到逆变桥电流下降至 U_2 电压小于 0.299V 后，单片机才会解除逆变桥电流过流保护。

逆变桥的相电流检测电路与逆变桥的总电流检测电路的前级一样，也是使用 U_4 芯片作为电流采样电路。并且逆变桥的电流采样只有 W 相和 V 相，U 相没有电流采样电路，且两套相电流采样电路一样。

这里以 W 相电流采样为例，如图 32-20 所示，在 W 相的采样电阻上面如果有电流流过，则在 R_{72} 上面就会产生分压，且分压大小与电流成正比关系。

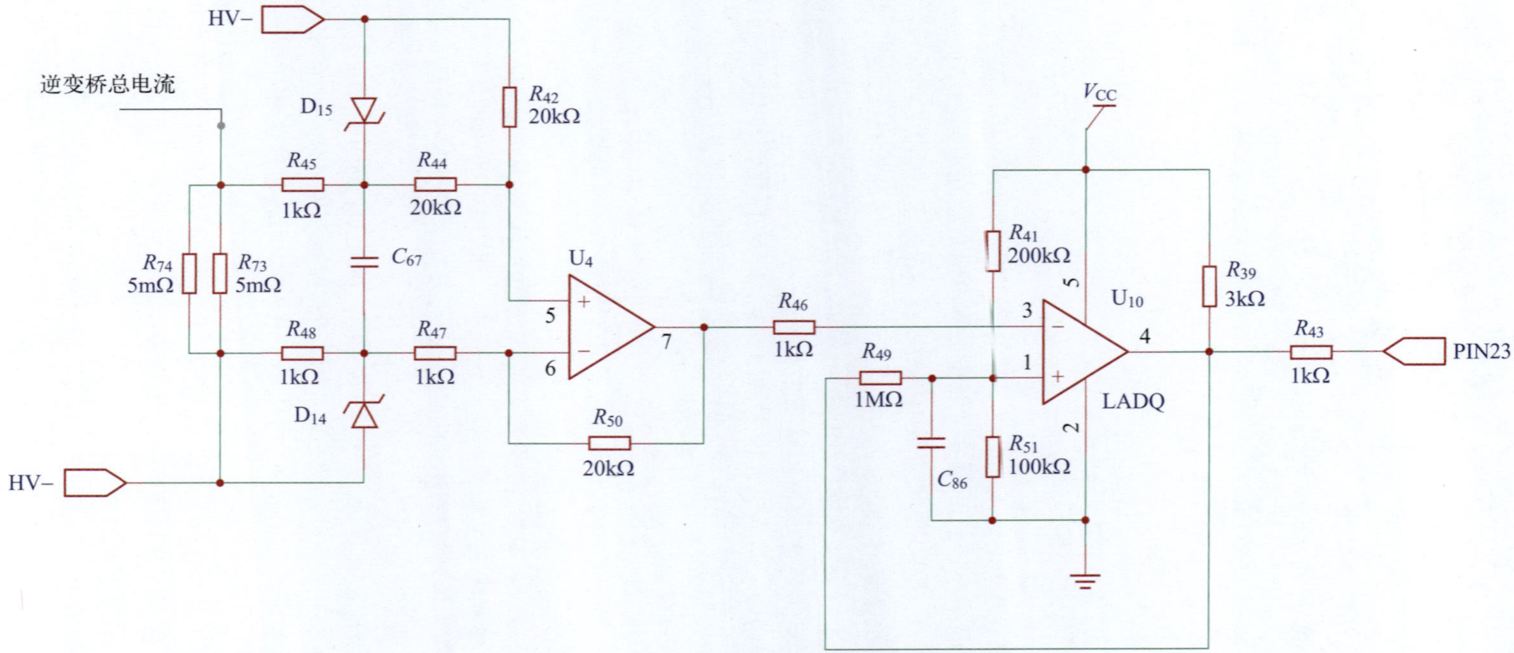

图 32-18　总电流检测电路原理

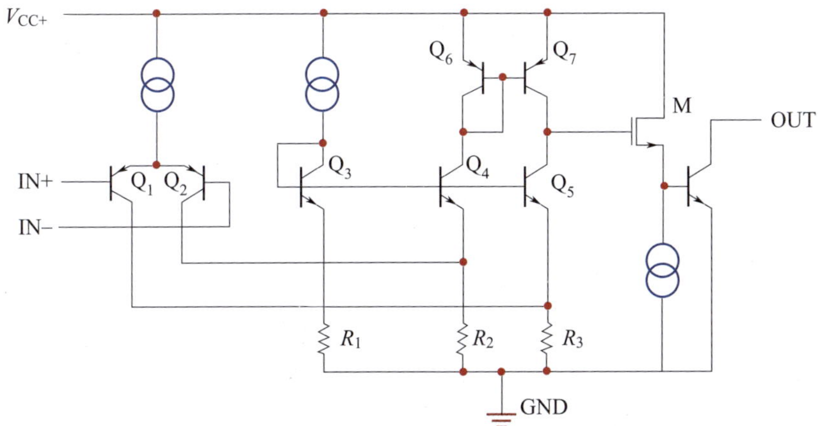

图 32-19　U_{10} 内部结构

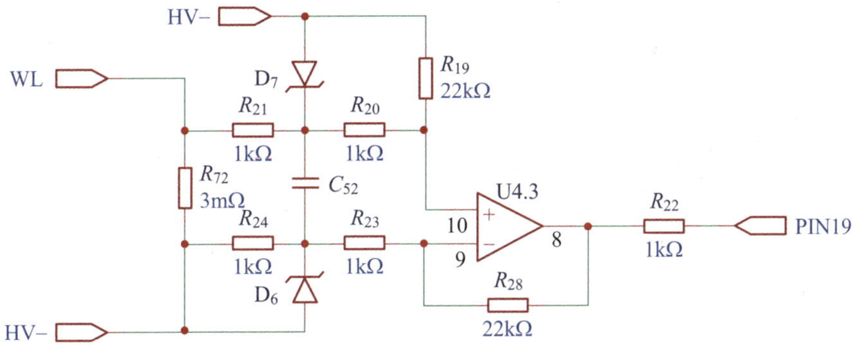

图 32-20　W 相电流检测原理

电阻上方的分压经 R_{21}、R_{20}、R_{19} 分压后送入运算放大器的同相端，反相端经电阻 R_{23}、R_{24} 至高压负极。这样在 R_{72} 的两端产生的分压就送到了运算放大器，运算放大器的输出端经 R_{28} 反馈至运算放大器的反相端，构成了负反馈网络，因此运算放大器电路结构为电压跟随电路。

运算放大器输出电压后经电阻 R_{22} 送入单片机的 19 号脚，单片机根据 19 号脚的电压变化换算成相电流来实时检测逆变桥的相电流。

电流采样电路的 PCB 板位号如图 32-21 所示。

七、电压采样电路

压缩机的电压采样电路（图 32-22）是为了检测高压直流输入电压是否合格，如果不合格，那么压缩机就会因为欠压或者过压保护而不再工作。电压检测电路非常简单，使用 3 个 390kΩ 电阻串联后再经 1kΩ 电阻串联分压取样后送入单片机的 19 号脚，单片机内部有 AD 转换器将模拟电压信号转换为数字信号。

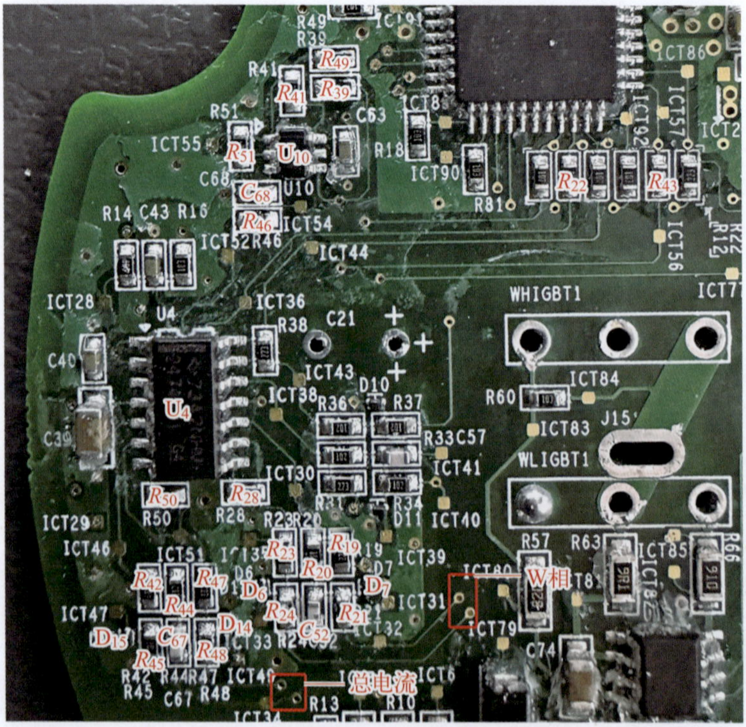

图 32-21　电流采样电路的 PCB 板位号

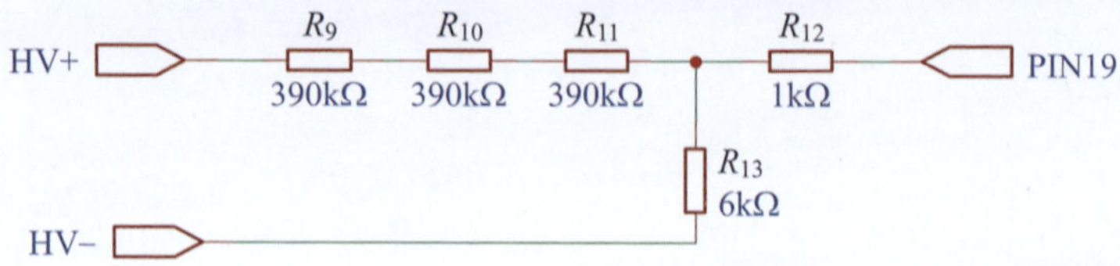

图 32-22　电压采样电路原理

正常输入电压在 300 ~ 400V 时，经电阻串联分压可获得 0.256 ~ 0.342V 的直流电压送入单片机，单片机根据这个变化的电压来计算输入电压。

电压采样电路的 PCB 板位号如图 32-33 所示。

八、芯片引脚定义

各种芯片的引脚定义分别如图 32-24 ~ 图 32-31 所示。

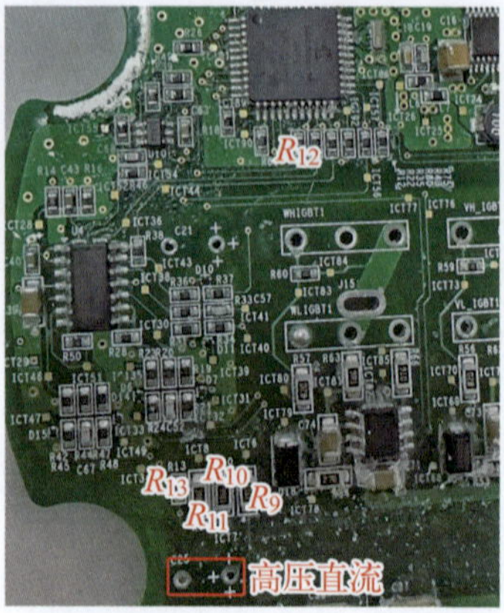

图 32-23　电压采样电路的 PCB 板位号

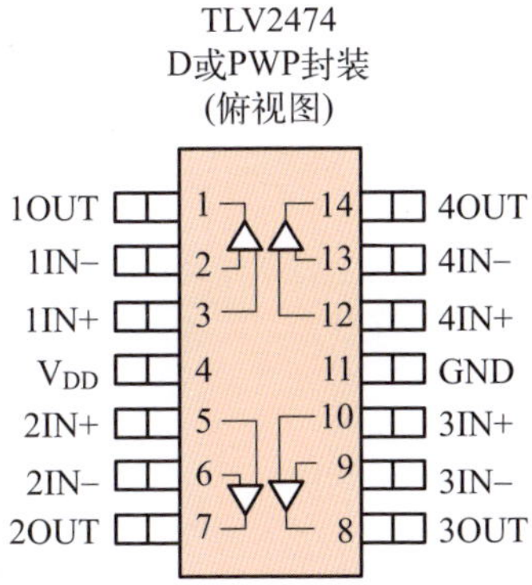

图 32-24　电流采样运放 2474AQ1

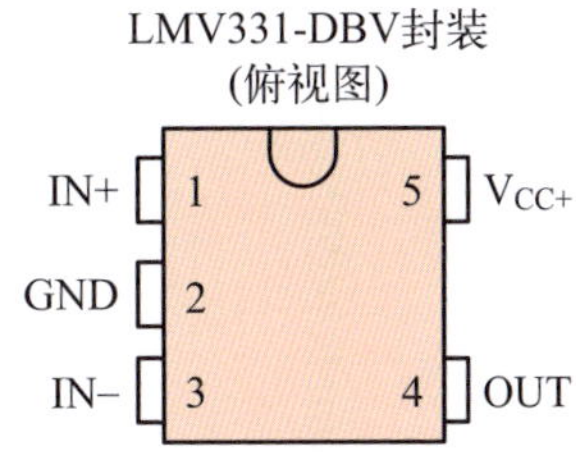

图 32-25　电流采样运放 LADQ

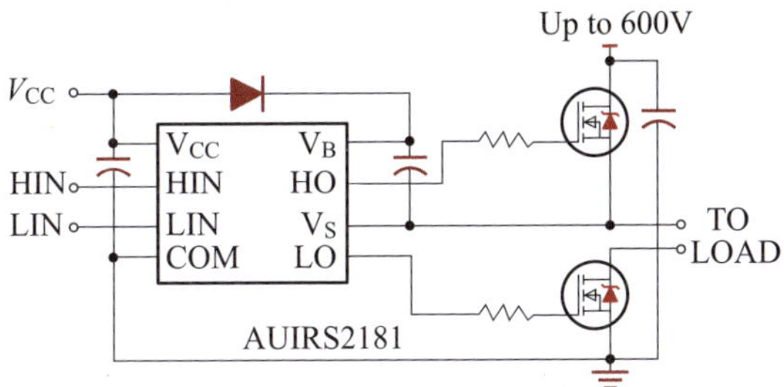

图 32-26　IBGT 驱动芯片 AUIRS2181

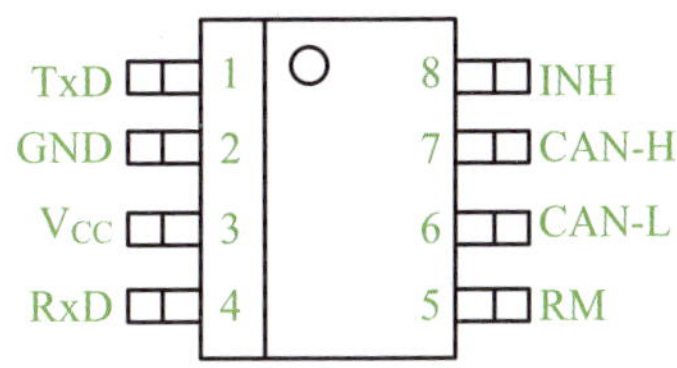

图 32-27　通信芯片 TLE6250G

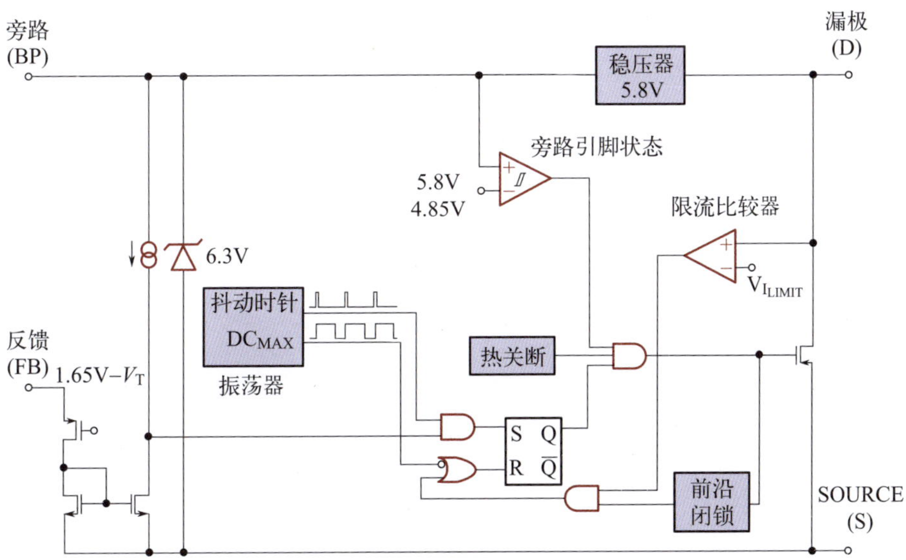

图 32-28　BUCK 降压芯片 LNK306GN

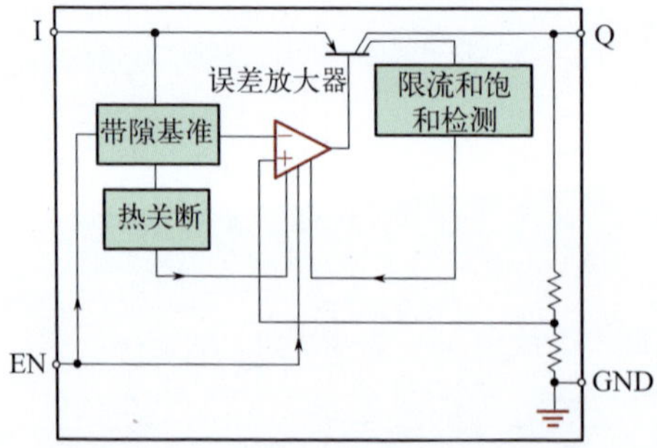

图 32-29　12V 转 5V 芯片 42665

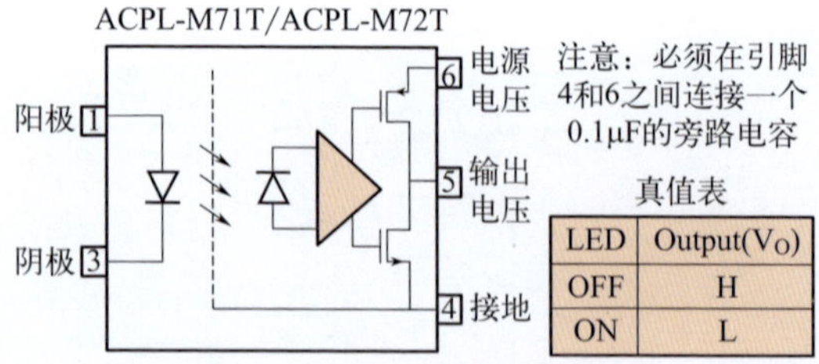

图 32-30　通信隔离光耦 M72

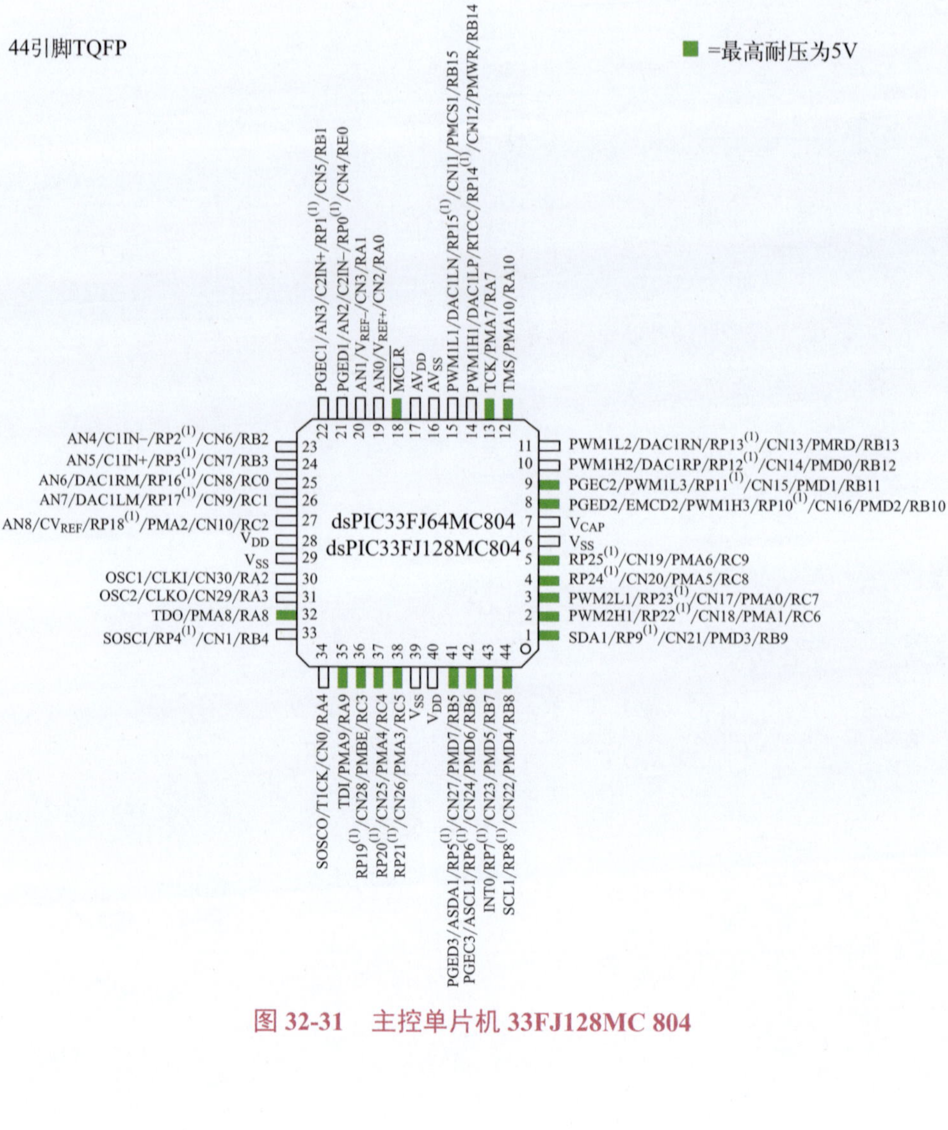

图 32-31　主控单片机 33FJ128MC 804

第三十三课时 比亚迪 BC28B 压缩机

比亚迪 BC28B 压缩机是比亚迪公司自主研发的电动压缩机（图 33-1），主要装配在比亚迪唐、比亚迪秦、比亚迪 E5 等车上，其电路板正面如图 33-2 所示。压缩机供电电压为 400V，使用制冷剂为 R134a、冷冻油为 poe。

压缩机的高压正负极判断与前面所讲的特斯拉压缩机判断方法一样，其低压插接件端子定义如图 33-3 所示。

图 33-1　比亚迪 BC28B 压缩机外观

图 33-2　比亚迪 BC28B 电路板正面

图 33-3　比亚迪 BC28B 低压插接件定义

一、逆变桥电路

如图 33-4 所示为比亚迪 BC28B 压缩机的逆变桥电路原理，高压进来后先经两个共模电感，再在高压正和高压负之间串联两个电容 C_{X1} 和 C_{X2}，C_1、C_2 为滤波储能电容。R_8 和 R_9、R_{10} 和 R_{11} 两两电阻并联后再串联在高压正负极之间，这个电阻的作用为被动泄放，在车辆下电后泄放电容所储存的电能。

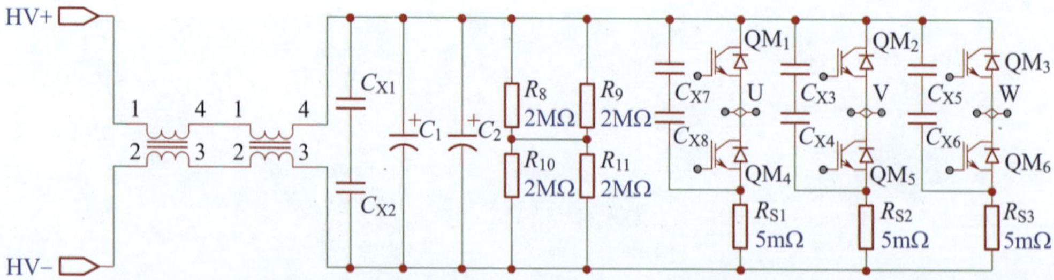

图 33-4　比亚迪 BC28B 压缩机的逆变桥电路原理

逆变桥电路使用的开关管为 40N120FL2 的 IGBT 管，QM_1、QM_2、QM_3 为逆变桥的上管，QM_4、QM_5、QM_6 为逆变桥的下管。逆变过程上下管交替导通，QM_1、QM_5 导通后 QM_2、QM_6 导通，最后 QM_3、QM_4 导通，这样就完成了直流电逆变为三相交流电。

并且在每一相上都配备了电流取样电阻，对每一相电路进行电流采样，每一相上都配备两个 X 电容，来滤除差模干扰。

比亚迪 BC28B 逆变桥电路的 PCB 板位号如图 33-5 和图 33-6 所示。

图 33-5　比亚迪 BC28B 逆变桥电路的 PCB 板位号（正面）

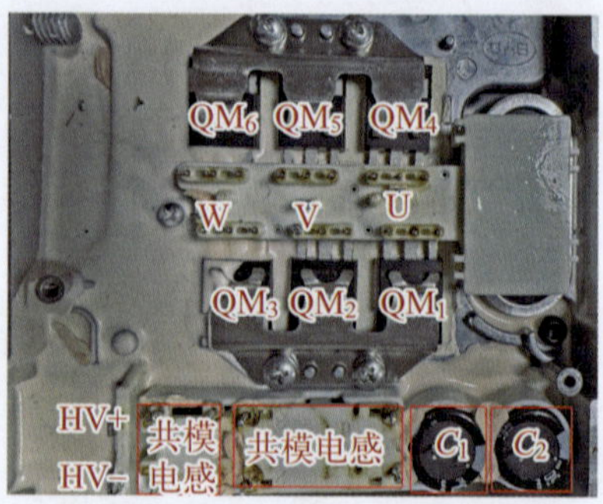

图 33-6　比亚迪 BC28B 逆变桥电路的 PCB 板位号（反面）

二、逆变桥驱动电路

如图 33-7 所示，比亚迪 BC28B 压缩机的逆变桥驱动电路采用 FAN73912MX 专用 MOS 管栅极驱动芯片，驱动芯片的输入信号直接来自 MCU，HIN 为高边驱动信号输入，LIN 为低边驱动信号输入，SD 为芯片的停机控制引脚。三个引脚通过三个 100Ω 电阻限流给驱动输入脉冲信号。三路驱动原理相同，这里仅以 U 相驱动讲解其结构原理。

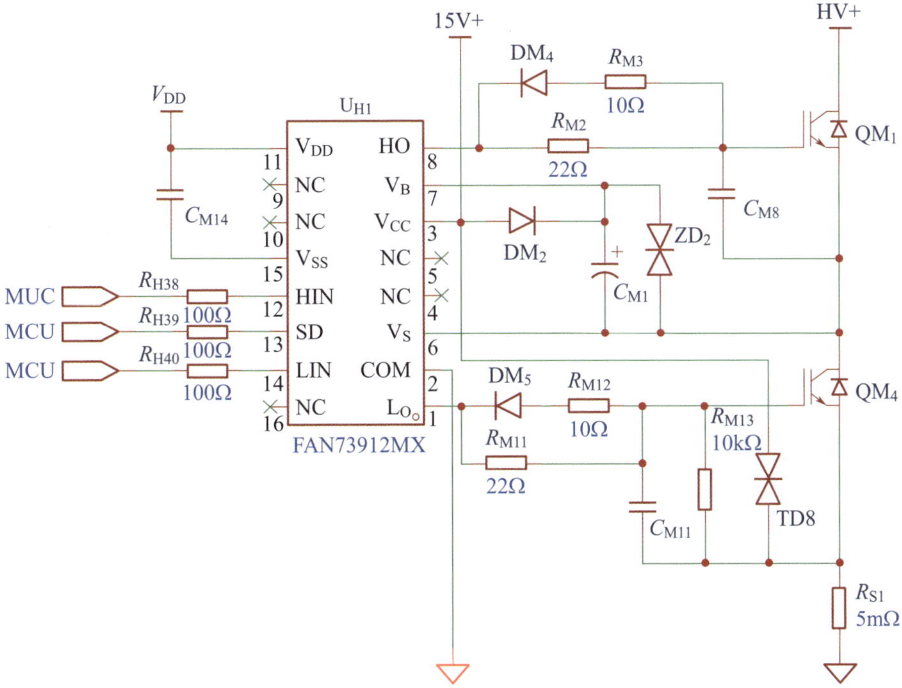

图 33-7　比亚迪 BC28B IBGT 驱动电路原理

V_{SS} 引脚为芯片的供电引脚，它与 V_{CC} 不是同一个电源，V_{CC} 是 IGBT 的栅极驱动电源。

高边驱动时使用 C_{M1} 作为自举电容来保证高边 IGBT 能正常驱动。IGBT 关断时使用二极管和电阻来实现快速关断。

以高边驱动为例，如图 33-8 所示，开启信号经 R_{M13} 阻尼电阻来驱动 IGBT 的基极，关断时 IGBT 栅极寄生电容电能经 R_{M12}、DM_5 形成回路来实现快速关断 IGBT。

图 33-8　比亚迪 BC28B IBGT 驱动电路的 PCB 板位号

三、电源电路

如图 33-9 所示，比亚迪 BC28B 压缩机使用的是 12V 低压电源供电，12V 低压电源经低压插接件进电路板后，先经过一套滤波电路，电流先经 U_{01} 共模电感滤除电路中的共模干扰，再经 D_{01} 防反接二极管。在 D_{01} 后装瞬态抑制二极管 TD_1，再到滤波储能电容 C_{05}。电路中在 12V 正极和负极分别装有 C_{Y1}、C_{Y2} 来滤除负极的共模干扰，C_{Y3}、C_{Y4} 滤除正极的共模干扰。

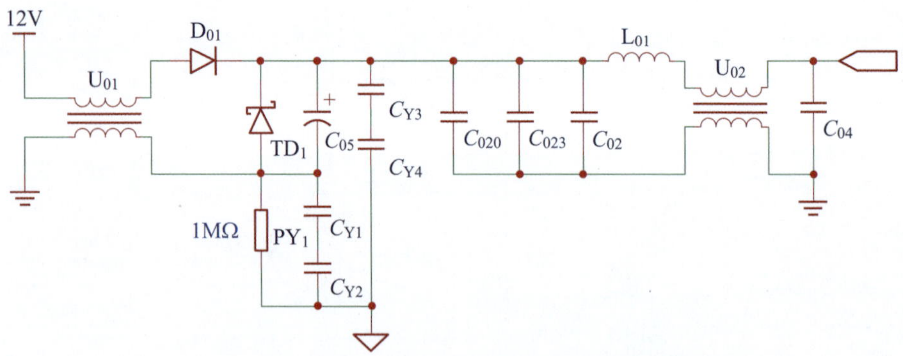

图 33-9　12V 输入 EMC 滤波电路原理

接着在正负极之间串联 C_{020}、C_{023}、C_{02} 电容和电感 L_{01} 来滤波，再经过 U_{02} 共模电感滤除共模干扰，最后经 C_{04} 滤波输出至开关电源。

低压插接件送入电路板的 12V 直流电，经 EMC 滤波后送入主开关电源，该开关电源电路使用的控制芯片是 LT8302 芯片（图 33-10）。芯片内部自带 MOS 管与电流检测电路。

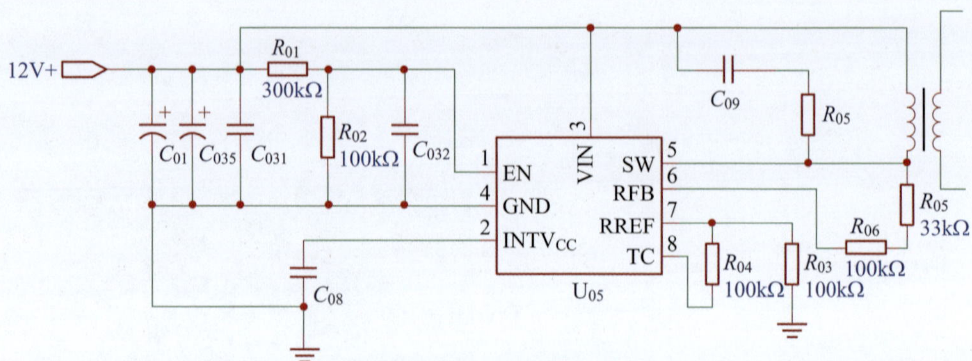

图 33-10　开关电源电路原理

1 号脚为启用 / 欠压保护引脚。直接输入 12V 芯片为启动状态，本电路采用 R_{01} 与 R_{02} 串联分压。如果输入电压过低，那么 R_{01}、R_{02} 串联分压低于 1.2V，则芯片因为欠压保护而停机。

4 号脚为电源负极。

2 号脚为芯片内部 MOS 管栅极驱动电源的旁路电容。

3 号脚为芯片的供电引脚，为芯片提供工作电源。

5 号脚为内部 MOS 管的 D 极，用于控制变压器的原边绕组。

6 号脚为变压器控制引脚的电压反馈引脚，经内部 MOS 管导通后与 7 号脚上的电阻串联获取取样电压。

8 号脚为芯片内部温度补偿引脚，在电路中通过电阻与 7 号脚连接，以补偿输出二极管的温度系数。

芯片通过控制变压器原边绕组的通断，使次级感应出电压给电路板供电。因为采用了变压器，所以输入 12V 电压，与变压器副边绕组为隔离状态。开关电源原边控制电路的 PCB 板位号如图 33-11 所示。

图 33-11　开关电源原边控制电路的 PCB 板位号

如图 33-12 所示，副边绕组先经 R_{023}、C_{090} 为尖峰吸收电路输出，后经整流二极管整流为 18V 直流电，C_{087}、C_{089}、C_{091} 为输出储能滤波电容，R_{013}、R_{015}、R_{011} 与 R_{016}、R_{014}、R_{012} 电阻并联，再串联在输出正负极中做负载电阻使用，L_{03} 为输出滤波电感，C_{010} 为输出高频滤波电容。这样副边绕组就能输出 18V 直流电给整板供电。

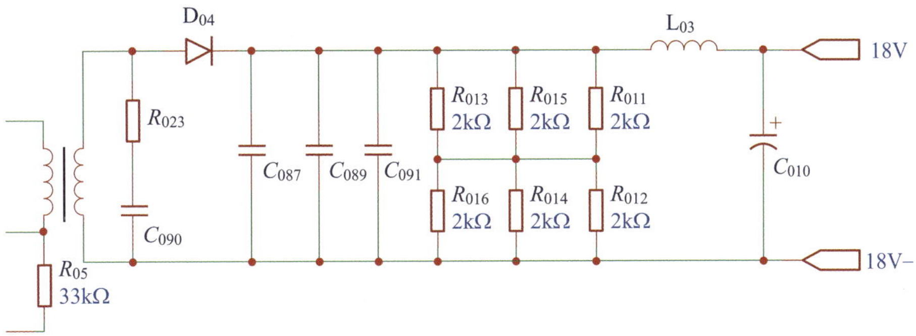

图 33-12　开关电源整流电路原理

开关电源输出的电压并不是稳定的 15V 电源，因此在电路中加入一个 7815A 三端稳压芯片，将 18V 电压稳定在 15V，给栅极驱动芯片供电（图 32-13 和图 32-14）。

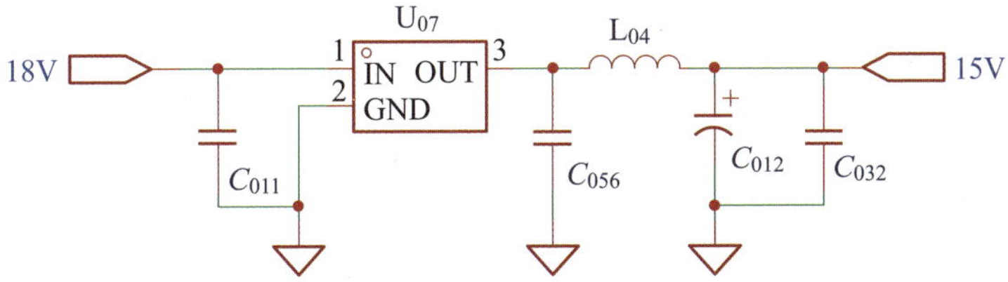

图 33-13　7815A 稳压电路原理

四、通信电路

如图 33-15 所示，比亚迪 BC28B 压缩机的通信电路由 ADM3050E 芯片以及外围电路构成，压缩机低压插接件上的 CAN 总线进电路板后，经共模电感到通信芯片的 CAN-H 和 CAN-L 引脚，C_{C7} 和 C_{C6} 为 CAN 总线滤波电容。

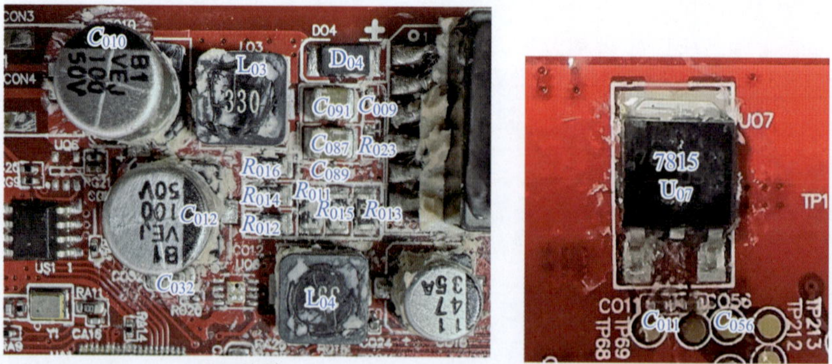

(a) 正面　　(b) 反面

图 33-14　开关电源整流电路的 PCB 板位号

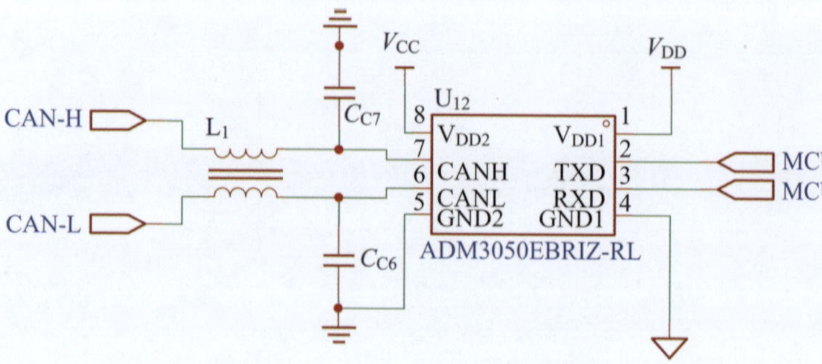

图 33-15　CAN 通信电路原理

ADM3050E 是一个隔离控制 CAN 通信芯片，因此 CAN 总线使用的 V_{CC} 电源，是由低压插接件上的 12V 经三端稳压芯片降压的 5V 供电，开关电源输出后的 18V 电压经降压电路给 V_{DD} 供电。

TXD 和 RXD 为芯片的收发引脚，直接与单片机的输入和输出引脚连接。

通信电路的 PCB 板位号如图 33-16 和图 33-17 所示。

五、电流采样电路

比亚迪 BC28B 压缩机的三相电流全部都有电流采样电路，电流采样电路将电流信号转变为电压信号送给单片机，用以检测相电流变化。

电路采用 TLV9064 运算放大器和采样电阻 R_{12} 构成（图 33-18）。运算放大器的同相端由排阻 RN2 与 RN4-3 的 5 号脚和 6 号脚串联获得一个基准电压，根据电路原理可知，同相端电压稳定在 0.289V。反相端由采样电阻 R_{12} 上方的分压经 RN4-4 的 8 号脚与 7 号脚送入运算放大器的反相端。R_{07} 与 RN4-4 电阻构成负反馈网络。

图 33-16　通信电路的 PCB 板位号（正面）

图 33-17　通信电路的 PCB 板位号（反面）

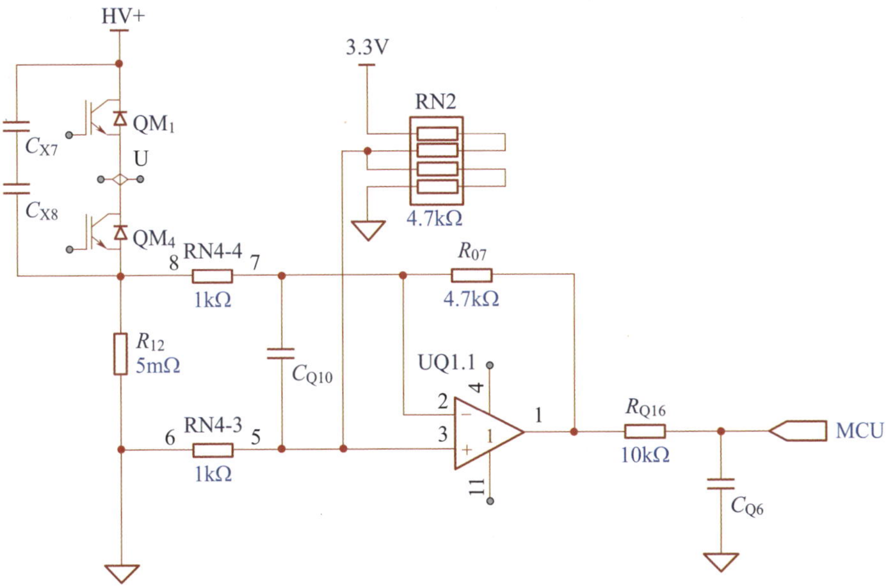

图 33-18　相电流采样电路原理

当逆变桥电流流过电阻 R_{12} 时在电阻 R_{12} 上方产生分压后送入运算放大器反相端，分压不超过 0.289V，运算放大器将电压放大后送入 MCU 计算相电流。当相电流过大时，在电阻 R_{12} 上方产生的分压超过 0.289V，则运算放大器的同相端电压小于反相端电压，运算放大器无输出，MCU 检测到后得出相电流过流，会做出停机保护机制。

相电流采样电路的 PCB 板位号如图 33-19 和图 33-20 所示。

如图 33-21 所示，比亚迪 BC28B 压缩机的逆变器进行电流过流检测时，使用每个相电流检测放大后送入运算放大器 UQ2A，运算放大器 UQ2A 三个输出并联后经二极管送入 MCU。任意一相相电流过流，都会被 MCU 检测到并停机。

以 U 相为例，U 相上的采样电阻 RS1 两端，因 U 相电流流过产生分压送入运算放大器 UQ3。UQ3 的反相端通过电阻 RH55 接负极、RS1 上端的电压经 RH31 和 RH53 分压后送入 UQ3 的同相端。UQ3 的输出经电阻 RH54 和 RH55 构成反馈网络。因此 RS1 上的分压被运算放大器放大后输出送给 UQ2A，其他两相电流采样电路与 U 相一样，都是被放大后送入 UQ2A。

图 33-19　相电流采样电路的 PCB 板位号（正面）

图 33-20　相电流采样电路的 PCB 板位号（反面）

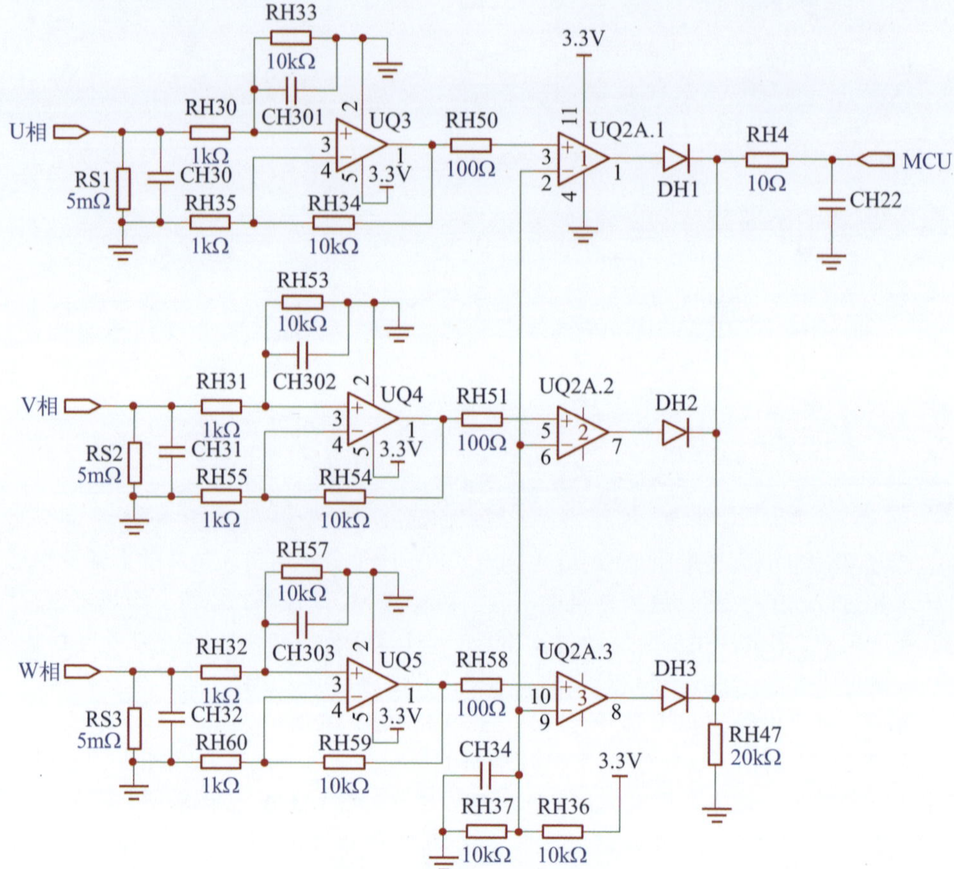

图 33-21　过流检测电路原理

UQ2A 是一个四路运算放大器集成 IC。这里使用了三路作为 U、V、W 三相电流采样输入。三路的反相端共同接在由 RH36 和 RH37 的串联点。两个电阻串联接在 3.3V 电源上。因此三路运算放大器的反相端电压为 1.65V。

图 33-22 过流检测电路的 PCB 位号

UQ2A 三路的同相端都是来自电流检测放大运算放大器的输出端，因此只要前级运算放大器的输出不高于 1.65V，UQ2A 的三路输出都为 0。任意一路前级输入电压超过 1.65V（过流），那么 UQ2A 的输出端就会输出电压给 MCU，MCU 检测到输入电压后认为逆变桥过流，从而保护逆变桥不因电流过大而烧毁。

过流检测电路的 PCB 位号如图 33-22 所示。

六、母线电压采样

母线电压采样电路原理如图 33-23 所示，其 PCB 板位号见图 33-24。

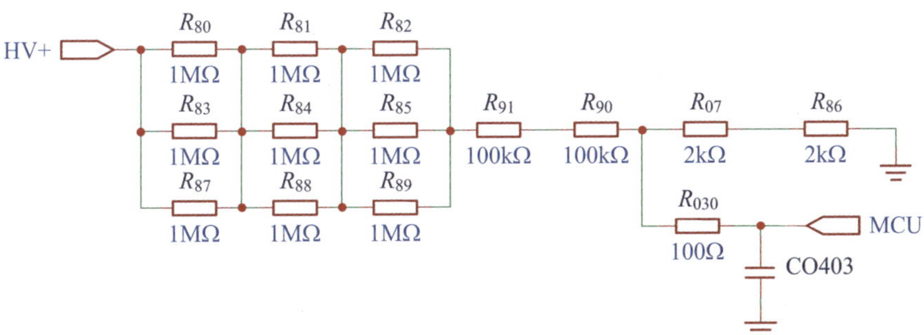

图 33-23 母线电压采样电路原理

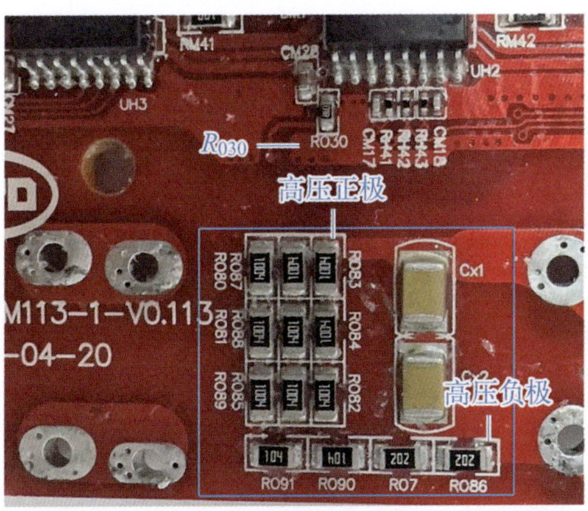

图 33-24 母线电压采样电路的 PCB 板位号

七、芯片引脚定义

各芯片引脚定义分别如图 33-25 ~ 图 33-29 所示。

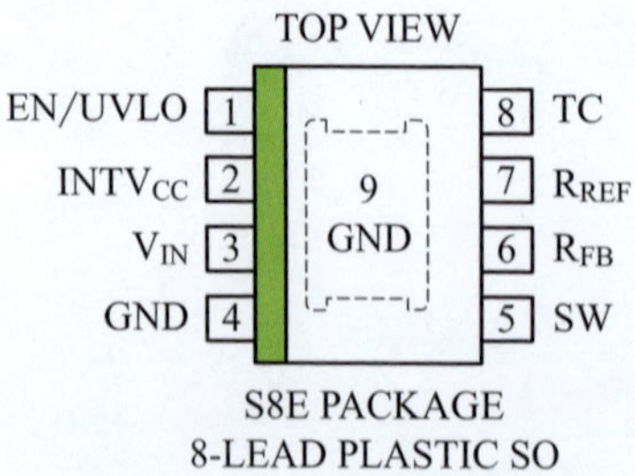

图 33-25　电源芯片 8302

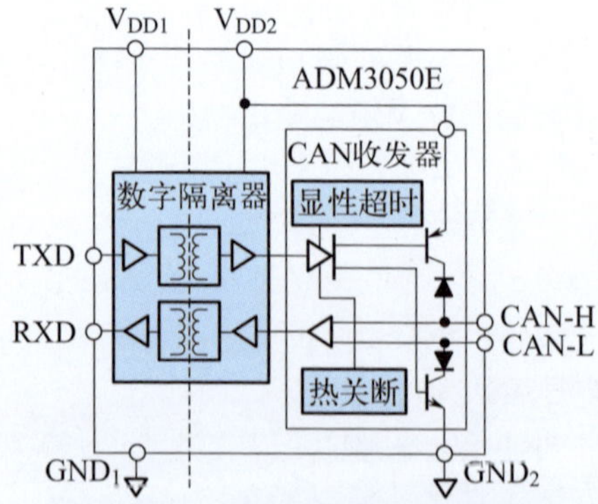

图 33-26　通信芯片 ADM3050E

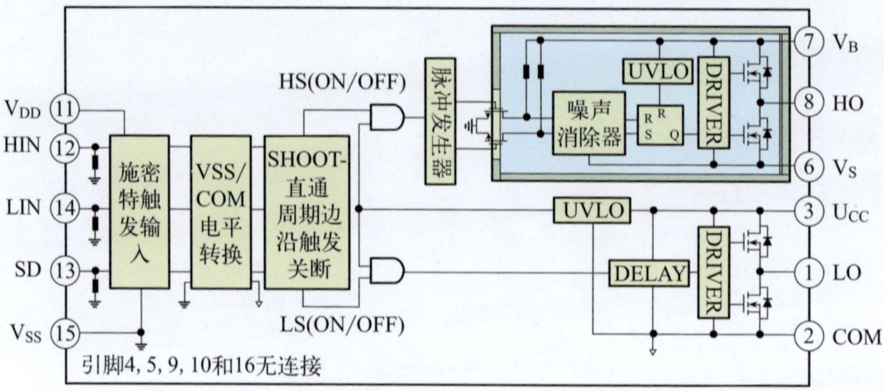

图 33-27　IGBT 驱动芯片 FAN73912

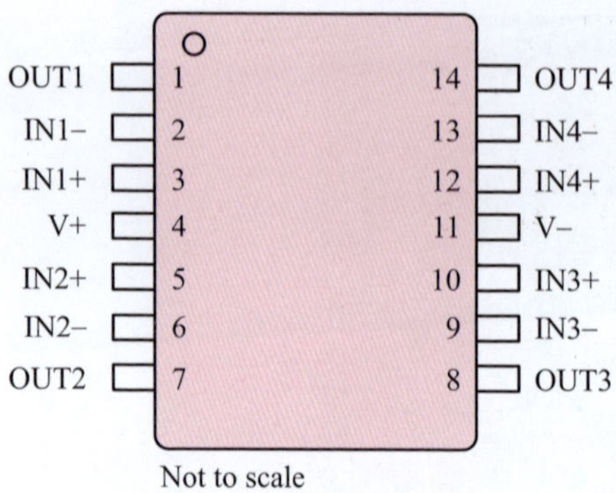

图 33-28　14 脚运放 T9064Q

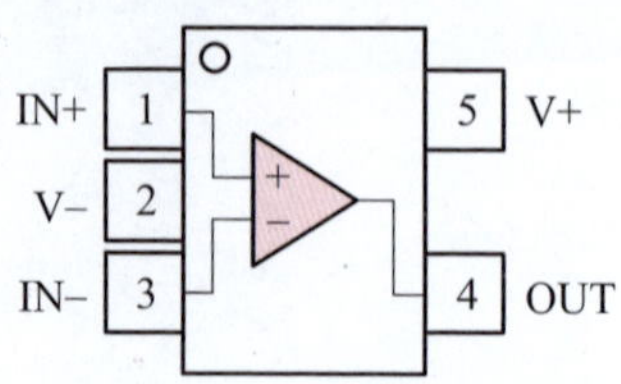

图 33-29　5 脚运放 170Q

第三十四课时 常见压缩机拓扑图

一、奥特佳压缩机

奥特佳压缩机拓扑图如图 34-1 和图 34-2 所示。

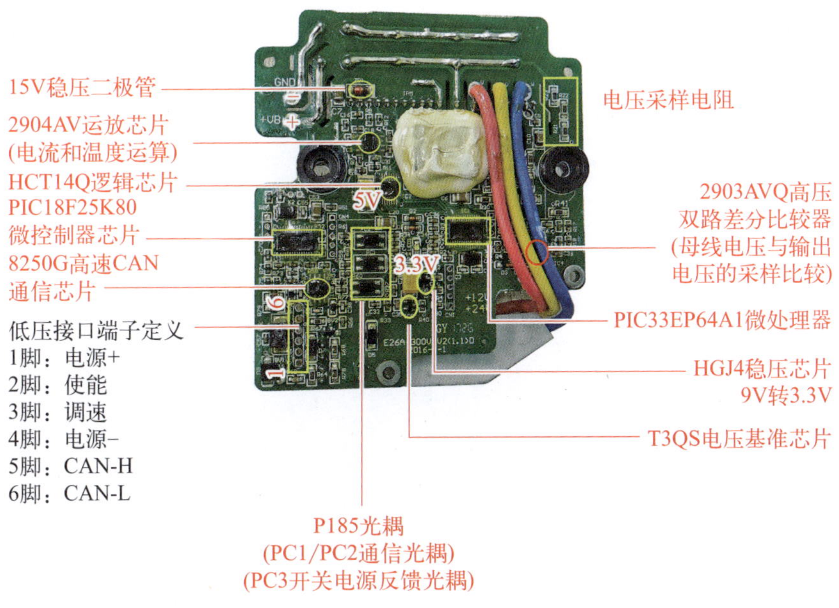

(a) 正面

图 34-1

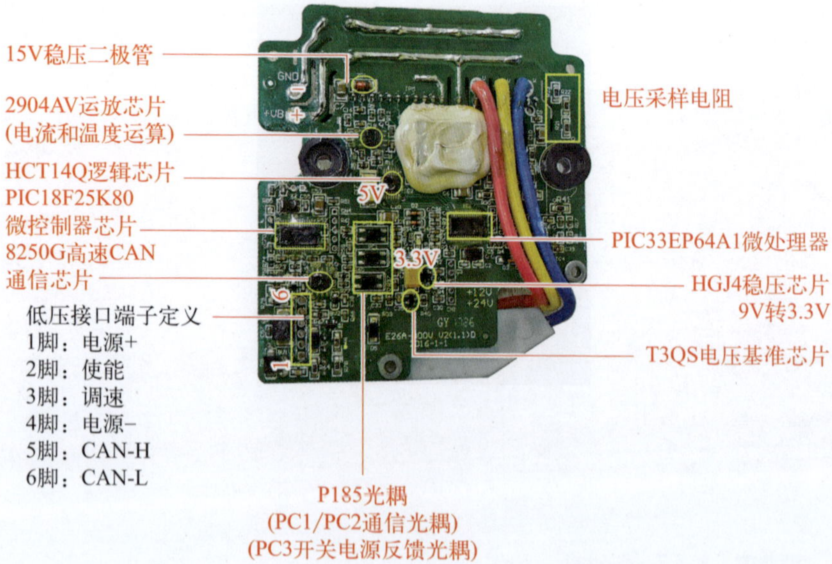

(b) 反面

图 34-1　奥特佳压缩机（型号：E26A320A-0030H1）

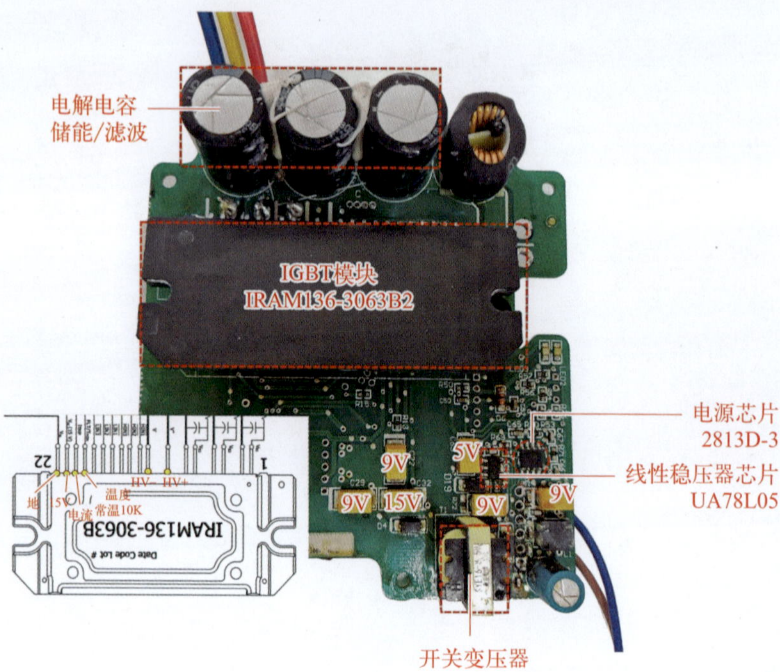

(a) 正面

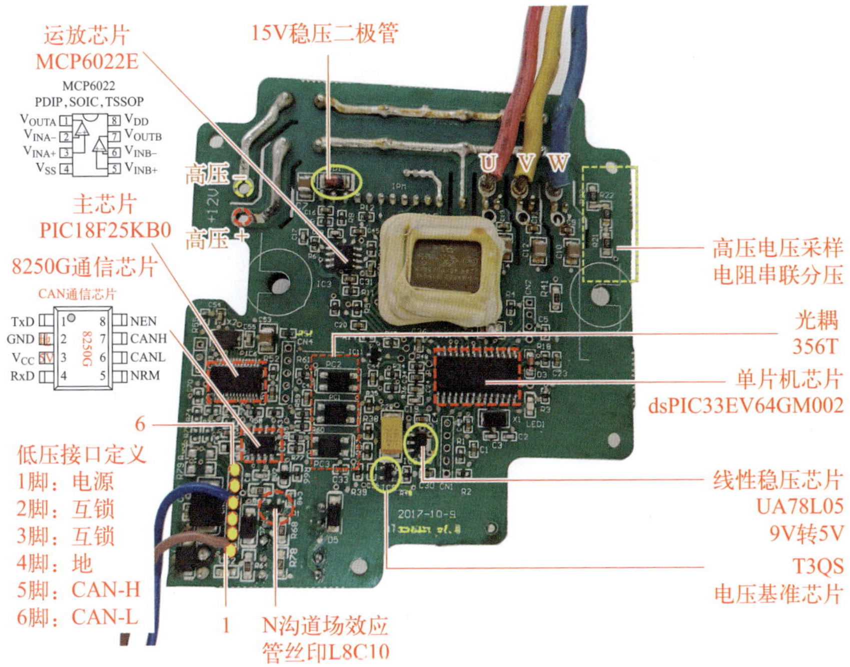

(b) 反面

图 34-2 奥特佳压缩机（型号：E26A300A-26.150HG）

二、吉利 300 海立压缩机

吉利 300 海立压缩机外观见图 34-3，其控制板正反面拓扑图如图 34-4 所示。

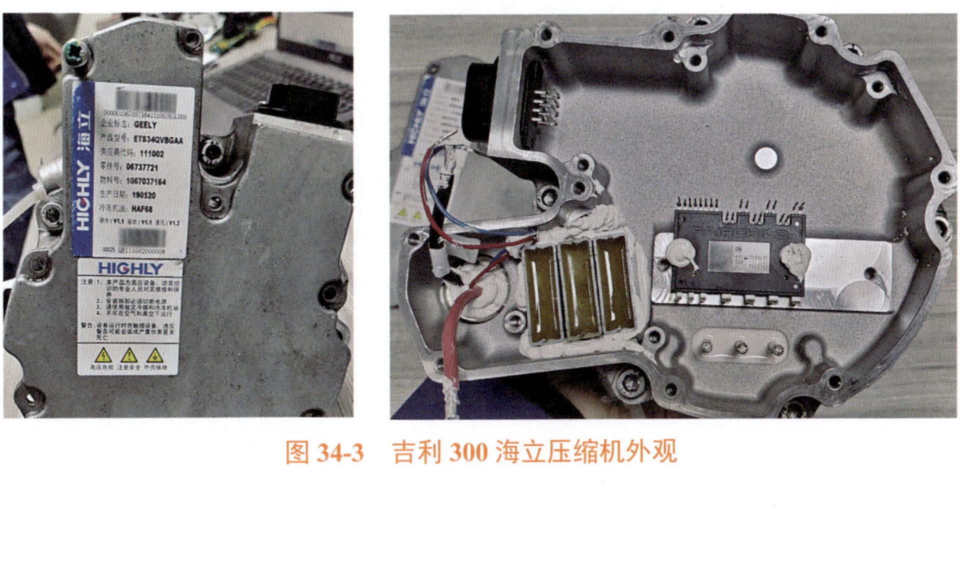

图 34-3 吉利 300 海立压缩机外观

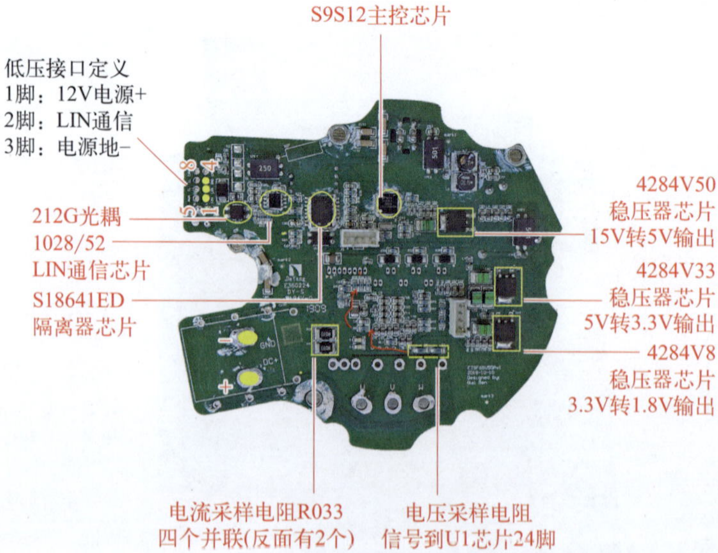

(a) 正面

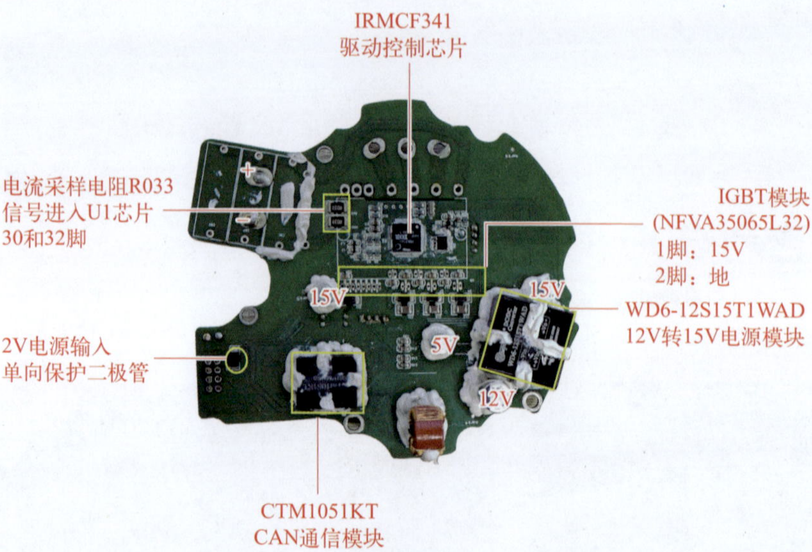

(b) 反面

图 34-4　吉利 300 海立压缩机控制板拓扑图（型号：ETS34QVBGAA）

三、三菱压缩机

如图 34-5 所示为三菱压缩机控制板拓扑图。

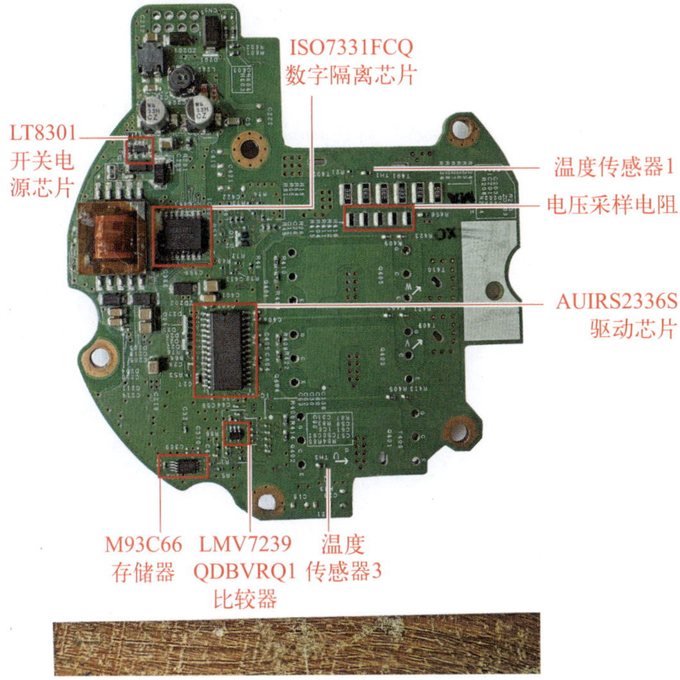

(a) 反面

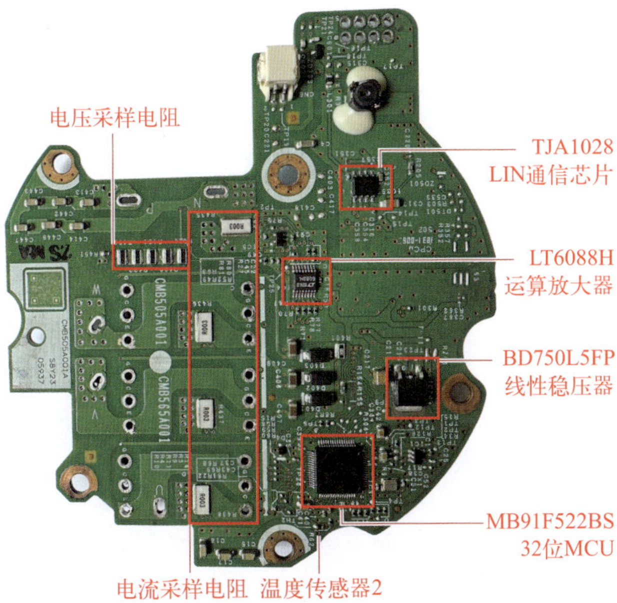

(b) 正面

图 34-5 三菱压缩机控制板拓扑图

第四部分　车载充电机芯片级维修实战

第三十五课时 北汽 EC180 车载充电机

北汽 EC180 充电机是一款低端的车载充电机（图 35-1），除了用在北汽车型以外，在其他低端新能源汽车也有应用。该款充电机是集车载充电机与 DC/DC 转换器为一体的电力变换装置。

图 35-1　北汽 EC180 充电机

在离线测试车载充电机时，需要连接低压插接件上的 CC 信号和 CP 信号 12V 电源 CAN 总线。CAN 总线连接具有驱动充电机的诊断设备，或者接 CAN 卡用上位机发送驱动报文，用以驱动车载充电机工作。交流电接充电机的 L、N、PE 交流端子。高压直流输出需要接一个直流可调电源调成充电机的输出电压，并接负载。

在所有线路接好后，可发送驱动报文使充电机工作，此时可以看到高压直流电源上的电压有升压，且负载正常工作。

如图 35-2 所示是该款充电机插接件的定义，该定义可查询车辆的维修手册确认。

北汽 EC180 充电机内部结构如图 35-3 所示。

一、EMC 电磁兼容电路

如图 35-4 所示，220V 电压进 EMC 电路后先经 F_{101} 熔丝。C_{Y101} 和 C_{Y102} 为 Y 电容，LF_{101} 和 LF_{102} 为共模电感，这几个元器件用以滤除电路中的共模干扰。

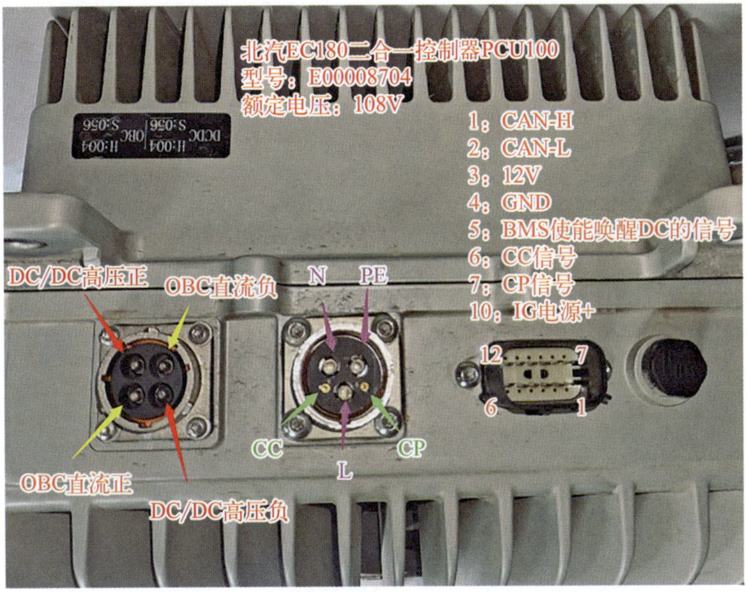

图 35-2 北汽 EC180 充电机插接件定义

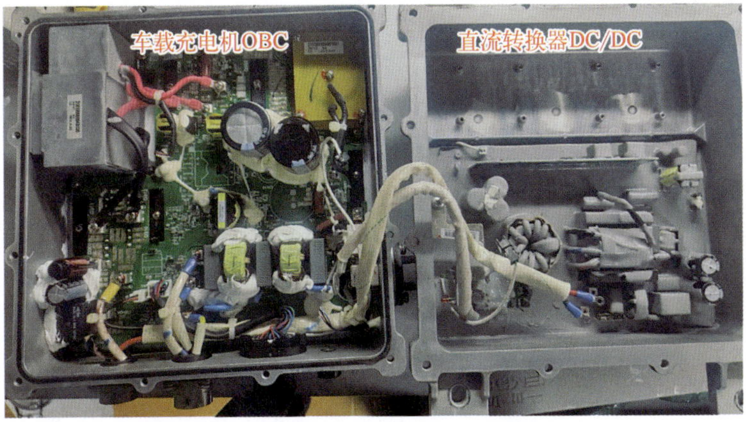

图 35-3 北汽 EC180 充电机内部结构

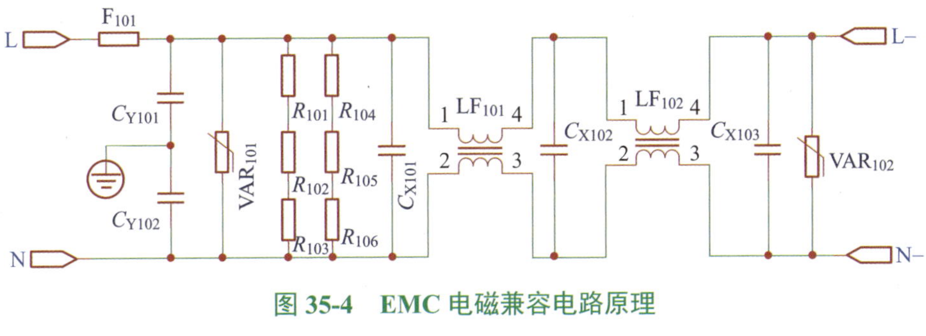

图 35-4 EMC 电磁兼容电路原理

VAR_{101} 和 VAR_{102} 为压敏电阻，用以防止交流电中的浪涌电压和静电对后级造成的伤害。R_{101}、R_{102}、R_{103} 为 470kΩ 电阻，用于在下电后对安规电容的剩余电量进行放电。R_{104}、R_{105}、R_{106} 的作用也是一样的。C_{X101} 和 C_{X102}、C_{X103} 为 X 电容，这几个元器件用于消除电路中的差模干扰。这套电路为充电机的 EMC 电磁兼容电路。

EMC 电磁兼容电路的 PCB 位号如图 35-5 所示。

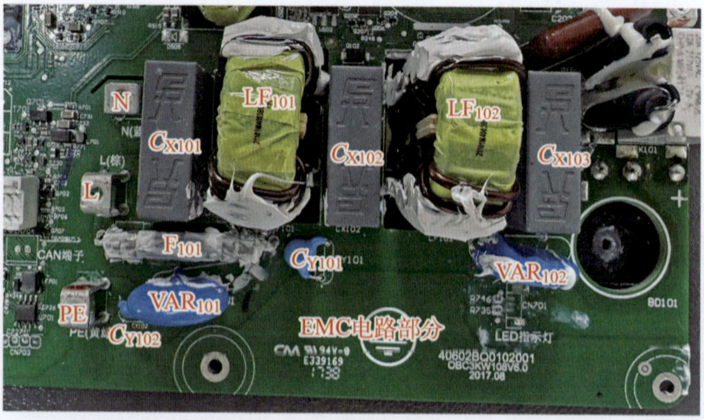

图 35-5　EMC 电磁兼容电路的 PCB 位号

二、PFC 功率因数校正电路

如图 35-6 所示是 PFC 功率因数校正电路原理，从电路结构可以看出，这是一个普通有桥 PFC 功率因数校正电路。电路中 BD_{101} 为整流桥，它将交流电转为直流电给 PFC 电路供电。R_{107} 和 R_{109} 电阻并联使用，为后级供电的预充电组。在上电时先由预充电阻给后级电容充电，当电压充起来后闭合继电器 K_{101} 为 PFC 电路供电。

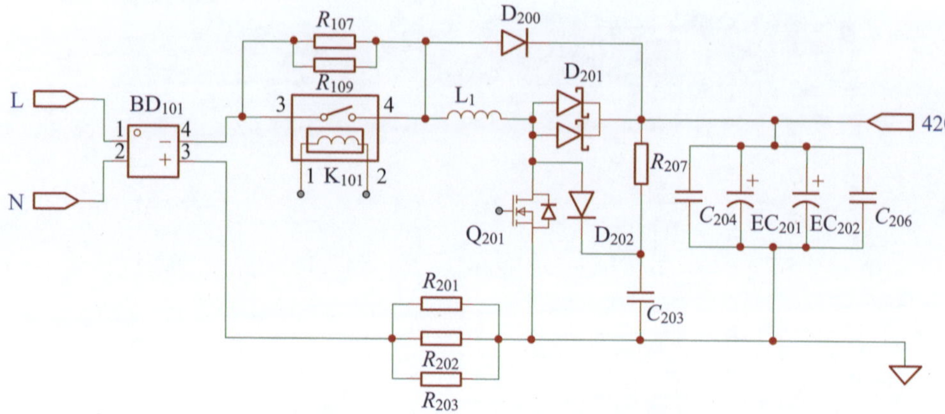

图 35-6　PFC 功率因数校正电路原理

L_1 为 PFC 升压电感（图 35-7），D_{201} 为续流二极管，Q_{201} 为 PFC 开关管，这三个元器件组成一个标准的 BOOST 升压电路。D_{200} 为 PFC 旁路二极管，用于保护开关管。

PFC 功率因数校正电路的 PCB 板位号如图 35-8 和图 35-9 所示。

图 35-7　PFC 功率因数校正电路升压电感

图 35-8　PFC 功率因数校正电路的 PCB 板位号（正面）

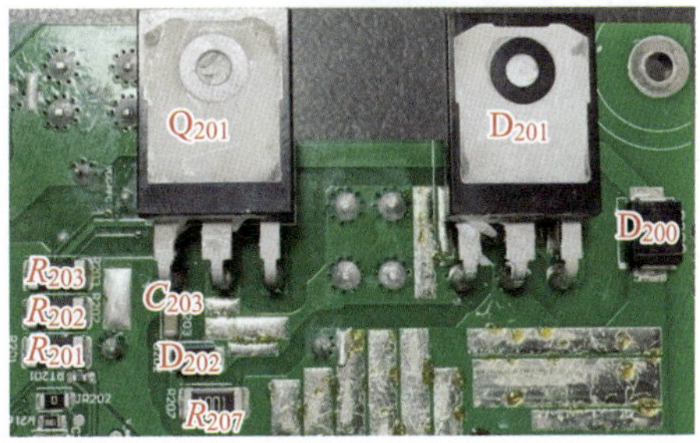

图 35-9　PFC 功率因数校正电路的 PCB 板位号（反面）

三、PFC 驱动电路

如图 35-10 所示，PFC 驱动电路采用 UCC28180D 作为 PFC 专用的升压芯片，PFC 驱动电路的 PCB 板位号如图 35-11 所示。MOS 管的驱动信号由 27512 专用栅极驱动芯片来驱动，栅极驱动芯片的 OUT 输出引脚用于驱动 MOS 管。6 号脚低电位芯片

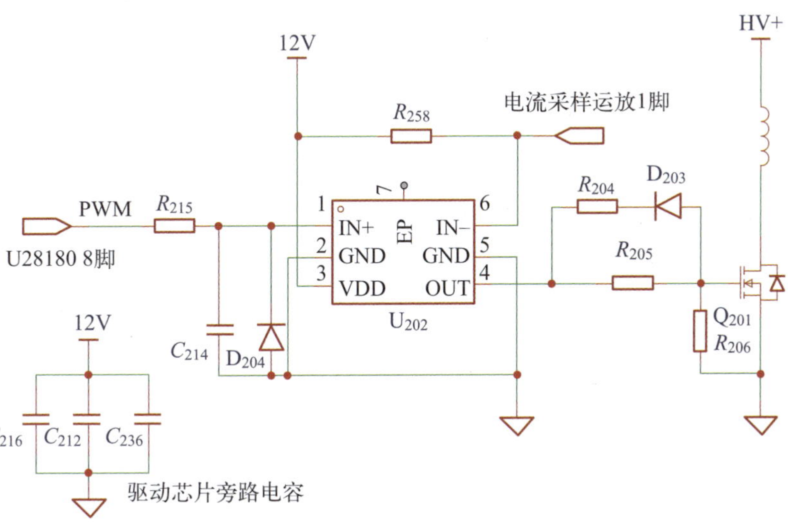

图 35-10　PFC 驱动电路原理

图 35-11　PFC 驱动电路的 PCB 板位号

保持正常输出，高电位停机不输出。6 号脚来自电流采样运算放大器输出，在电流不过流时运算输出低，因此芯片保持输出。如果过流，运算输出正极芯片停机。栅极驱动芯片的脉冲信号来自 PFC 专用升压芯片。

PFC 驱动电路过流保护电路原理如图 35-12 所示，其 PCB 板位号见图 35-13。

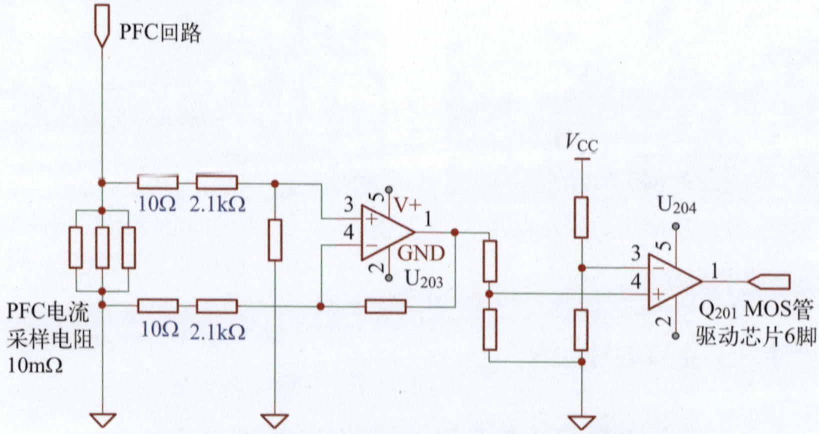

图 35-12　PFC 驱动电路电流过流保护电路原理

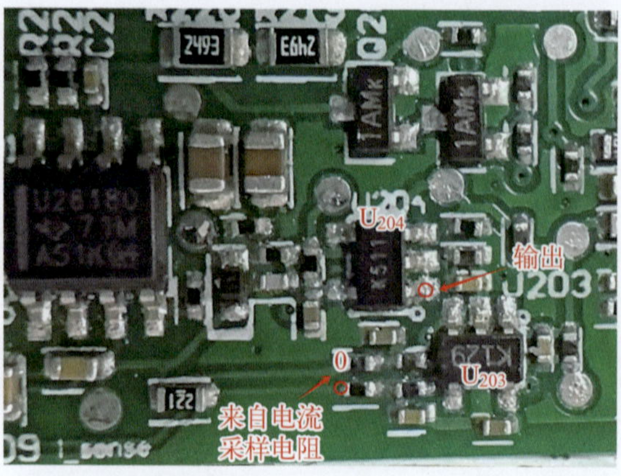

图 35-13　PFC 驱动电路电流过流保护电路的 PCB 板位号

四、PFC 主控电路

如图 35-14 所示，EC180 车载充电机的 PFC 功率因数校正电路使用一个

UCC28180 作为主控芯片来控制 PFC 电路，根据芯片引脚定义与外围电路可知：

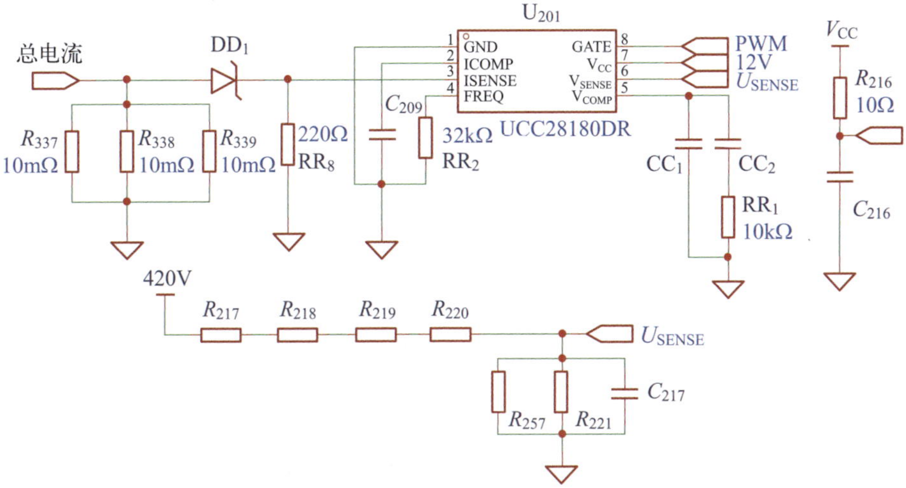

图 35-14　PFC 主控电路原理

1 号脚为芯片的接地。

2 号脚为芯片内部电流采样输出电路部分，通过电容连接到 GND 对内部采样电路信号做补充和平均，如果该引脚电压低于 0.2V，则芯片会被禁用。

3 号脚为电流采样引脚，通过二极管接在电流采样电阻上方，检测整个 PFC 回路的电路电流。

4 号脚为芯片的开关频率设置引脚，通过电阻接地。改变电阻值可改变芯片开关频率，设定在 18 ～ 250kHz。

5 号脚根据芯片手册定义为芯片软启动设定引脚，通过外部设备阻容网络来确定芯片的软启动时间。

6 号脚为 PFC 升压后的电压采样引脚，送入芯片内部运算放大器的同相端，运算放大器的反相端为 4.9V 电源。外部电阻网络分压不超过 4.9V，否则芯片认为 PFC 升压未达到 420V。当 PFC 升压达到 420V 时，则电阻网络分压大于 4.9V，这样芯片就可以通过该引脚精确控制 PFC 输出 420V。

7 号脚为芯片的供电引脚，在引脚附近会加旁路电容用以减少芯片供电的纹波和噪声。

8 号脚为芯片的 PWM 输出引脚，PWM 信号送到 MOS 管栅极，驱动芯片用于驱动 MOS 管。

PFC 主控电路的 PCB 板位号如图 35-15 所示。

图 35-15　PFC 主控电路的 PCB 板位号

五、LLC 谐振电路

北汽 EC180 车载充电机内部使用了 LLC 谐振电路，将 PFC 升压后的 420V 直流电变换成 108V 直流电给动力电池充电。如图 35-16 所示是 LLC 谐振电路原理。如图 35-17 和图 35-18 所示是 LLC 谐振电路的 PCB 板位号。

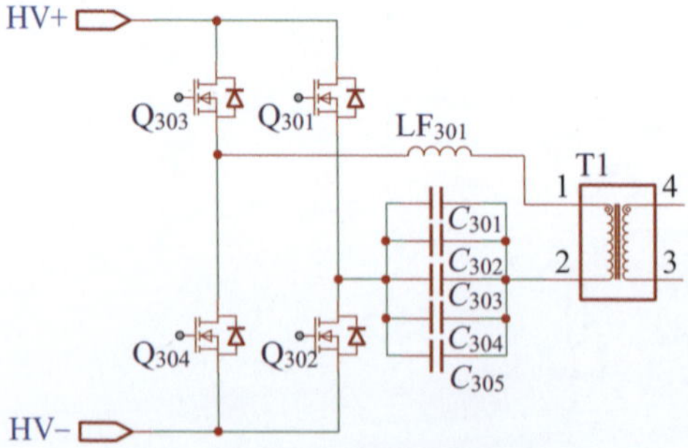

图 35-16　LLC 谐振电路原理

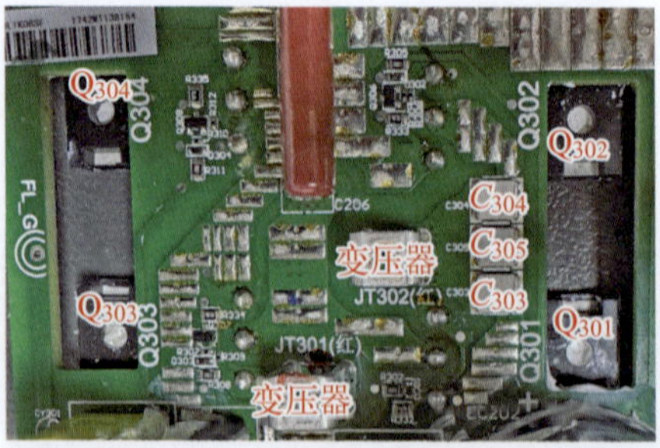

图 35-17　LLC 谐振电路的 PCB 板位号（正面）

在变压器（图 35-19）后方使用 4 个快恢复二极管构成一个整流桥，如图 35-20 所

图 35-18　LLC 谐振电路位号（反面）

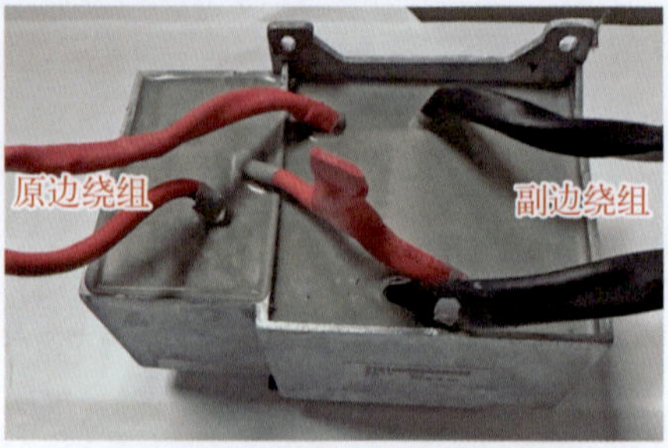

图 35-19　LLC 谐振变压器

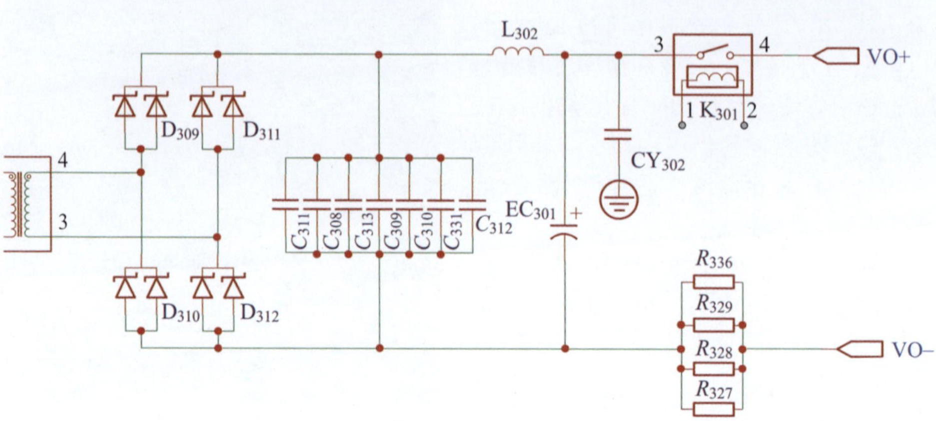

图 35-20　变压器后级整流滤波电路原理

示，在整流桥后级输出 108V 直流电，直流电由 C_{311}、C_{308}、C_{313}、C_{309}、C_{310}、C_{331}、C_{312} 七个电容并联，对 108V 直流电滤波后经电感 L_{302} 与 EC_{301} 再次滤波，用以减小电源纹波，最后通过继电器 K_{301} 输出给动力电池充电。

电阻 R_{336}、R_{329}、R_{328}、R_{327} 是 2mΩ 电阻并联，作为后级输出电流采样电阻。

变压器后级整流滤波电路的 PCB 板位号如图 35-21 和图 35-22 所示。

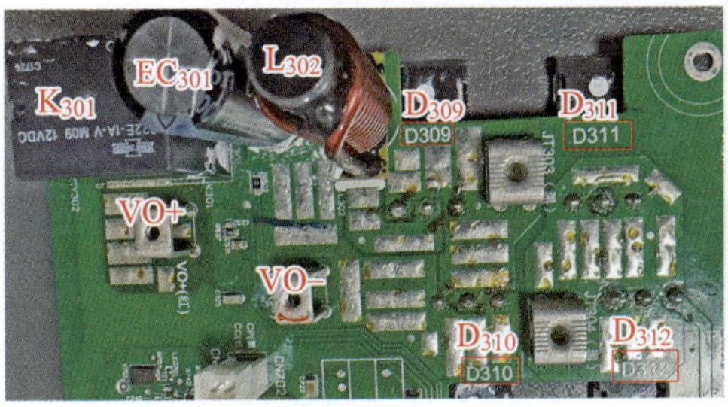

图 35-21　变压器后级整流滤波电路的 PCB 板位号（正面）

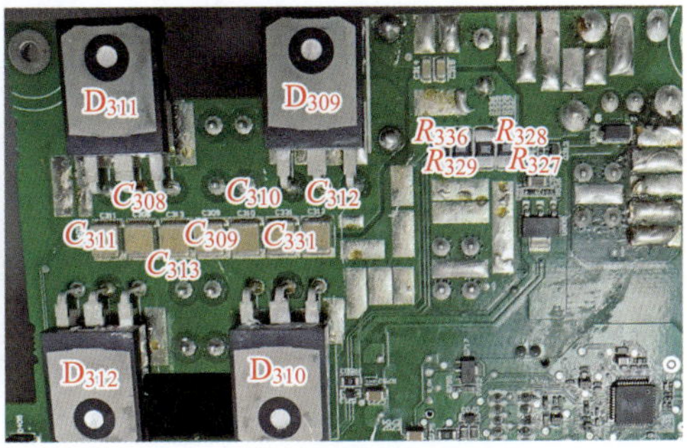

图 35-22　变压器后级整流滤波电路的 PCB 板位号（反面）

六、LLC 谐振驱动电路

如图 35-23 所示，LLC 谐振电路是由 4 个 MOS 管构成的逆变网络，将直流电逆变成交流电送给变压器。MOS 管的驱动分为上管驱动和下管驱动，这里以一组 MOS 管上下桥来分析电路结构，参见图 35-24。

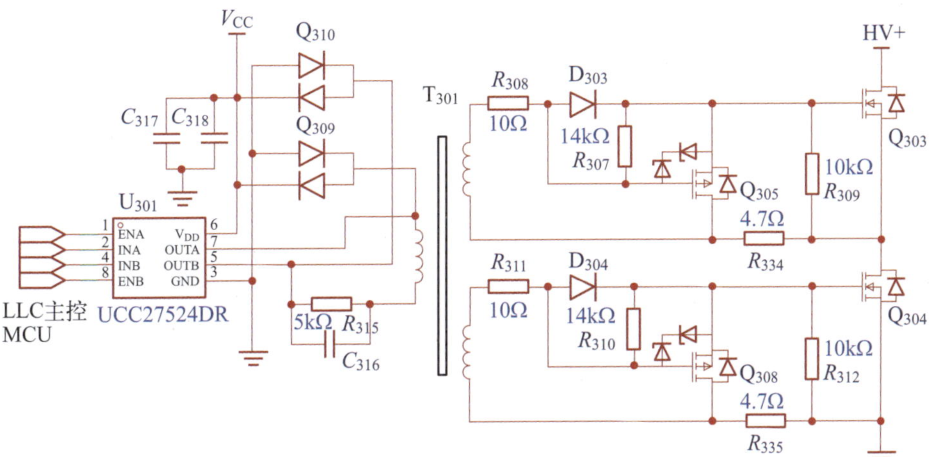

图 35-23　LLC 谐振电路 MOS 管驱动电路原理

Q_{303} 为上管，Q_{304} 为下管，它们的驱动电压来自变压器 T_{301} 的副边绕组。两个副边绕组的同名端一个在上面，另一个在下面，因此两个 MOS 管交替导通。上管开启电

流从变压器上端经 R_{308}、D_{303}，给 MOS 管 G 极驱动电压。当关断时变压器上负下正，这样 Q_{305} 这个 MOS 管就能导通，为 Q_{303} 的 G 极电流泄放提供了回路，使 Q_{303} 快速关断。

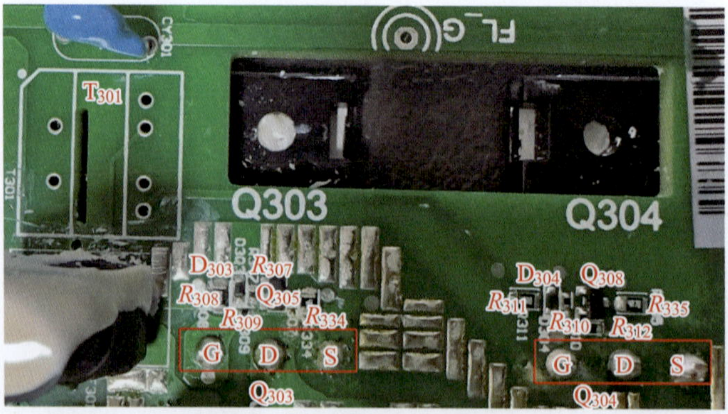

图 35-24 LLC 谐振电路 MOS 管驱动电路的 PCB 板位号

七、LLC 电压电流采样电路

如图 35-25 所示，充电机输出电路中采用了继电器控制，继电器输出端接动力电池。继电器输入为 LLC 输入脚。在充电机工作时先是检测输入引脚反灌电压是否正常，如果正常才可以闭合输出继电器。

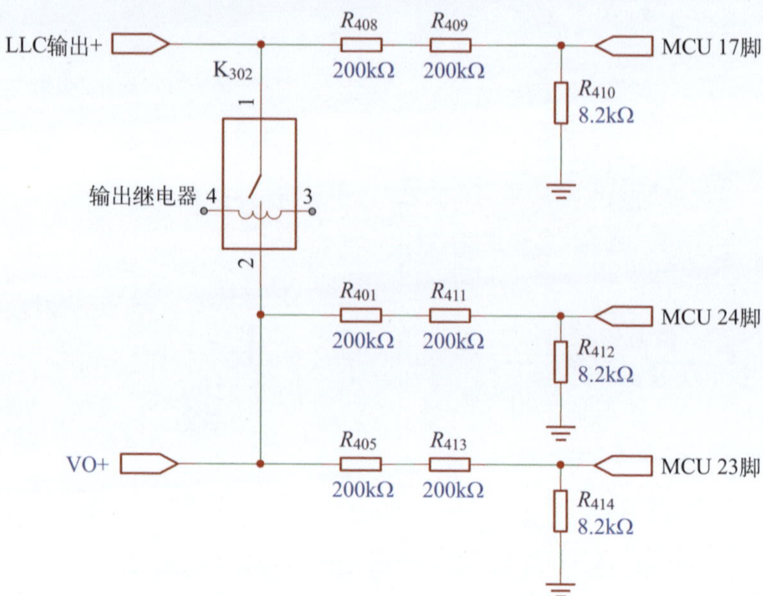

图 35-25 LLC 输出电压采样电路原理

因此该充电机在继电器输出端有两路输入电压采样送入 LLC 主控芯片，在继电器输入端有一路电压采样来检测输出电压是否正常。

LLC 输出电压采样电路的 PCB 板位号如图 35-26 所示。

图 35-26 LLC 输出电压采样电路的 PCB 板位号

如图 35-27 所示，LLC 输出电流采样也是整个充电机输出电流采样电路，在输出高压负极端使用 4 个 2mΩ 电阻并联取样，取样电压送入专用电流检测芯片 FCV1，经处理后输入 MCU 16 号脚。

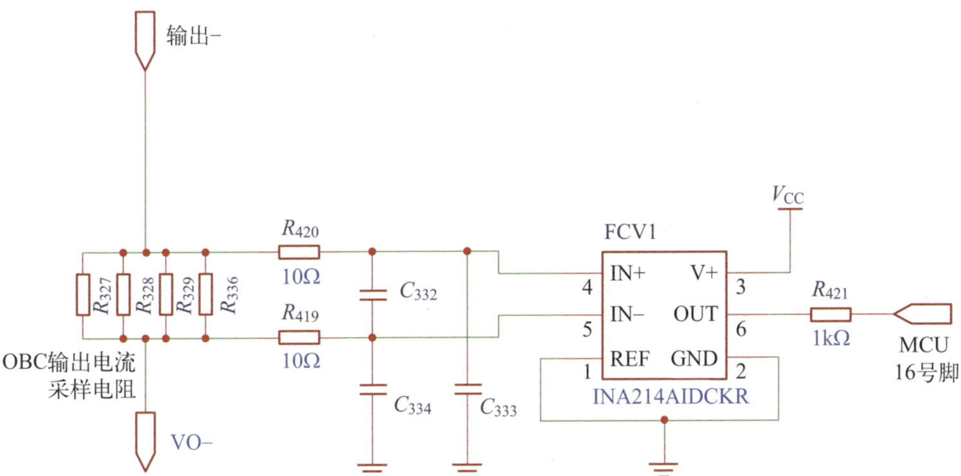

图 35-27 LLC 输出电流采样电路原理

LLC 输出电流采样电路的 PCB 板位号如图 35-28 和图 35-29 所示。

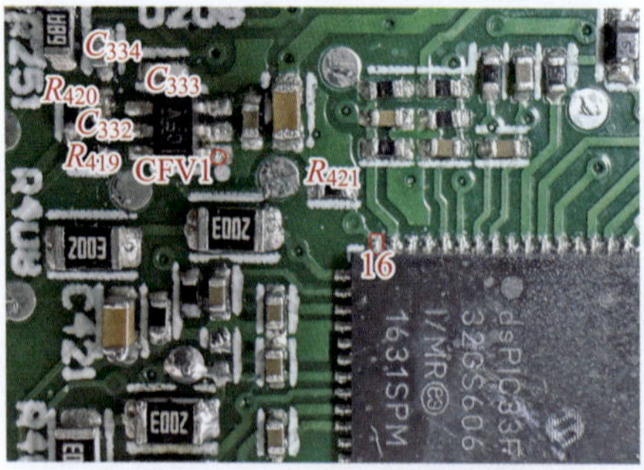

图 35-28　LLC 输出电流采样电路的 PCB 板位号（正面）

图 35-29　LLC 输出电流采样电路的 PCB 板位号（反面）

八、主开关电源电路

如图 35-30 ~ 图 35-32 所示，该充电机内部使用的是一个标准的反激式开关电源，与前面所讲的反激式开关电源原理一样，这里不再赘述，区别在于这款开关电源使用到的主控芯片为 NCP1207。电路设计是按照这个芯片来进行的，因此在反馈控制方面略有区别。

主开关电源电路的 PCB 板位号如图 35-33 和图 35-34 所示。

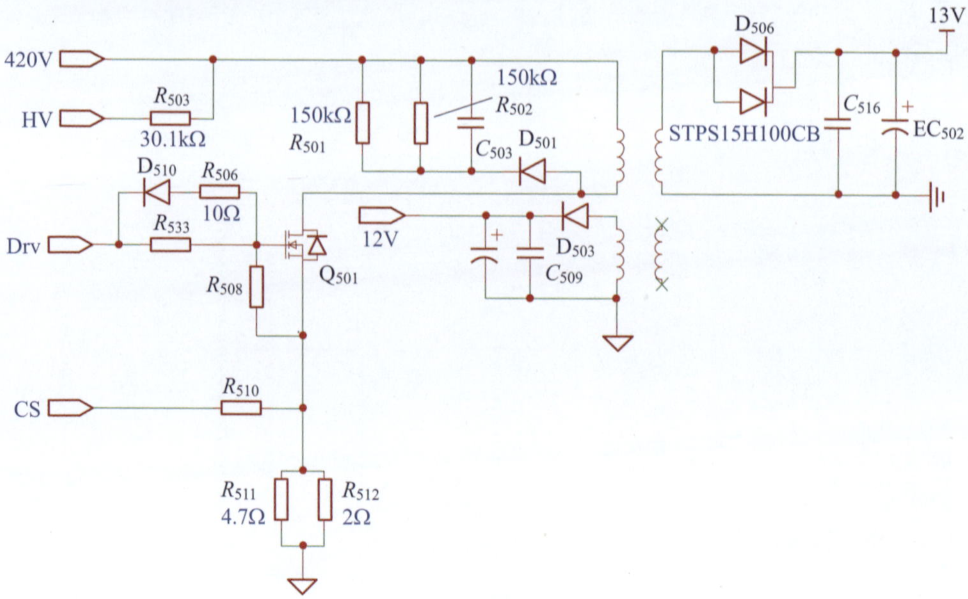

图 35-30　主开关电源电路原理（一）

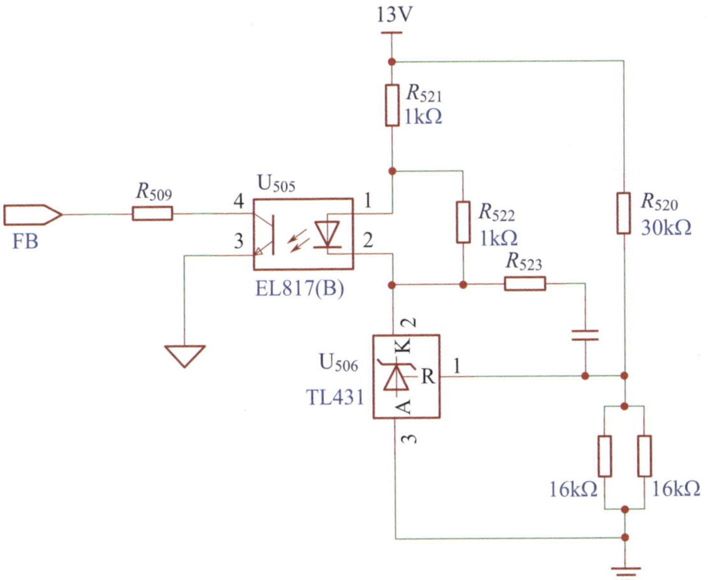

图 35-31 主开关电源电路原理（二）

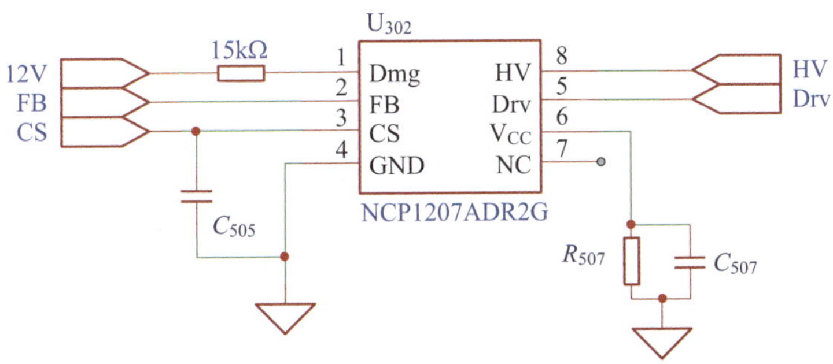

图 35-32 主开关电源电路原理（三）

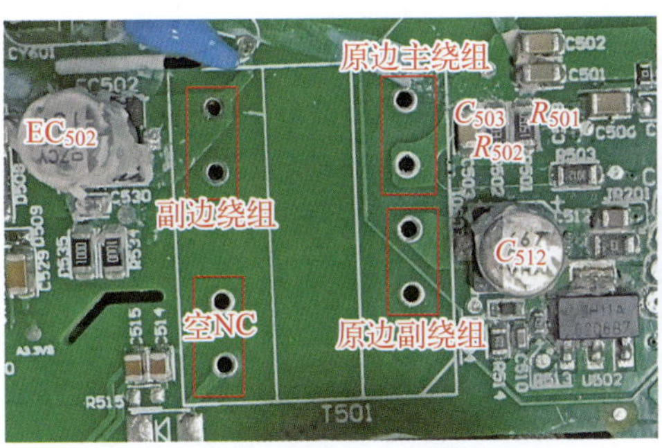

图 35-33 主开关电源电路的 PCB 板位号（正面）

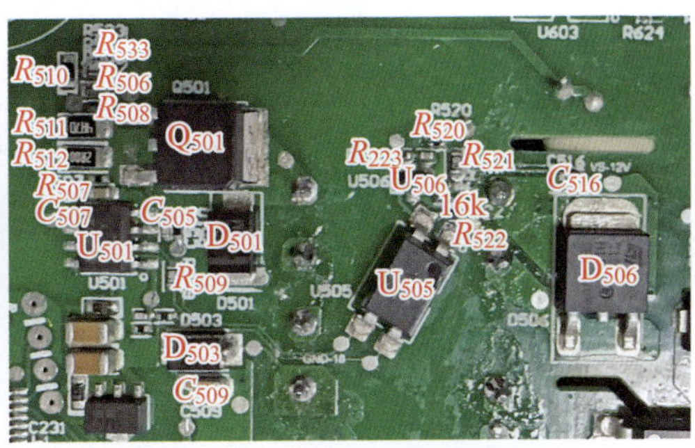

图 35-34 主开关电源电路的 PCB 板位号（反面）

九、充电机通信电路

如图 35-35 所示，充电机与外部其他模块使用的是 CAN 通信，在内部使用一个 TJA1042 芯片作为主通信芯片，充电机内部使用 STM32 单片机作为主控芯片，TJA1042 与单片机通信。

CAN 通信电路的 PCB 板位号如图 35-36 所示。

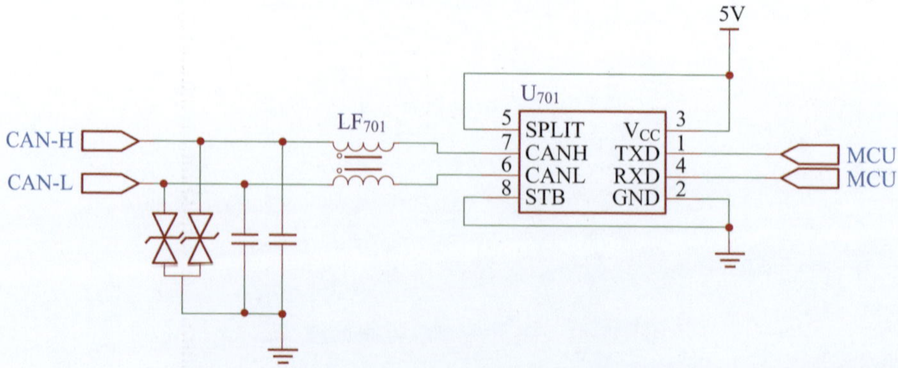

图 35-35　CAN 通信电路原理

图 35-36　CAN 通信电路的 PCB 板位号

十、内部芯片电路

内部芯片的电路原理及相关引脚定义如图 35-37 ～图 35-42 所示。

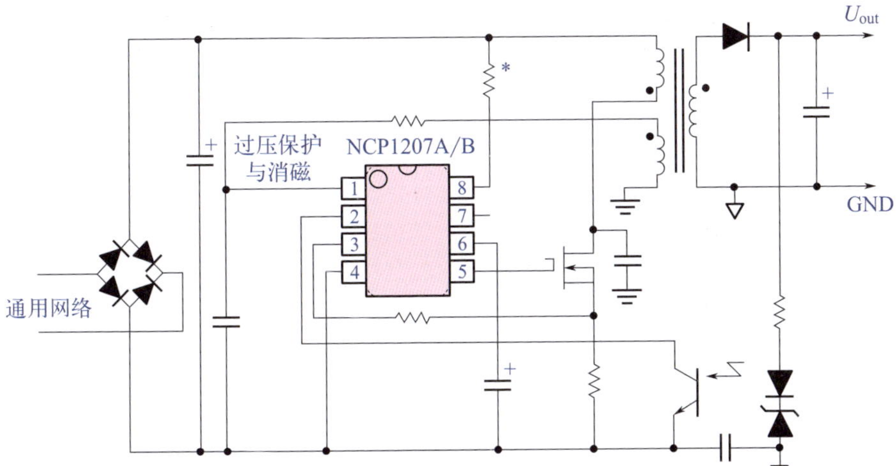

*请参考应用信息部分

图 35-37 开关电源主控芯片电路原理

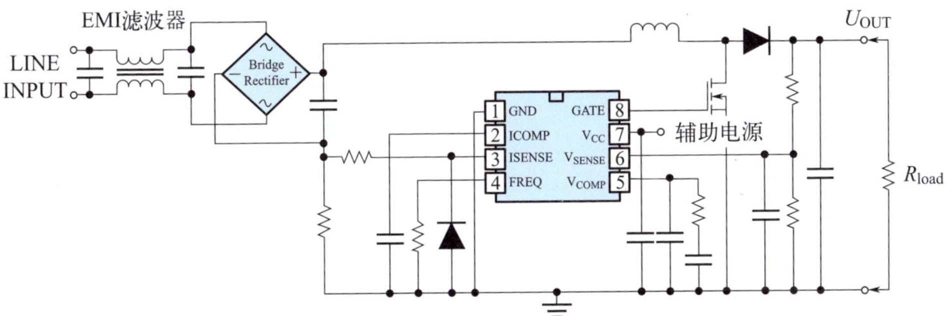

图 35-38 PFC 主控芯片 U28180 电路原理

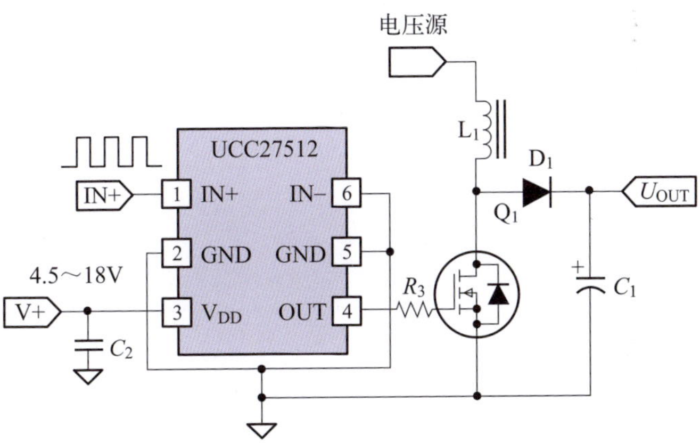

图 35-39 PFC MOS 管驱动芯片电路原理

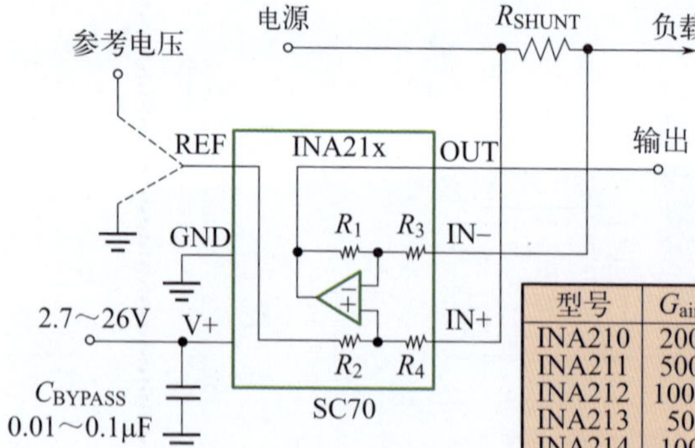

型号	G_{ain}	R_3和R_4	R_1和R_2
INA210	200	5kΩ	1MΩ
INA211	500	2kΩ	1MΩ
INA212	1000	1kΩ	1MΩ
INA213	50	20kΩ	1MΩ
INA214	100	10kΩ	1MΩ
INA215	75	13.3kΩ	1MΩ

$U_{OUT}=(I_{LOAD}\times R_{SHUNT})G_{ain}+U_{REF}$

图 35-40　电流采样芯片电路原理

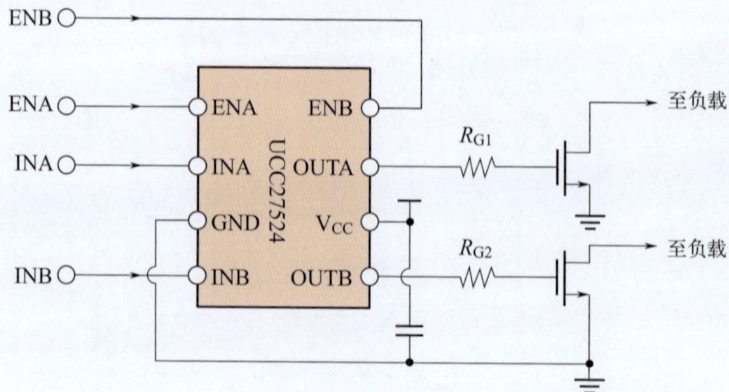

图 35-41　LLC MOS 管驱动芯片 27524 电路原理

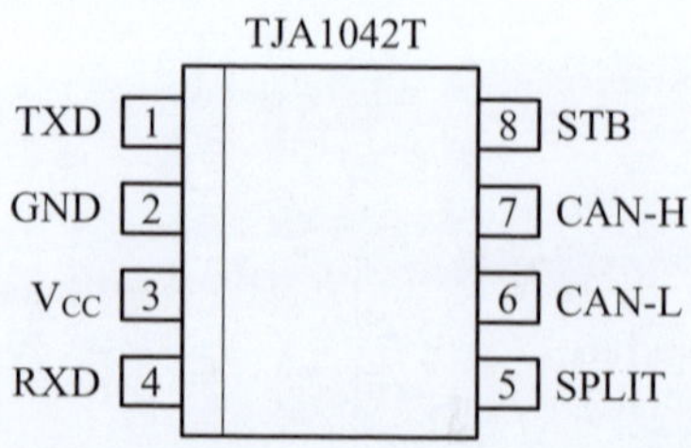

图 35-42　CAN 通信芯片 TJA1042T 引脚定义

第三十六课时
常见车载充电机拓扑图

一、比亚迪 C4 充电机

比亚迪 C4 充电机及其驱动板拓扑图如图 36-1（a）~（c）所示，驱动电路原理、故障检查思路如图 36-1（d）、（e）所示，通信故障检查步骤如图 36-1（f）所示。

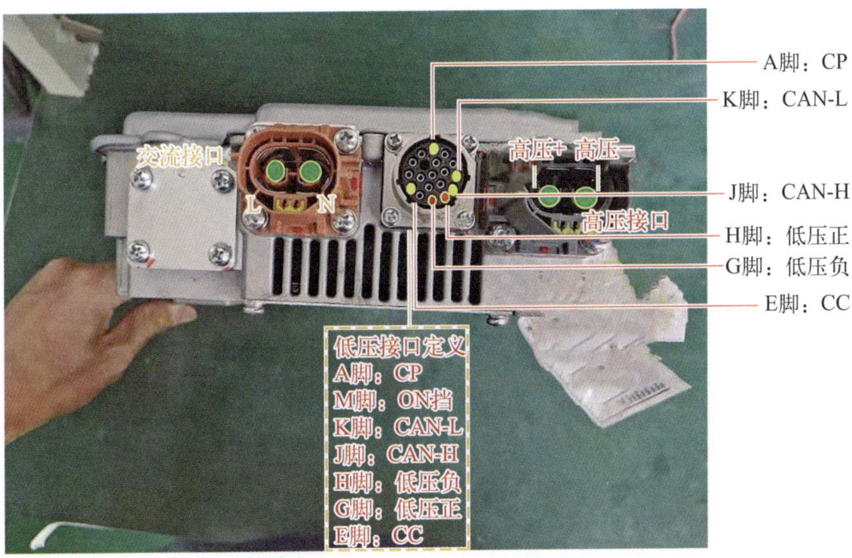

(a) 比亚迪混合动力车型(秦/唐)充电机

图 36-1

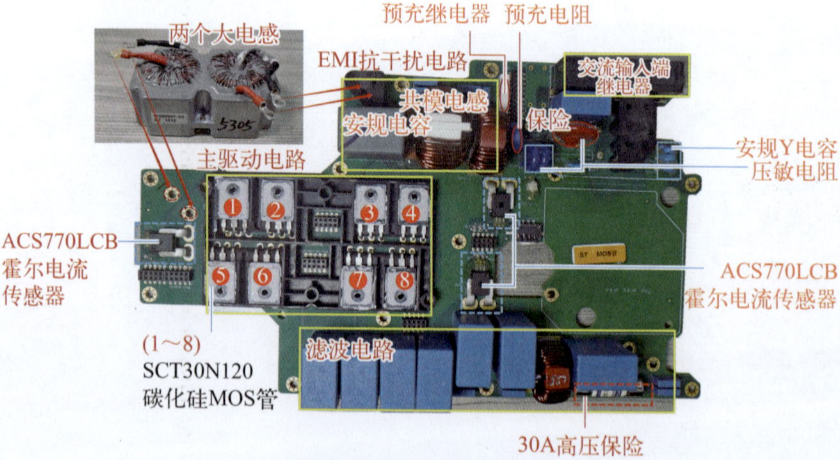

(b) 比亚迪(秦/唐)充电机驱动板(正面)

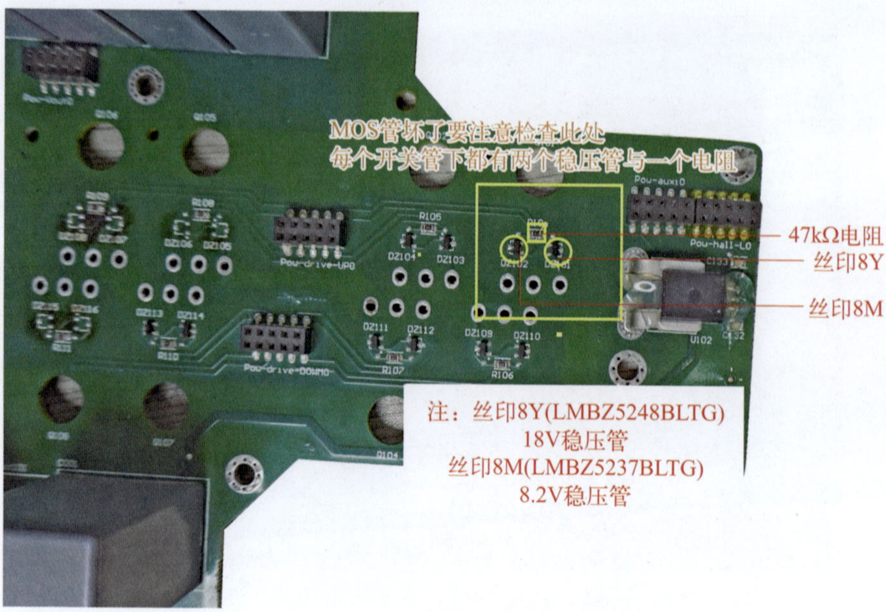

(c) 比亚迪(秦/唐)充电机驱动板(反面)

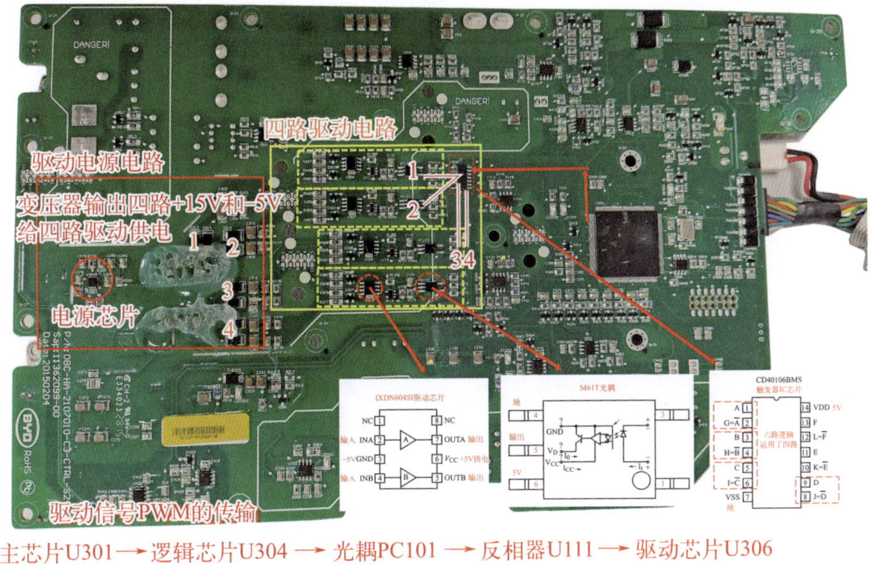

(d) 驱动电路原理

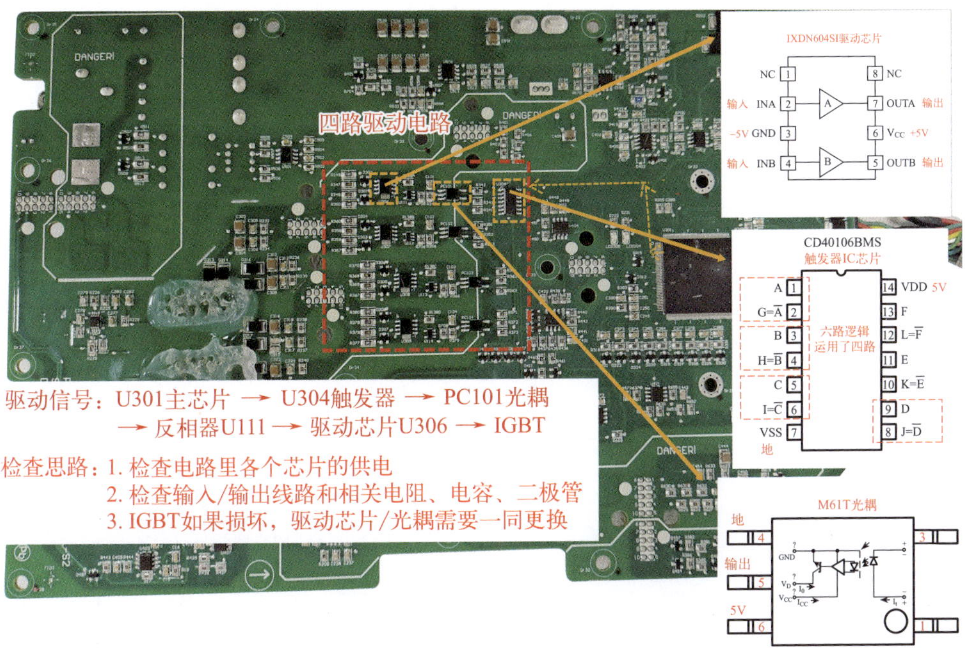

(e) 驱动电路检查

图 36-1

(f) 通信故障检查

图 36-1　比亚迪 C4 充电机拓扑图

比亚迪 C4 充电机各芯片引脚定义如图 36-2 所示。

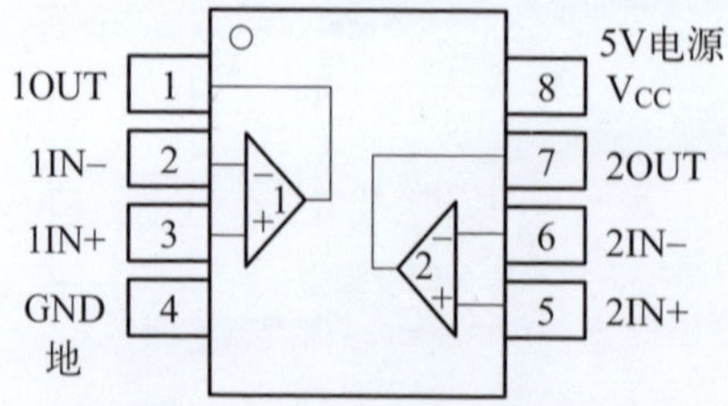

(a) 双运算放大器LM2904Q/LM2904AQ

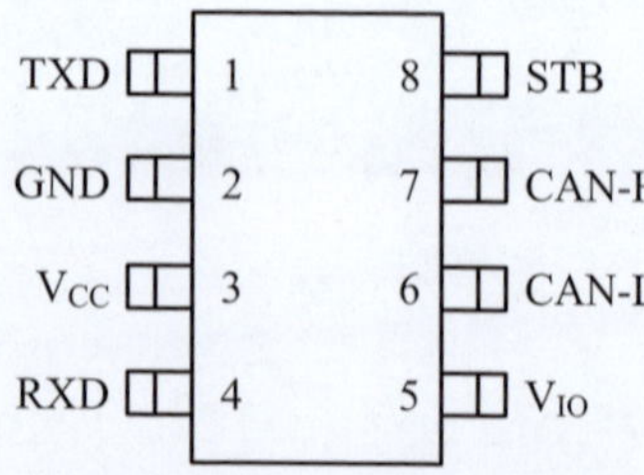

(b) HVDA551D型封装(俯视图)

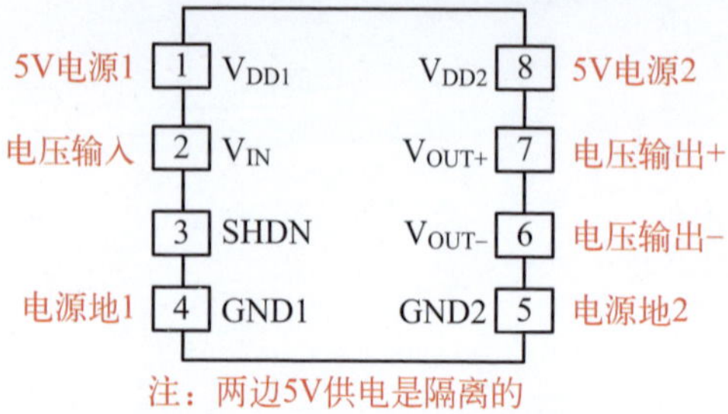

(c) (C87BT)直流电压隔离传感器

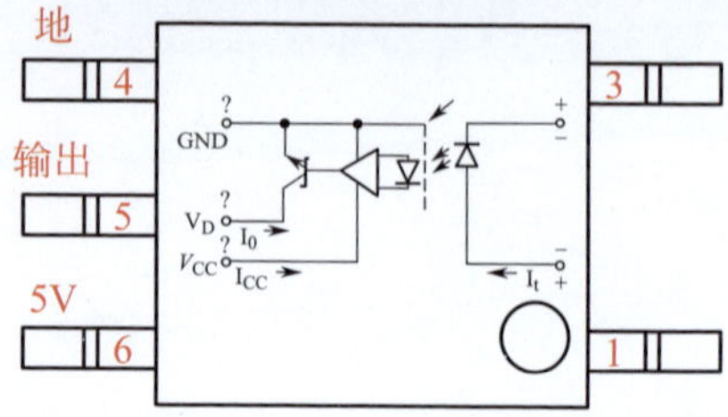

(d) M61T光耦

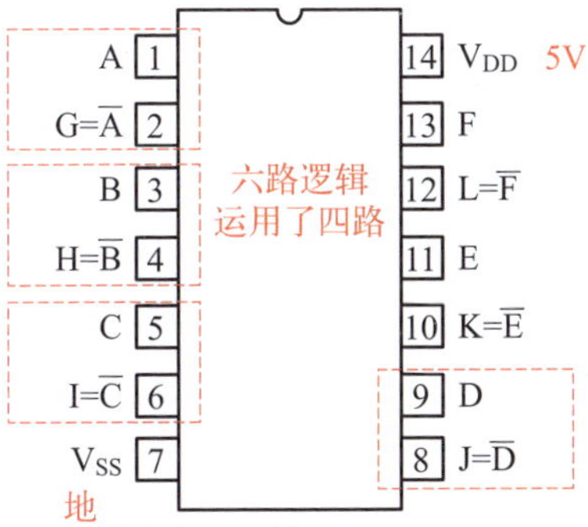

(e) 触发器IC芯片CD40106BMS

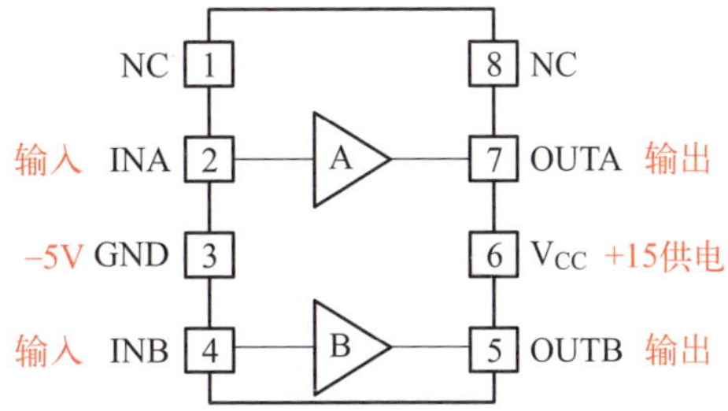

(f) IXDN604SI驱动芯片

图 36-2 比亚迪 C4 充电机各芯片引脚定义

二、吉利 450 充电机

1.吉利450欣锐充电机（图36-3）

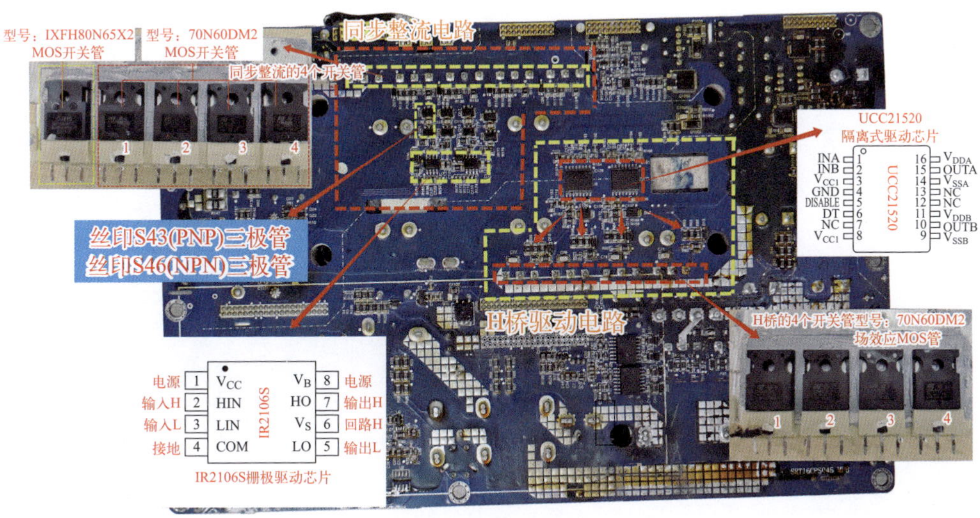

(a) 正面

图 36-3

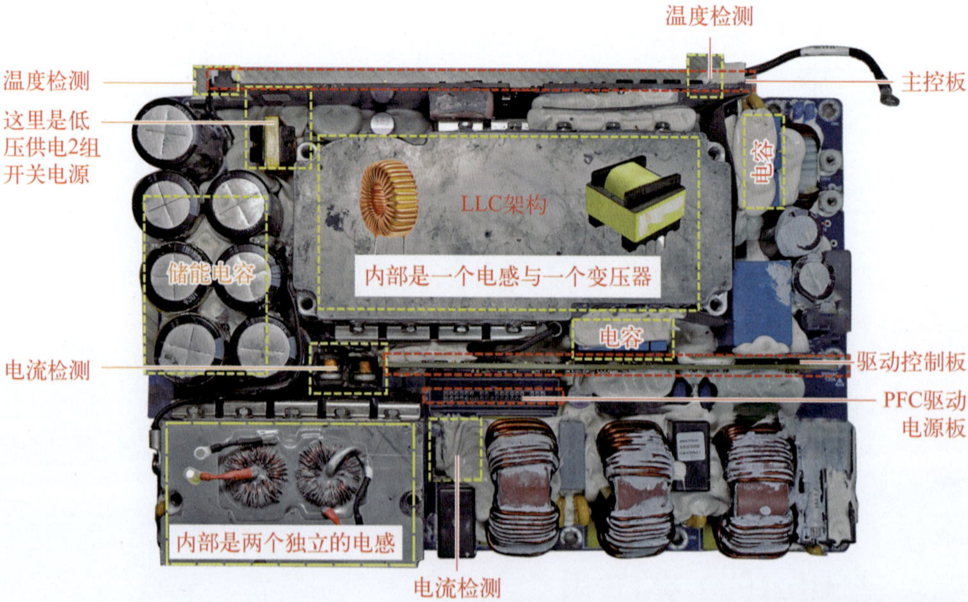

(b) 反面

图 36-3　吉利 450 欣锐充电机拓扑图

2. 吉利帝豪EV450充电机（图36-4）

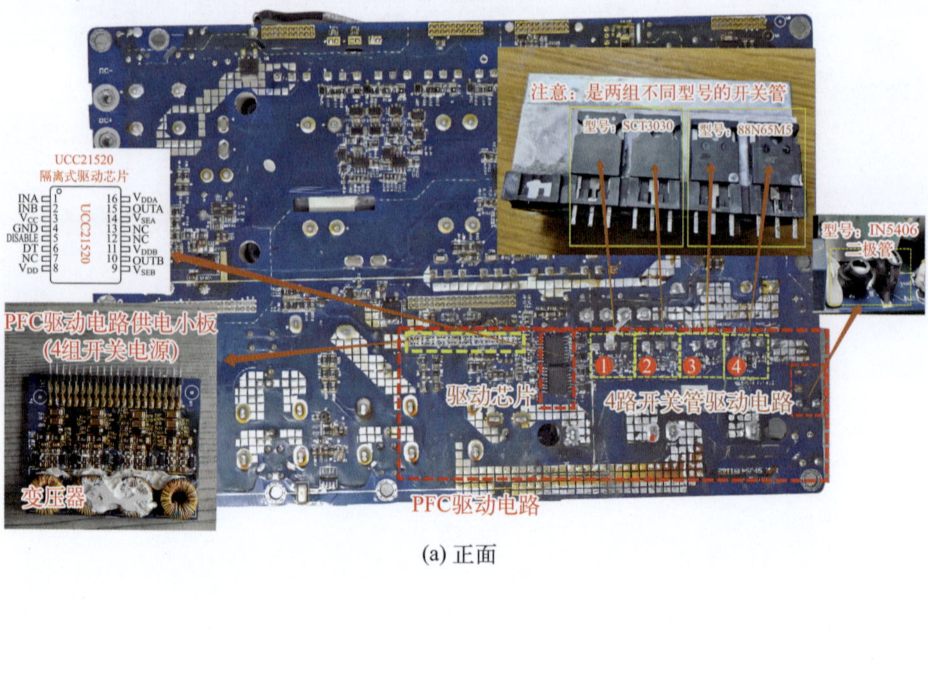

(a) 正面

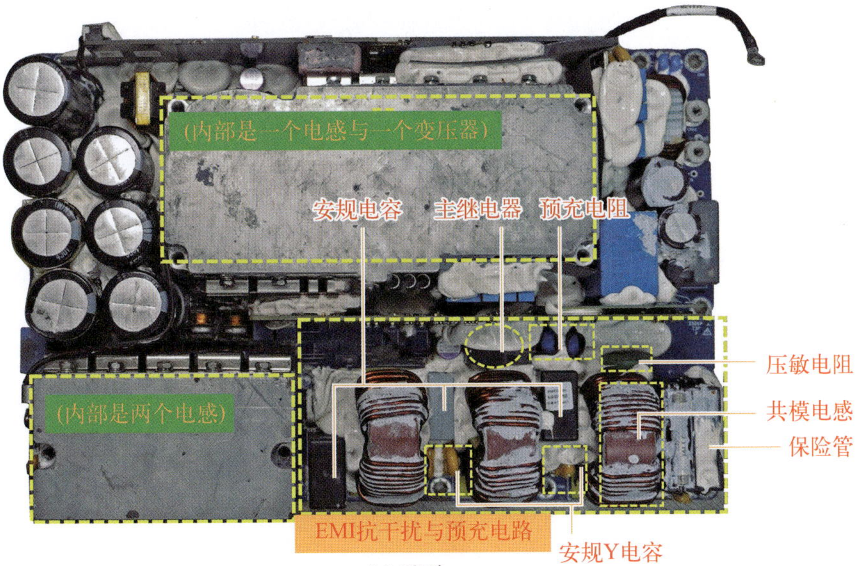

(b) 反面

图 36-4　吉利帝豪 EV450 充电机拓扑图

三、瑞驰 EC35 福特充电机

瑞驰 EC35 福特充电机（型号：VC04-B）拓扑图如图 36-5 所示，其芯片引脚定义见图 36-6。

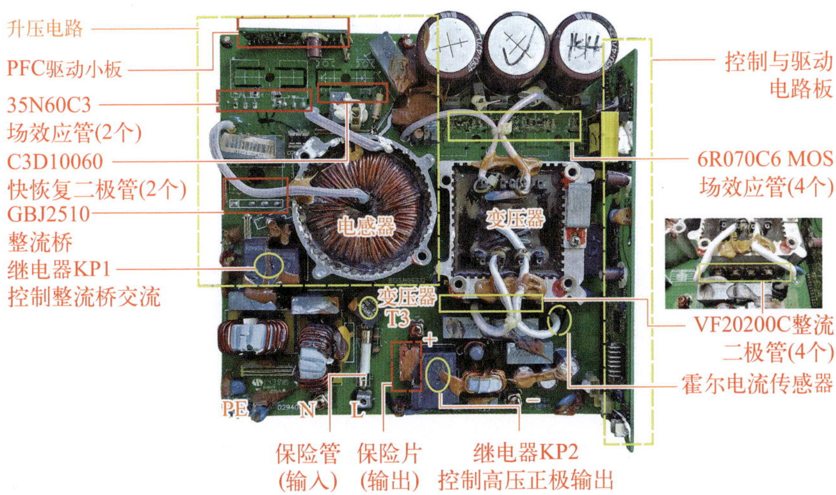

(a) 正面

图 36-5

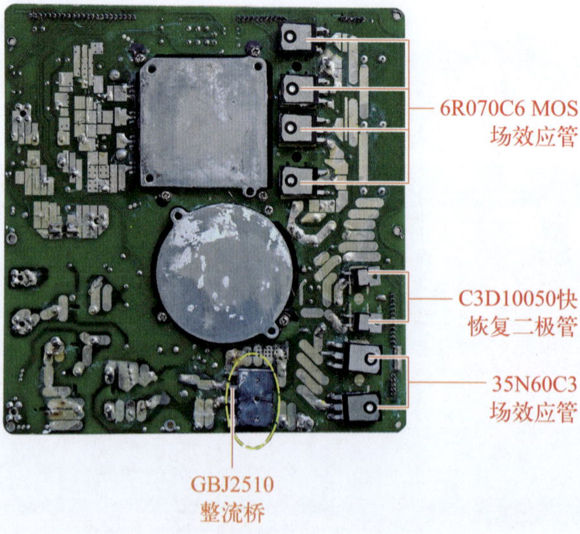

(b) 反面

图 36-5 瑞驰 EC35 福特充电机（型号：VC04-B）拓扑图

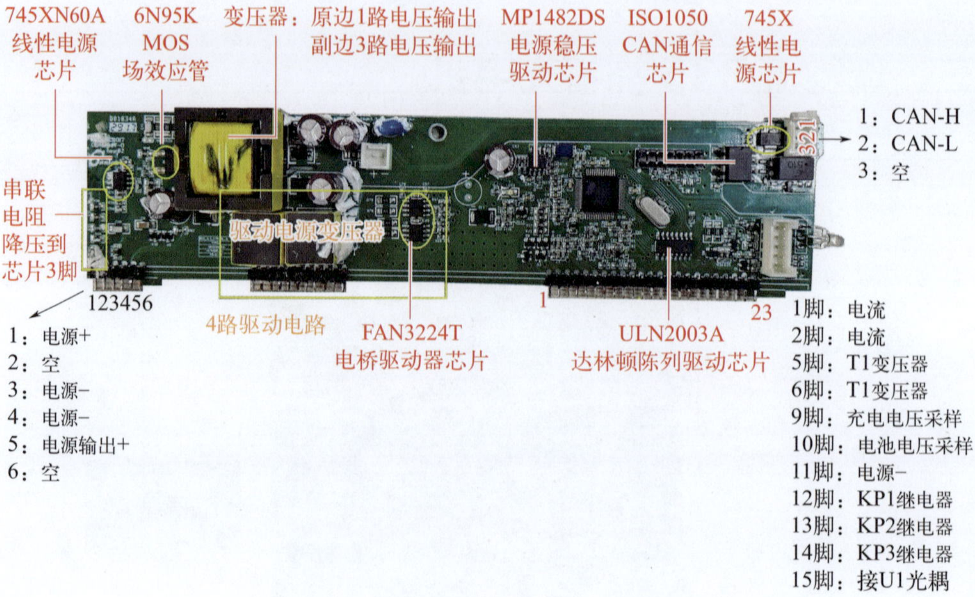

图 36-6 瑞驰 EC35 福特充电机（型号：VC04-B）
各芯片引脚定义

第五部分　电控系统芯片级维修实战

第三十七课时 广汽埃安 Y 电控维修

广汽 2021 年款埃安 Y 使用的电机电控是由汇川生产的驱动桥总成（图 37-1），该驱动桥还在理想、东风等其他新能源汽车有广泛应用。

本课时以这款电机控制器来分析内部电路结构，其低压插接件引脚定义如图 37-2 所示。

图 37-1　驱动桥总成外观

图 37-2　低压插接件引脚定义

一、IGBT 逆变桥电路

IGBT 模块外观及引脚定义如图 37-3 所示，其逆变桥电路原理见图 37-4。

如图 37-5 所示，逆变桥电路是电机控制器中的主电流回路，汇川电控使用的是中车生产的六单元 IGBT 模块总成，模块内部由 6 个 IGBT 构成一个逆变桥和三个温度传感器，耐压值 750V，栅极驱动电压 ±20V。IGBT 模块总成焊接在主控板上，由主控板驱动逆变桥的每一个 IGBT 的栅极。

在逆变桥前端使用一个共模电感（图 37-6）和安规电容（图 37-7）构成一个 EMC 电路，为逆变桥提供稳定的直流电。

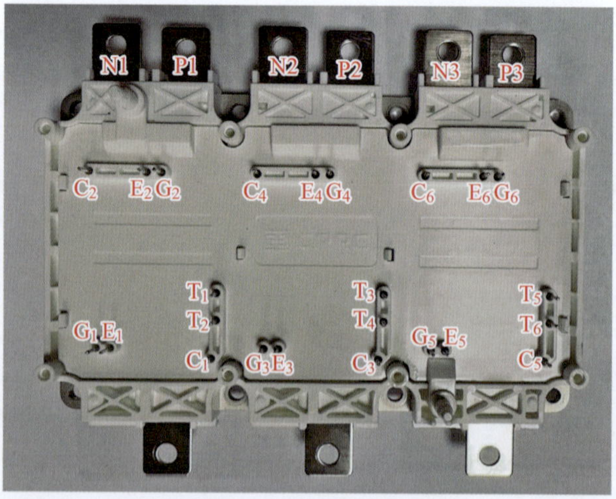

图 37-3　IGBT 模块

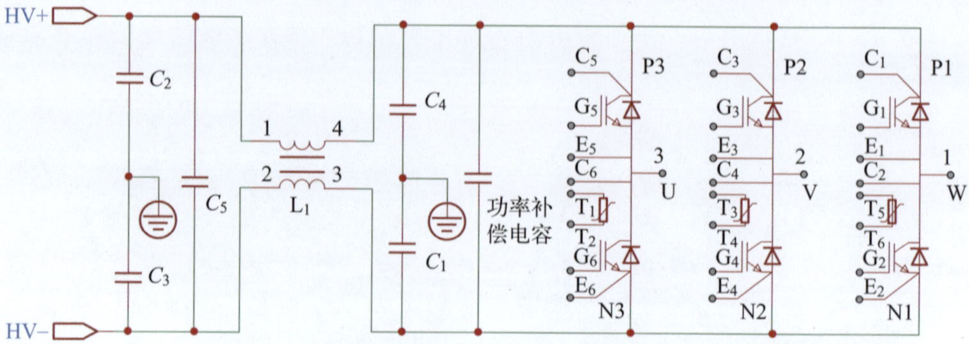

图 37-4　IGBT 逆变桥电路原理

图 37-5　IGBT 模块与 IGBT 驱动板连接点

图 37-6　IGBT 模块逆变桥输入 MEC 电路

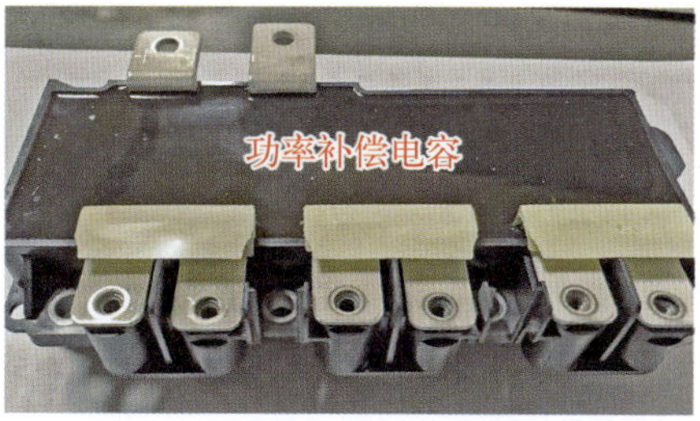

图 37-7　IGBT 模块逆变桥功率补偿电容

二、IGBT 逆变桥驱动电路

IGBT 逆变桥驱动电路由意法半导体公司生产的 STGAP1BS IGBT/MOS 管的电化隔离单栅极驱动芯片构成，该芯片具有高级保护、配置和诊断功能，信号输入诊断与信号输出之间完全电气隔离。

如图 37-8 ~ 图 37-10 所示为芯片驱动部分与一相逆变桥驱动部分简图，逆变桥上

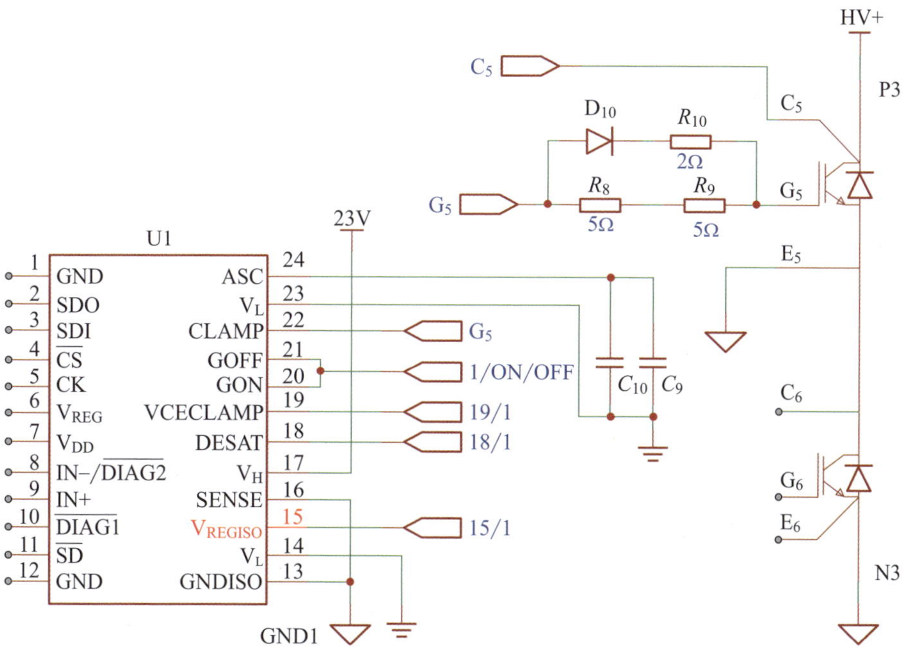

图 37-8　IGBT 模块逆变桥驱动电路（一）

下管驱动电路完全一致，因此这里只对上管的驱动电路进行介绍。驱动芯片的供电来自隔离变压器的输出，隔离变压器共输出 6 路 23V 电源，给 6 个 IGBT 驱动芯片供电。

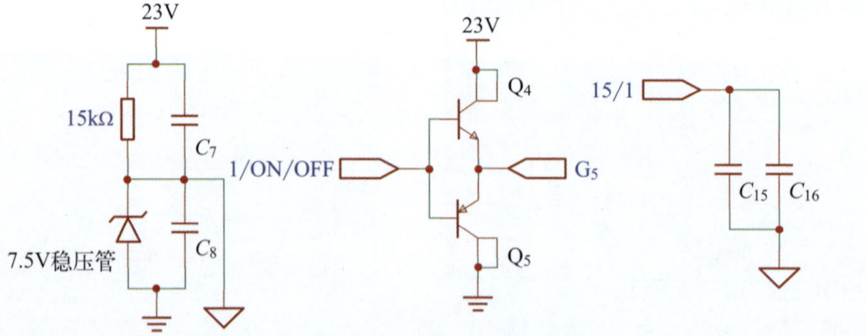

图 37-9　IGBT 模块逆变桥驱动电路（二）

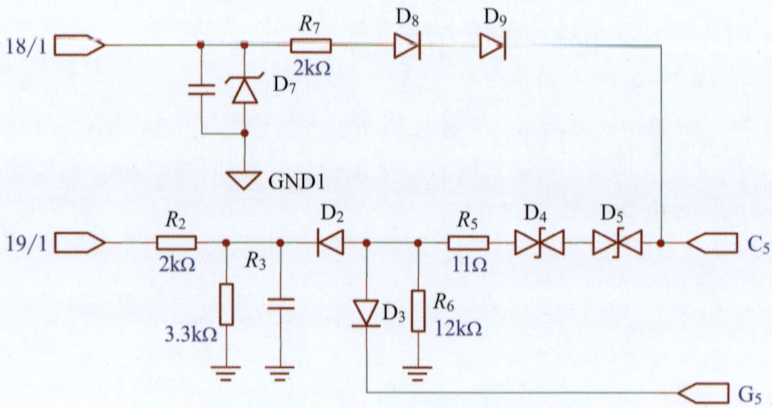

图 37-10　IGBT 模块逆变桥驱动电路（三）

根据芯片手册中的引脚功能定义与实际电路结构可知，芯片驱动 IGBT 的原理大致如下。

13 号脚来自 IGBT 的 E_5 引脚，该引脚为逆变桥的上管输出引脚，在芯片内部与其他保护引脚之间有连接关系。

14 号脚为来自隔离变压器的 23V 负极，芯片驱动由三极管构成的推挽电路来驱动 IGBT 的 G 极，因此芯片在驱动推挽三极管时需要用该引脚作为回路。

15 号脚为内部电源电路的旁路电容，以减小内部电源的纹波。

16 号脚在芯片手册中的定义为逆变桥的高压负极回路检测电路，可通过芯片的配置来检查高压负极回路是否异常。

17 号脚为芯片的供电引脚和输出驱动推挽电路的正极回路，与 14 号脚之间的电压为 23V。

18 号脚为 IGBT 短路检测引脚，可通过配置来检查 IGBT 的 CE 之间是否短路。

19 号脚为 IGBT 的保护，IGBT 在关断时 CE 两端会产生一个尖峰电压，该尖峰电压可能会超过IGBT的耐压值，这样就会导致IGBT的损坏，通过电路结构可知大致的工作原理，当IGBT的CE之间的电压过高，会击穿D_5和D_4二极管，被19号脚检测到。当19号脚检测到过高的电压后会停止控制IGBT的关断，因此D_4和D_5的电压会加载在IGBT的G_5端，使IGBT保持开启，用以保护IGBT。

20/21号脚为内部推挽电路输出，这里并没有使用芯片内部推挽电路，而是使用外部推挽电路驱动IGBT。因此在这个电路中将两个引脚并联使用。

22号脚连接至IGBT的G极，由芯片内部来钳位IGBT的GE之间的电压，用以保护IGBT。

23号脚为芯片供电的负极。

24号脚为芯片内部电源的旁路电容。

芯片的驱动信号由主控单片机通过非门芯片驱动，并且芯片2 ~ 5号脚是SPI通信引脚，可与主控单片机通信。

IGBT逆变桥驱动电路的PCB板位号如图37-11所示。

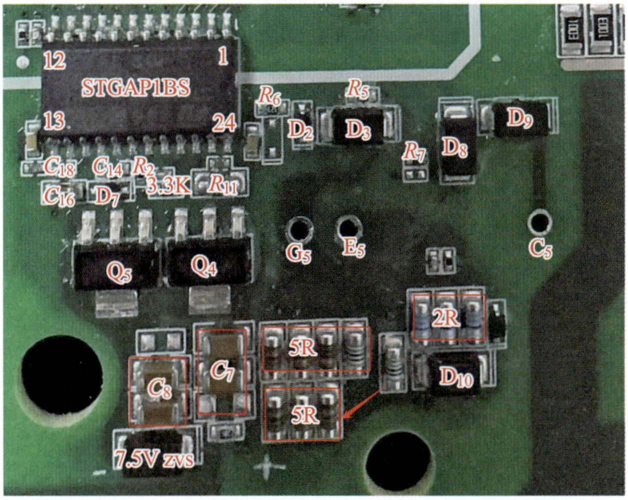

图37-11 IGBT逆变桥驱动电路的PCB板位号

三、旋变解码电路

该电控内部使用的是AD2S1205数字转换器，将旋变信号输出的模拟信号转化为数字信号便于主控单片机处理。AD2S1205集成片上可编程正弦振荡器，可以将励磁信号频率设置为10kHz、12kHz、15kHz或者20kHz。

AD2S1505芯片的35号脚和34号脚为励磁信号输出（正弦波），经C_{20}、C_{21}耦合至放大电路。前级放大电路由两个运算放大器构成，两个运算放大器分别放大正半周信号和负半周信号，再经过由三极管构成的逆变桥再次放大，最后经C_{23}、C_{24}去耦输出励磁信号至旋变的励磁线圈，如图37-12所示。

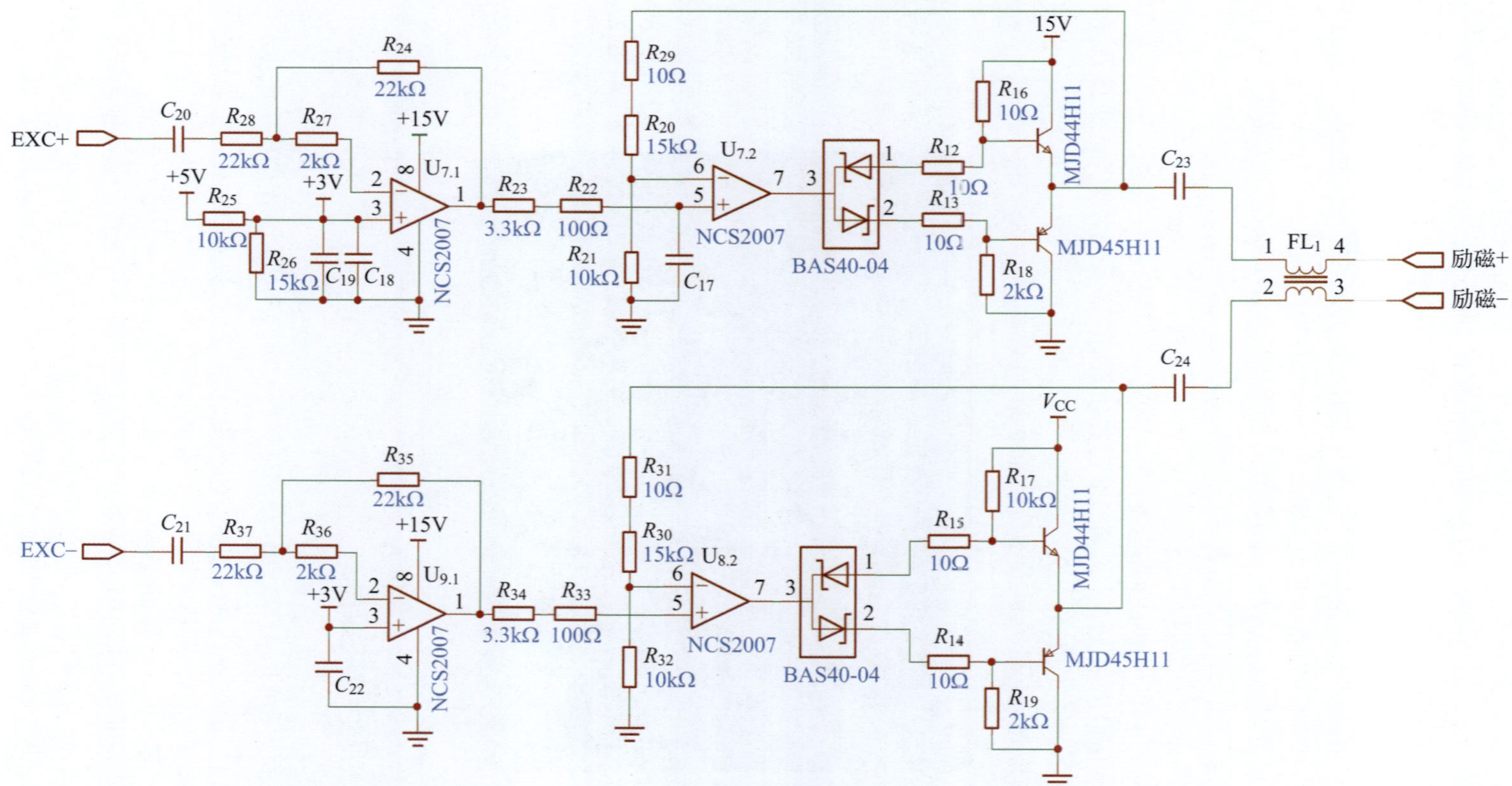

图 37-12　励磁信号放大电路原理

正弦信号、余弦信号来自旋变传感器（图 37-13 和图 37-14），信号进电路板后经电容滤波共模电感，并经电阻限流和限幅度后送入单片机的 37、38、40 和 41 号脚。

旋变信号解码电路的 PCB 板位号如图 37-15 和图 37-16 所示。

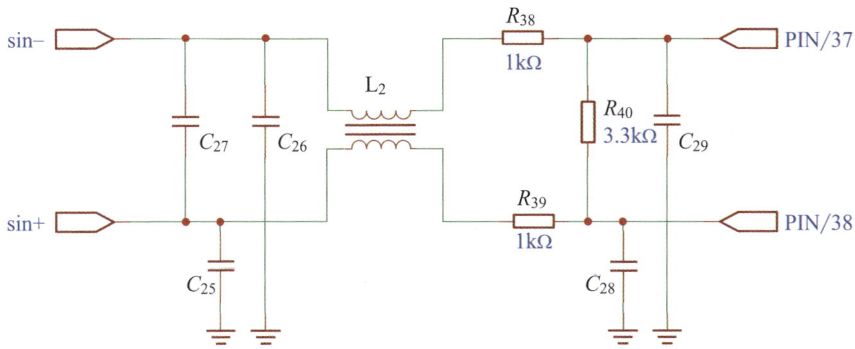

图 37-13　正弦信号输入电路原理

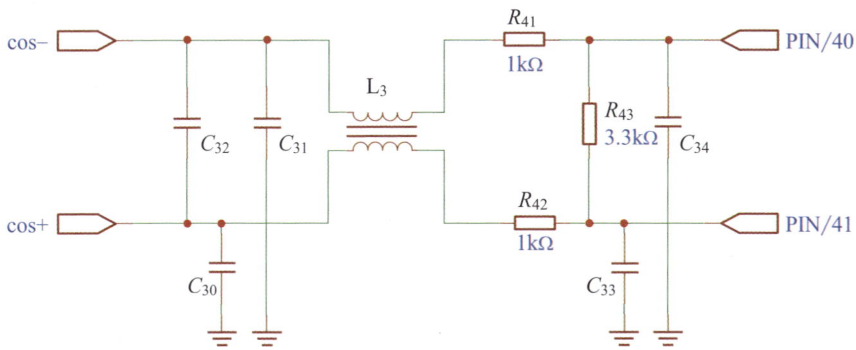

图 37-14　余弦信号输入电路原理

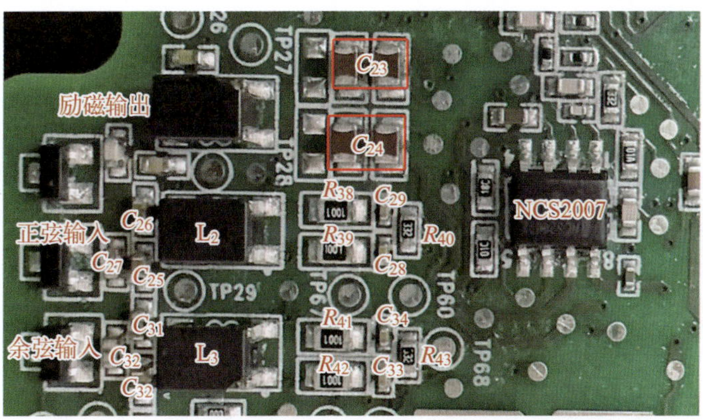

图 37-15　旋变信号解码电路的 PCB 板位号（正面）

图 37-16　旋变信号解码电路的 PCB 板位号（反面）

四、相电流采样电路

如图 37-17 所示，相电流采样电路使用的是霍尔电流传感器进行采样，采样芯片

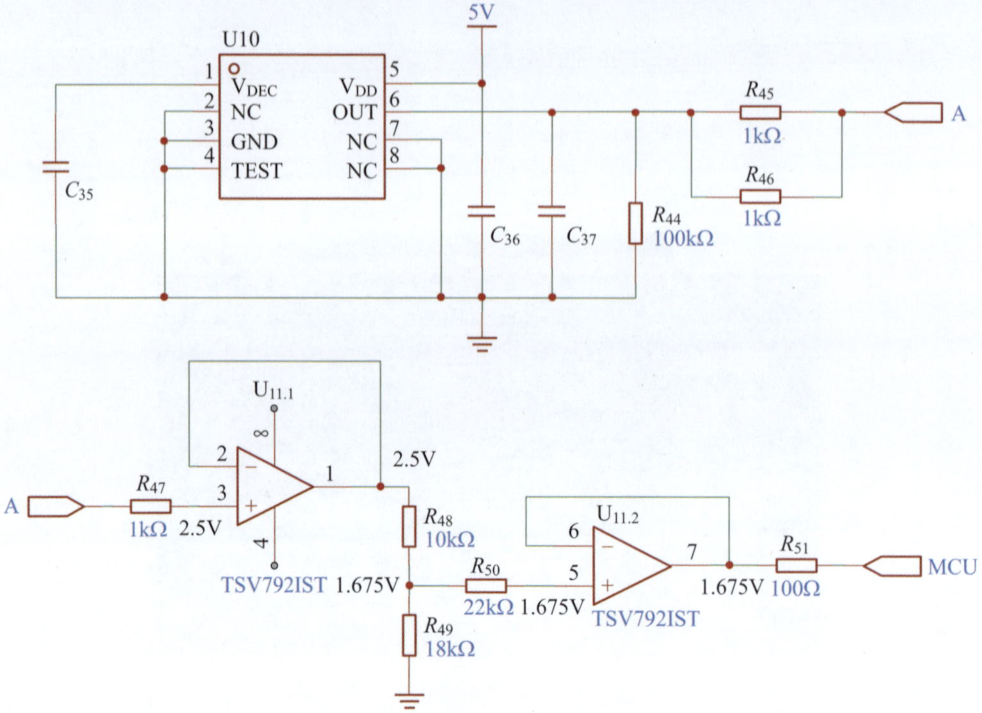

图 37-17　相电流采样电路原理

贴装在 PCB 板上，在 PCB 安装到电控外壳内后刚好位于相线位置。采样芯片将电流信号转变为电压信号后送入运算放大器的 3 号脚，在静态下霍尔电流传感器输出电压为 2.5V，经运算放大器第一级电压跟随电路后在 1 号脚输出 2.5V。输出电压经 R_{48} 和 R_{49} 分压后得到 1.67V 并送入第二级运算放大器。根据原理可知，第二级运算放大器也是一个电压跟随电路，因此在 7 号脚输出 1.67V 信号电压，该电压被送入 MCU 用以计算相电流。

相电流采样芯片在 PCB 板上的位置如图 37-18 所示。相电流采样芯片的 PCB 板位号见图 37-19，运放芯片的 PCB 板位号见图 37-20。

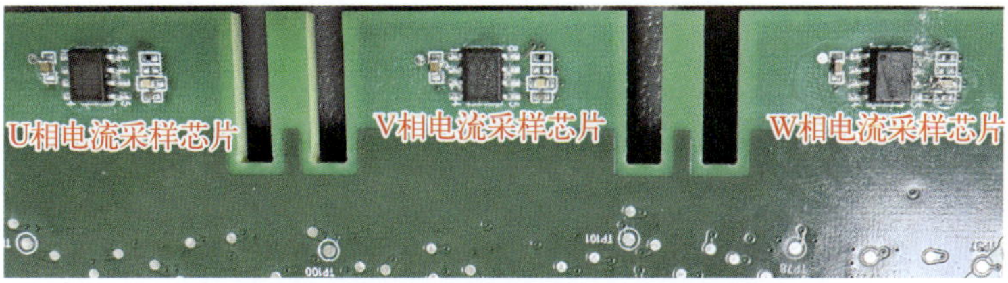

图 37-18 相电流采样芯片在 PCB 板上的位置

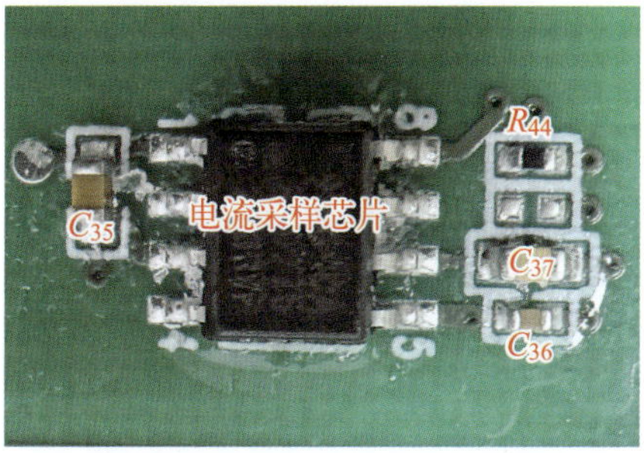

图 37-19 相电流采样芯片的 PCB 板位号

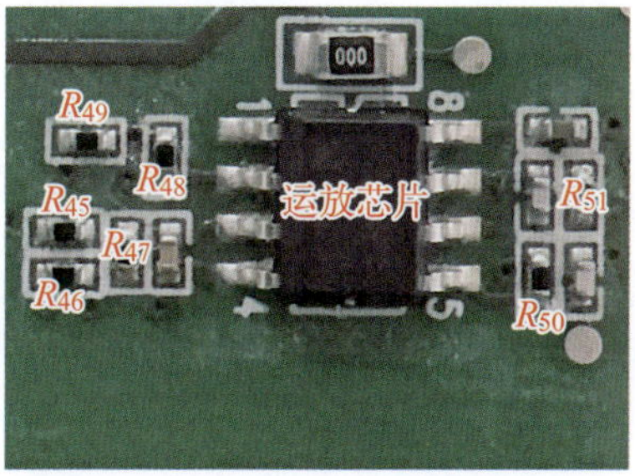

图 37-20 运放芯片的 PCB 板位号

五、芯片引脚定义

各芯片引脚定义如图 37-21 ~ 图 37-24 所示。

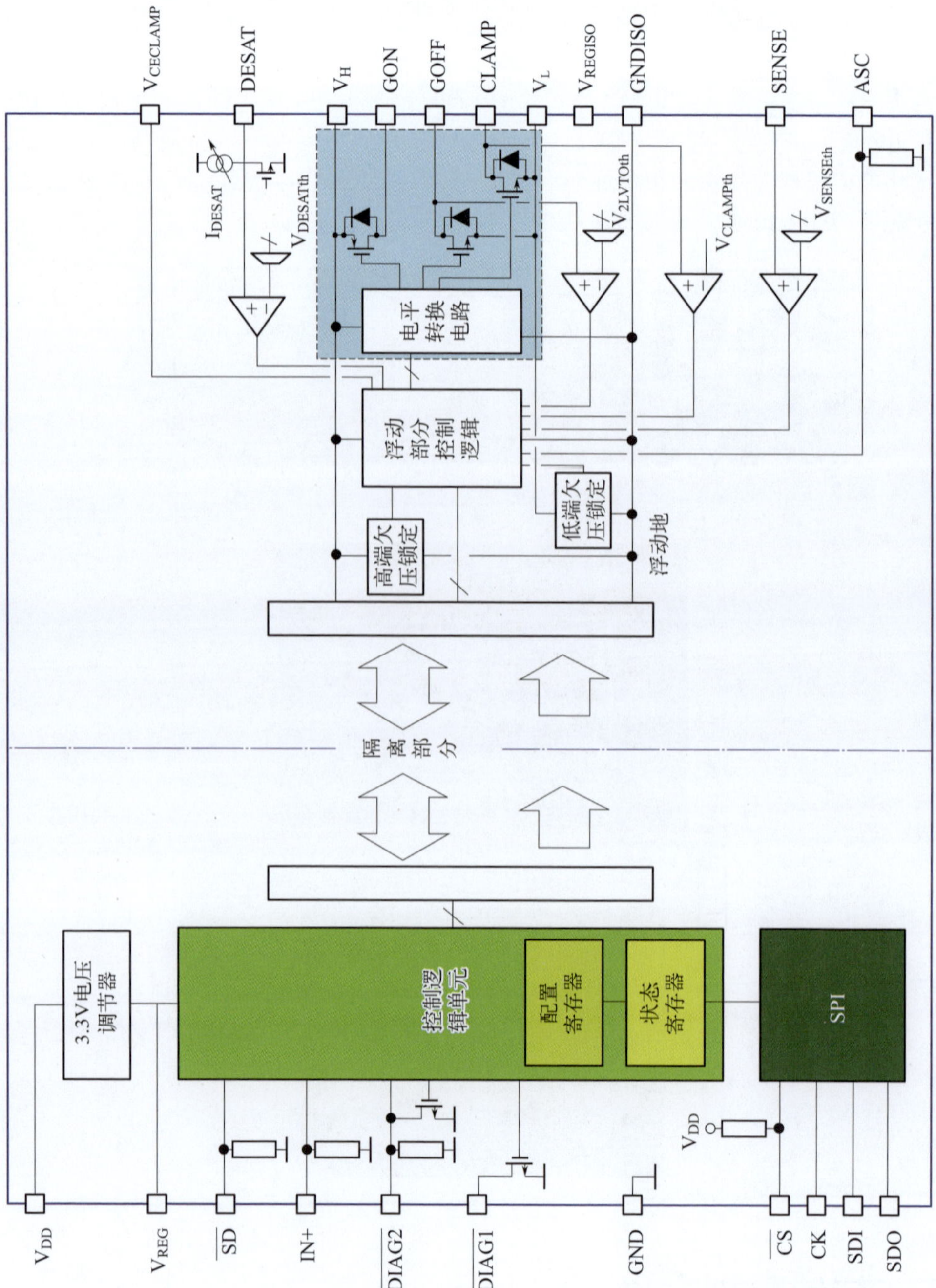

图 37-21 IGBT 驱动芯片

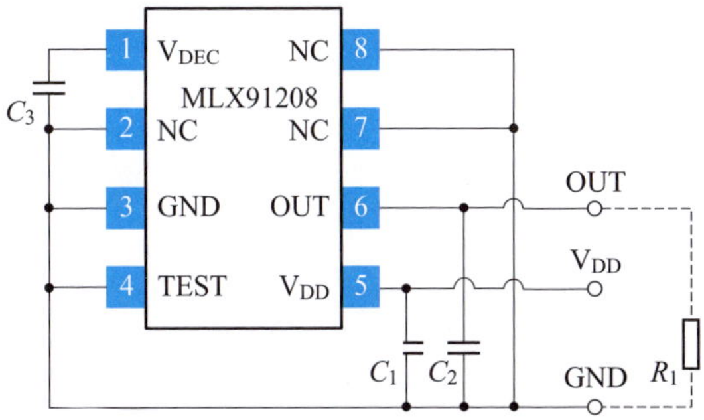

图 37-22 电流采样芯片

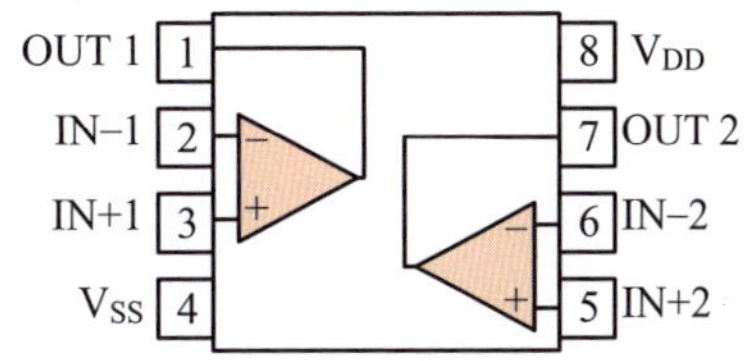

图 37-23 旋变运放芯片

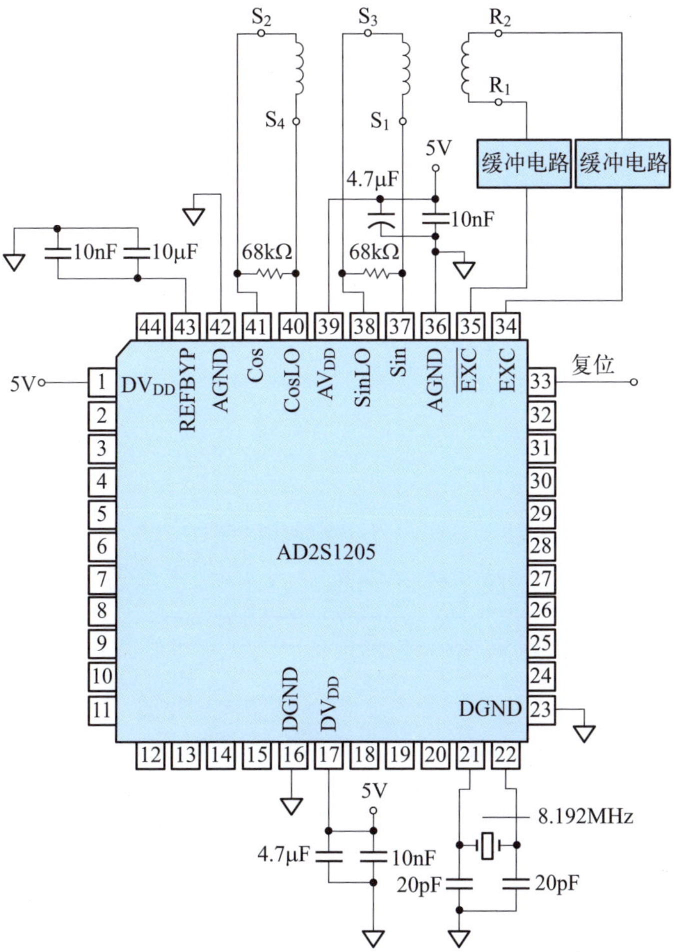

图 37-24 旋变解码芯片

第三十八课时 其他常见电控系统

一、大通电控系统

大通电机控制器的控制板拓扑图如图 38-1 所示。

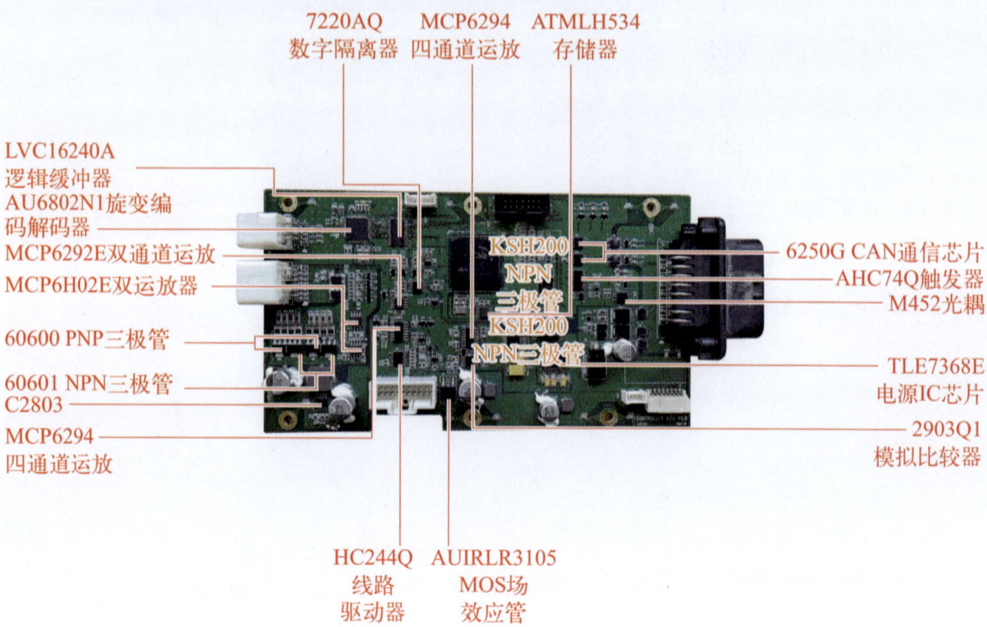

图 38-1　大通电机控制器的控制板拓扑图

大通电机控制器的驱动板拓扑图如图 38-2 所示。

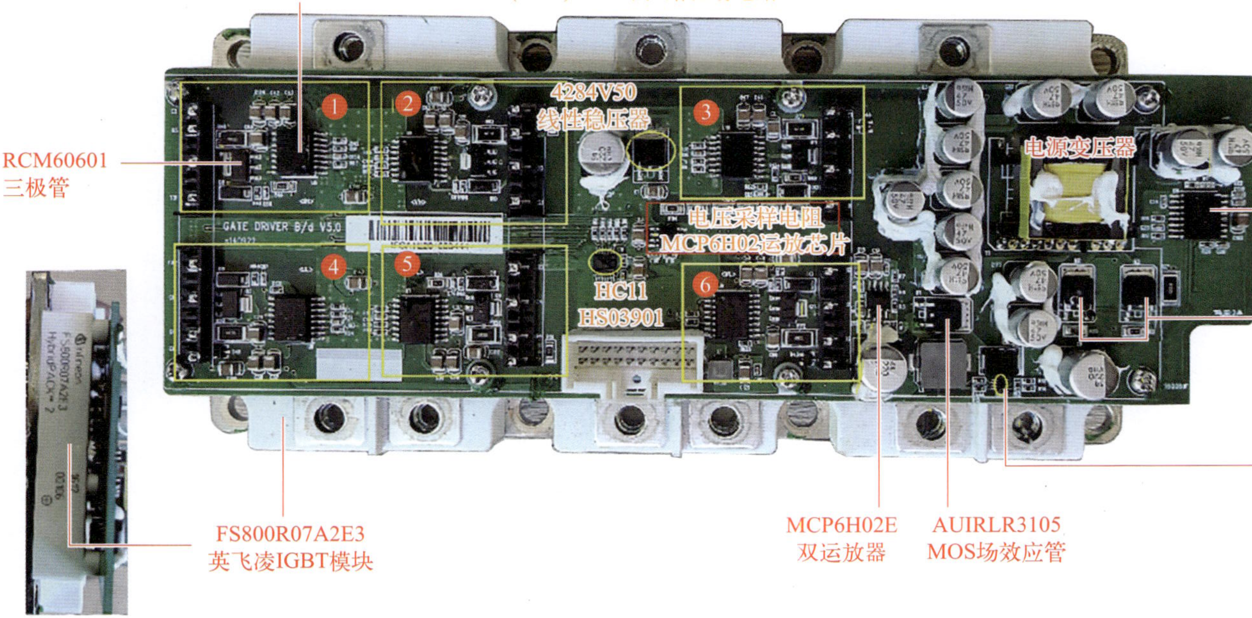

图 38-2　大通电机控制器驱动板拓扑图

二、吉利 EV300 电控系统

吉利 EV300 电控驱动板拓扑图如图 38-3 所示。

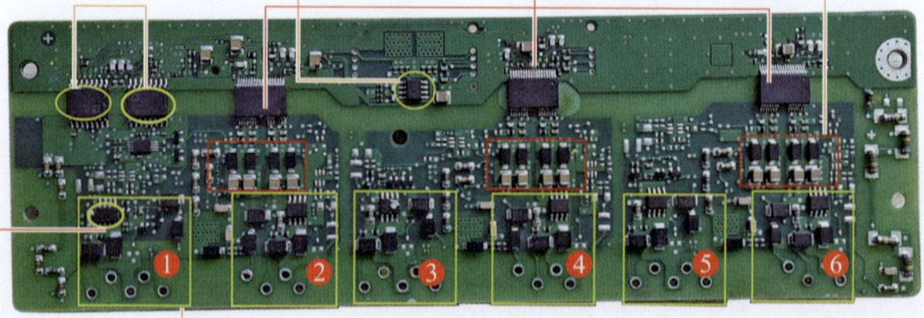

(a) 正面

(b) 反面

图 38-3　吉利 EV300 电控驱动板拓扑图